IDEOLOGIA Y TEATRO EN ESPAÑA:
1890-1900

JESUS RUBIO JIMENEZ

IDEOLOGIA Y TEATRO EN ESPAÑA: 1890-1900

DEPARTAMENTO DE LITERATURA ESPAÑOLA
UNIVERSIDAD DE ZARAGOZA

* *

LIBROS PORTICO

El autor agradece su colaboración a Libros Pórtico

© Jesús Rubio Jiménez

Edita: Libros Pórtico
         Dpto. Literatura Española. Universidad de Zaragoza

Depósito Legal: Z-366-82
ISBN: 84-85264-52-5

Imprime: INO-Reproducciones S.A.
Sta. Cruz de Tenerife, 3. - Zaragoza

INTRODUCCION

La bibliografía sobre el periodo en el que se centra este estudio es muy abundante. Sin embargo, el teatro de aquellos años no ha suscitado la atención que merece, por lo que carecemos de estudios de conjunto actualizados sobre el mismo. Este trabajo intenta contribuir a suplir esta laguna en la medida de lo posible.

Las contradictorias opiniones que ha motivado en los críticos la literatura de aquellos años dificultan cualquier intento de aproximación. La actitud de la crítica es especialmente confusa en lo que a teatro se refiere. Con frecuencia, se ha escrito sin una mínima apoyatura documental y predominan los análisis inmanentes de las obras. Esto me decidió a emprender un rastreo y revisión de fuentes en las publicaciones de la época para situar así correctamente los textos críticos y piezas teatrales más significativos por su repercusión social y literaria, buscando sus raíces y sus relaciones dentro del panorama español y europeo.

Al proceder así lo he hecho impulsado por el deseo de evitar construcciones erróneas y conclusiones gratuitas, aportando además documentación en buena parte desconocida. Al final del libro, incluyo una relación de las publicaciones periódicas que he revisado sistemáticamente, y que seleccioné por su importancia cultural y teniendo en cuenta su ideología.

Limitaciones editoriales de espacio por un lado y mi deseo de ofrecer ante todo una visión de conjunto por otro, me han llevado a no extenderme en análisis muy detallados de las obras, remitiendo —cuando existen— a trabajos particulares sobre las mismas, aunque indicando en todo caso las claves de lectura e interpretación que considero más apropiadas.

He procurado ir jalonando la evolución teatral española con la europea, estudiando qué autores y tendencias interesaron más y cómo fueron distorsionados dadas las peculiares características del proceso cultural español. Su consideración aclara múltiples aspectos del teatro de fin de siglo sobre todo en su vertiente más renovadora. Al estudio de la recepción de los movimientos y autores más destacados he dedicado los tres primeros capítulos, pasando después a analizar en los restantes cómo fue considerado el hecho teatral por distintos grupos sociales españoles.

He procurado no sólo acumular documentación de manera puramente cuantitativa, positivista, sino que, en todo momento, la he ordenado buscando su sentido y su relevancia. Todo dato requiere un apartado conceptual de clasificación e interpretación que delimite su significación, pues para poder hablar de historia los datos tienen que ser interpretados y, a su vez, estas interpretaciones deben ser ordenadas en un sistema coherente.

A conseguir este aparato conceptual de clasificación e interpretación a que me refiero, me ha ayudado la lectura reiterada de algunos críticos que creo necesario mencionar aunque sólo sea de pasada. De Georg Lukács me han interesado sus agudas reflexiones sobre el drama burgués decimonónico y sus personajes movidos por el deseo de hacer prevalecer la propia personalidad[1]. De su discípulo Lucien Goldmann, su noción de "visión del mundo" en lo que tiene de invitación a buscar insistentemente unas ideas capaces de explicar una obra, un autor o las obras de un grupo social no sólo especulativamente, como intentan algunos de sus epígonos, sino también empíricamente[2], teniendo en cuenta, además, que las realidades humanas se presentan como procesos de doble vertiente: *desestructuración* de las estructuraciones antiguas y *estructuración* de totalidades nuevas que puedan satisfacer las nuevas exigencias de los grupos sociales que las elaboran[3].

De Antonio Gramsci y Umberto Eco, sus ideas sobre la literatura popular, el populismo y los mecanismos que rigen estas obras[4]. De Jean Duvignaud y Bernard Dort sus valiosas apreciaciones acerca de cómo las transformaciones que el teatro experimenta se explican sociológicamente; y, por ello, la necesidad del estudio de la relación funcional del contenido de las obras y su estilo con los marcos sociales reales[5].

Los años en los que se centra este estudio —1890 a 1900 fundamentalmente—, fueron años de gran agitación ideológica. Transcurrida la primera década de la Restauración se hicieron evidentes sus contradicciones, heredadas de los decenios anteriores y sólo aparentemente resueltas. El teatro fue como el pulso de la conflictiva España restauracionista y su estudio es por ello imprescindible para su completo conocimiento, habida cuenta de que era el espectáculo más frecuentado e influyente en la vida social.

Las generaciones de escritores y dramaturgos más que sucederse se acumulan, se

(1) G. Lukács, "The Sociology of Modern Drama", *Tulane Drama Review*, IX-4 (1965), pp. 146-170. Traducción al inglés de Lee Baxandall. Escrito poco antes de su famosa *Teoría de la novela*, sostiene básicamente los mismos planteamientos aplicados al drama.
Véase, George Lichtheim, *Lukács*, Barcelona, Grijalbo, 1973.

(2) Véanse al respecto las agudas consideraciones de Noël Salomon, "Algunos problemas de sociología de las literaturas en lengua española", en *Creación y público en la literatura española*, Madrid, Castalia, 1974, pp. 15-39; este punto, p. 31. Como Noël Salomon soy consciente de la *provisionalidad* de este tipo de estudios.

(3) De Lucien Goldmann he tenido en cuenta especialmente, *Para una sociología de la novela*, Madrid, Ciencia Nueva, 1967; *El hombre y lo absoluto*, Barcelona, 1968; "Le Théâtre de Genet et ses études sociologiques", *Cahiers Renaud-Barrault*, 57 (1966), París, Gallimard, pp. 90-123; *El teatro de Jean Genet*, Buenos Aires, Monte Avila editores, 1968; "Micro-estructures dans les 25 premières repliques des Negres de Jean Genet", *MLN* (1967), pp. 531-548.

(4) Antonio Gramsci, *Literatura y vida nacional*, Buenos Aires, Lautaro, 1961. Umberto Eco, *Obra abierta*, Barcelona, Seix Barral, 1965. U. Eco, "Retórica e ideología en *Los misterios de París* de Eugenio Sue", recogido en *Sociología de la creación literaria*, Buenos Aires, Nueva Visión, 1971, pp. 101-126; y U. Eco, *Socialismo y consolación*, Barcelona, Tusquets, 1974.

(5) Jean Duvignaud, *Sociología del teatro (ensayo sobre las sombras colectivas)*, México, F.C.E., 1966. Bernard Dort, *Teatro y sociología*, Buenos Aires, Carlos Pérez Editor, 1968.

yuxtaponen, confluyendo ideas dispares, cuya filiación sólo es discernible si se siguen paso a paso. La sucesión de acontecimientos culturales es tan rápida a veces, que provoca la perplejidad y la confusión en los escritores. Misión nuestra es intentar ordenar y colocar cada cosa en su sitio.

He tratado no tanto de juzgar lo que fue una parte significativa del teatro en aquellos años, cuanto de comprenderlo, presentando las aspiraciones y las contradicciones de los dramaturgos y críticos innovadores, en un medio, cuando no hostil, indiferente a todo lo que supusiera renovación y ruptura de convencionalismos.

Agradezco su estímulo y sus observaciones al Dr. Víctor García de la Concha, director de este trabajo, que en una versión más extensa fue presentado como tesis doctoral en la Universidad de Zaragoza, obteniendo la calificación de "Sobresaliente cum laude". Al revisarlo antes de confiarlo a la imprenta, he tenido en cuenta también en la medida de lo posible las indicaciones que me hicieron los otros miembros del tribunal Dr. Félix Monge, Dr. Leonardo Romero, Dra. Aurora Egido y Dr. Juan Manuel Cacho.

Mi agradecimiento igualmente para el Dr. Alfonso Armas Ayala, Dr. José Alvarez Junco y Dr. Edward Inman Fox, entre otros, que atendieron mis consultas y me proporcionaron distintos materiales e indicaciones para la realización de este estudio.

I

EL LEGADO DEL NATURALISMO EN EL TEATRO

ZOLA Y EL TEATRO

La adopción del Naturalismo[1] en el teatro fue intentada por el propio Zola, tanto en el terreno teórico —a partir de enero de 1879 la revista *Le Messager de L'Europe*, de San Petersburgo, publicó *El Naturalismo en el teatro*, luego recogido en *La novela experimental* y completado por *Nuestros autores dramáticos*—, como en lo práctico, adaptando algunas de sus novelas y buscando la creación de una dramaturgia atenta a la problemática de la realidad contemporánea. Ya antes de estas series de artículos, Zola había manifestado cuál era su actitud respecto a la crisis teatral francesa y su deseo de contribuir a sacar al teatro de su estancamiento. En el prólogo del arreglo teatral de *Teresa Raquín*, escribía:

> No hago aquí una tesis a favor mío. Tengo el convencimiento profundo —e insisto en este punto— de que el espíritu experimental y científico del siglo ganará al teatro, y que en ello se encuentra la única renovación posible de nuestra escena.
>
> Que la crítica mire a su alrededor, y que me diga de qué lado espera alguna ayuda, un soplo de vida que me ponga de pie de nuevo al teatro. Es verdad, el pasado ha muerto. Es necesario ir hacia el futuro; y el futuro, es el problema humano estudiado en el cuadro de la realidad, es el abandono de todas las fábulas, es el drama viviente de la doble vida de los personajes y del medio ambiente, alejado de los cuentos de hadas, de los harapos históricos, de las grandes palabras huecas, de las estupideces y fanfarronadas y de las conve-

---

(1) Aunque discutido y hasta cierto punto equívoco, el término *naturalismo* resulta válido y útil, referido a un sector de la literatura de aquellos años. En este trabajo lo utilizo con el sentido que lo aclimató Zola, dotándolo de unos contenidos precisos: tendencia a seguir los preceptos de las ciencias experimentales entendidas a la manera positivista; construcción doblemente determinista —biológica y social— del individuo; gusto por las descripciones bien documentadas; cierta preferencia por los temas "bajos", patológicos y los considerados escandalosos; populismo en la actitud ideológica del escritor.
Véanse, al respecto: Henry Markiewiz, "Le naturalisme dans les recherches littéraires et dans l'esthétique du XXᵉ siècle", *RLC*, 47 (1973), pp. 256-272. Harry Levin, *El realismo francés: Stendhal, Balzac, Zola, Proust*, Barcelona, Laia, 1974.

niencias. Los andamios podridos del drama de ayer caen por sí solos. El sitio tiene que quedar limpio. Las recetas para atar y desatar una intriga han periclitado; es necesario, ya, una amplia y simple pintura de los hombres y las cosas, un drama que Molière pudiera haber escrito.[2]

La búsqueda de lo verdadero mediante la observación y el análisis del hombre, preside, al igual que en sus ideas sobre la literatura en general, su concepción del teatro[3]. Se opone al teatro de tesis, que obedece a preocupaciones morales de la burguesía, rechazando del mismo modo sus espectáculos evasivos donde entran el juego y la danza.

En el apartado tercero de *El Naturalismo en el teatro*, hace un balance del teatro del momento, para demostrar cómo, progresiva aunque lentamente, se camina hacia el naturalismo teatral: del prestidigitador Sardou, a quien interesa más la intriga que los caracteres, y del "fabricante" de obras teatrales Scribe, de cuyo teatro dirá que tiene movimiento pero no vida, a Alejandro Dumas hijo, que hace estudios fisiológicos en sus obras pero que se pliega ante las exigencias escénicas dando la espalda a la realidad si es preciso, hay un avance: el teatro comienza a hacerse *documento social*. De las complejas intrigas de Sardou y Scribe a la simplificación que introduce Augier, retomando el sentido de la intriga en el teatro clásico, hay igualmente evolución, pero no logra desprenderse del "personaje simpático", tipo ideal de los buenos y hermosos sentimientos, siempre hecho con el mismo molde, sin validez humana. Falta un dramaturgo capaz de acabar de una vez con todos estos convencionalismos o si no, el teatro se hundirá, se hará cada vez más inferior.

Sus postulados dramáticos se resumen, por ello, en su aspecto negativo, en una lucha contra las convenciones de orden moral y técnico de estos dramaturgos a las que contrapone una serie de propuestas positivas concernientes al autor dramático, a la puesta en escena y a otros aspectos del hecho teatral:

> Espero que se pongan en pie en el teatro a hombres de carne y hueso tomados de la realidad y analizados científicamente, sin falsedad. Espero que se nos libre de personajes ficticios, de estos símbolos convenidos de la virtud y del vicio, que ningún valor tienen como documentos humanos. Espero que los medios determinen a los personajes y que los personajes actúen según la lógica de los hechos combinada con la lógica de su propio temperamento.
> Espero que ya no haya ningún tipo de escamoteo ni golpes de varita mágica que cambian, de un minuto a otro, las cosas y los seres. Espero que ya no se nos cuenten más historias inaceptables, que no se nos estropeen observaciones justas por medio de incidentes novelescos, cuyo efecto es el de destruir incluso

(2) Tomo la cita del prólogo de Ricard Salvat al libro de Jacques Desuché, *La técnica teatral de Bertold Brecht*, Barcelona, Oikos-Tau, 1968, pp. 18-19.

(3) Buenas síntesis de sus ideas sobre el teatro en Jean Robichez, *Le symbolisme au théâtre: Lugné-Poe et les débuts de L'Oeuvre*, París, L'Arche, 1957, pp. 28-33. Ricard Salvat, *Historia del teatro moderno, I (los inicios de la nueva objetividad)*, Barcelona, Península, 1981, pp. 87-151. Juan Guerrero Zamora, *Historia del teatro contemporáneo*, Barcelona, Juan Flors, 1961, vol. II, pp. 291-318.
Por mi parte, me limito a exponer sus ideas de manera muy sumaria. Utilizo la edición castellana de "El naturalismo en el teatro", incluida en Emile Zola, *El Naturalismo*, Barcelona, Península, 1972, pp. 109-146. La introducción, selección de textos y notas de Laureano Bonet. Para lo referente a *Nuestros autores dramáticos*, las traducciones publicadas en *La España Moderna*, 1891-1892.

las partes buenas de la obra. Espero que se abandonen las reglas conocidas, las fórmulas cansadas de servir, las lágrimas, las risas fáciles. Espero que una obra dramática, libre de declamaciones, de grandes frases y de los grandes sentimientos, tenga la alta moralidad de lo verdadero, sea la lección terrible de una investigación sincera. Espero, por último, que la evolución hecha en la novela se acabe en el teatro, que en él se vuelva a la fuente de la ciencia y de las artes modernas, al estudio de la naturaleza, a la anatomía del hombre, a la descripción de la vida, en un proceso verbal exacto, tanto más original y poderoso en cuanto que nadie ha osado todavía ponerlo sobre las tablas[4].

La cita es larga, pero densa. Resalta los aspectos fundamentales de su dramaturgia: un teatro analítico, con personajes concretos, vital, no literaturizado, que preste atención al medio, un teatro "verdadero". Las páginas siguientes son una matización de estas afirmaciones.

Zola era consciente, no obstante, de que todo género tiene sus "problemas de oficio", sus convenciones, pero también de la necesidad de ensancharlas. El autor dramático, dirá, no tiene la libertad del novelista, está encerrado en un "cuadro rígido" y en lugar de dirigirse a un lector solitario, se enfrenta a la masa de espectadores. Es esto, en su opinión, lo que hace que el naturalismo progrese tan lentamente en el teatro, pero tiene que avanzar a pesar de que el análisis enoje al público, que sólo "pide hechos, siempre hechos", que "no toleraría demasiada verdad" y que por eso exige "cuatro monigotes simpáticos contra un personaje real tomado de la vida".

Aún volverá más adelante sobre este problema del "personaje simpático", como punto sobre el que se libra realmente la batalla del naturalismo.

Estaba así Zola sentando las bases del *teatro independiente*, que no sirve a los caprichos del público sino que se enfrenta a él, más aún, que trata de fabricarse su público.

De interés son sus ideas sobre la decoración teatral. El teatro clásico ignoraba o consideraba secundarios los "ambientes"; como mucho, los rodeaba de un halo imaginario. El drama naturalista, por el contrario, se sujeta a la realidad social contemporánea, concediendo la primacía a la verdad humana de los caracteres, sometiéndolos al encadenamiento de los hechos. La puesta en escena buscará igualmente esta verdad. Lo mismo que a los personajes novelescos los sumerge en el "medio" en el que viven, y que en la novela nos es dado por la descripción, el decorado teatral tendrá idéntica función:

> Las descripciones no tienen necesidad de ser llevadas al teatro; se encuentran en él de una manera natural ¿Acaso la decoración no es una contínua descripción que puede ser mucho más exacta y más conmovedora que la descripción hecha en una novela?.
>
> Se dice que no es más que un cartón pintado; en efecto, pero en una novela es todavía menos que un cartón pintado, es papel tiznado; y no obstante se produce la ilusión.
>
> Después de los decorados con tanto relieve, de una verdad tan sorprendente, que hemos visto recientemente en nuestros teatros, ya no se puede negar la posibilidad de evocar en escena la realidad de los medios[5].

(4) E. Zola, "El naturalismo en el teatro", *ed. cit.*, p. 135.

(5) *Ibíd.*, p. 140.

Rechaza por un igual las escenografías románticas que las clásicas, pide una ambientación escénica que conserve al hombre como centro. Hay un deseo de que el decorado sea elaborado según su funcionalidad escénica, siendo utilidad y exactitud sus leyes. Era algo que estaba en el ambiente, como lo venía demostrando, en sus giras por Europa, la compañía de los Meiningen[6].

Zola creía en la posibilidad del reproducir el *medio* en la escena. Para ello hace indicaciones: el actor dejará de hablar obligatoriamente hacia el público, procurará ser natural en sus actitudes y en su dicción. Frente a quienes defendían un lenguaje teatral engolado y diferente del habla en conversación normal, idéntico para todos los personajes, propone un lenguaje como el de los novelistas, "verdaderos estilistas de la época", un lenguaje flexible y natural, "resumen de la lengua hablada", "que pone la palabra justa en su lugar con el valor que debe tener"[7].

Sus ideas teatrales fueron, en definitiva, el incentivo que movió a crear a Antoine su *Teatro Libre*, potenciando la figura del director de escena como puente entre el público y el escenario, como taumaturgo que selecciona el repertorio en función de unos objetivos, manipulando el texto según sus concepciones estético-ideológicas. Se abría así la vía al experimentalismo teatral, a un teatro que poco tendrá en adelante que ver con el teatro comercial: el teatro *independiente* con todo lo que implica. El verismo intransigente de que se partía en principio se irá modificando paulatinamente, llegándose a unos dramas que interesan no ya por su vitalidad pasional sino intelectual[8].

Sus obras teatrales, sin embargo, son la otra cara de la moneda. La afición de Zola al teatro y su dedicación a él como dramaturgo fue muy temprana y anterior al estreno de sus obras. Paul Alexis, amigo y conocedor directo del escritor, cuenta que Zola iba al teatro desde muy joven y que había visto representar en Aix dieciocho veces *La dama blanca* y treinta y seis *La Torre de Neslé*[9]. Partiendo de este teatro melodramático, sin unas fronteras genéricas claras, escribió sus primeras obras: *La fea* (1865), *Magdalena* (1865), *Los misterios de Marsella* (1867), *Rolando el arquero* y *La lechera y el cántaro*.

El 11 de julio de 1873, por fin, estrenó su arreglo de *Teresa Raquín* con poco éxito a pesar del largo y costoso montaje[10]. El fracaso no le arredró. Zola volvió a la carga con *Los herederos Rebourdin*, al año siguiente, que no alcanzó más que diecisiete repre-

(6) Bernard Dort, *Tendencias del teatro actual*, Madrid, Fundamentos, 1975, pp. 52 y ss. Juan Guerrero Zamora, *ob. cit.*, pp. 293 y ss.

(7) E. Zola, "El naturalismo en el teatro", *ed. cit.*, pp. 143-144.

(8) Para una valoración de su labor y bibliografía sobre la misma, J. Guerrero Zamora, *ob. cit.*, p. 298.

(9) Paul Alexis, Vicente Blasco Ibáñez y Luis Bonafoux, *Emilio Zola*, Valencia, Sempere, s. f., p. 32.
También, Lawson A. Carter, *Zola and the Theatre*, Yale University Press, 1962 (traducción francesa, PUF, 1963). Sintetizado en *Les critiques de nôtre temps et Zola*, París, Garnier, 1972, pp. 54 y ss.

(10) Albert Soubies, *Le théâtre en France de 1871 à 1892*, París, 1903, p. 26: "(T. Raquin) fut condamné des le premier soir, à la Renaissance, le 11 juillet 1873, et disparut le 17, après avoir realisé un dernière et lamentable recette de 279 fr. 15!! Et cependant l'auteur avait, au dernier moment, sacrifié tout un tableau et il avait pour lui une interpretation hors digne".
Igual opinión en Alexis, *ob. cit.*, p. 90. Llamó con todo la atención de críticos tan conservadores como François Sarcey, que halló en ella una fuerza desusada. Parte de su crítica reproducida en R. Salvat, *ob. cit.*, pp. 110-111.

sentaciones y menos aún *El botón de rosa*[11].

En 1879, después de algunos años sin estrenar, William Busnach y Octave Gastineau, expertos en melodramas, adaptaron *La Taberna* realizando una puesta en escena en la que se buscaba al máximo el verismo, tanto en los cinco actos como en los nueve cuadros de que constaba.

Denis Bablet, en su excelente trabajo sobre la escenografía francesa de aquella época, muestra cómo el decorado es todavía burgués. La búsqueda de lo verdadero es muy limitada. Se pretende la localización exacta, pero reproducida de manera totalmente ilusionista. El cuadro tiene las dimensiones del escenario[12].

A pesar de ser la pieza de más éxito de Zola y de que se repuso en ocasiones, hasta 1892 apenas alcanzó 486 representaciones, cifra muy exigua si se compara con la obtenida por obras similares[13].

Zola apoyó el trabajo de Busnach y Gastineau como si fuera suyo, resaltando lo que tenía de negación de viejos convencionalismos y de aproximación a la vida contemporánea:

> Dad al drama de mañana el nombre que os guste: naturalista, moderno, poco importa. Creo que este drama irá a más en verdad y a más en humanidad, a una humanidad totalmente paternal y contemporánea. [...] Empezamos a exigir al teatro nuestra propia vida, nuestras habitaciones, nuestras plazas públicas[14].

Tras el desafortunado estreno de *Nana* (1887), logró rebasar las 100 representaciones con *El vientre de París* (1887), arreglo de la novela del mismo título realizado por Busnach. Para entonces ya, el *Teatro Libre* de Antoine intentaba llevar sus presupuestos teóricos a la práctica con más rigor. Contra lo que a veces se ha escrito, Zola no fue minado por este grupo, que sólo estrenó con desigual fortuna *Jacques Damour* (1887) y *Magdalena* (1889). Más aún, dentro de su propio ámbito surgieron pronto jóvenes dramaturgos que trataron de extremar los presupuestos naturalistas en el teatro; así, el 23 de marzo de 1888, con obras de Paul Bounetain, Lucien Descaves, Paul Margueritte y Gustave Guiches, que habían firmado un manifiesto contra Zola a propósito de *La Tierra*, se celebró una sesión a base de pequeñas piezas, que intentan ser "tranches de vie" llevados al teatro.

Además, la aparición del *Teatro de Arte* promovida por el joven poeta Paul Fort era también otra llamada en nuevas direcciones. En 1891, se estrenó en él *La Intrusa*, de Maeterlinck, que había sido rechazada por el *Teatro Libre* por su orientación idealista.

(11) En junio de 1878, Zola publicó en un tomo con el título de *Teatro*, tres obras: *Teresa Raquín, Los herederos Rebourdin, El botón de rosa*. Su prólogo, del que he citado un fragmento —nota 2— es un acto de fe en las posibilidades del naturalismo en el teatro, si bien reconoce Zola que no es él el gran dramaturgo deseado.

(12) Denis Bablet, *Esthétique genérale du décor de théâtre (de 1870 à 1914)*, París, Editions du Centre National de la Reherche Scientifique, 1975, p. 7.

(13) A. Soubies, *ob. cit.*, p. 143, detalla reposiciones de melodramas "clásicos" que alcanzaban más de 1000 representaciones: *Los misterios de París, El judío errante, Nuestra Señora de París*, etc.

(14) E. Zola, *Un campagne*. Tomo la cita de Salvat, *ob. cit.*, p. 140.

Incluso en la misma trayectoria del *Teatro Libre* fueron otros los hitos más significativos: en febrero de 1888, había estrenado *El poder de las tinieblas*, de Tolstoi, todavía desconocido como dramaturgo en Francia[15]. Aún más importante fue el estreno de *Espectros*, de Ibsen, en 1890, también desconocido en París aunque algunos críticos habían ya hablado de él y sus obras se habían representado en otros países europeos. Pero fue tras el montaje del *Teatro Libre* cuando se generalizó el interés por las obras de Ibsen. Después vinieron los estrenos de *La señorita Julia*, de Strindberg, y *Los Tejedores*, de Hauptmann, pilares fundamentales de la renovación teatral contemporánea.

En resumen, pues, de las obras de Zola, sólo *La Taberna* tuvo cierta repercusión, favoreciendo la temática obrera contemporánea en el teatro y acentuando la costumbre de obras en cuadros, en "tranches de vie". Pero fue mucho mayor su importancia como teórico y como impulsor de Antoine. Una muestra será bastante. En 1922, en una peregrinación a Mèdan para rendir homenaje a Zola, reconocía Antoine:

> Zola me enseñó a mirar a mi alrededor en vez de soñar. Me hizo darme cuenta del gran movimiento de mi siglo. Me reveló la doctrina de la observación, de la investigación que iba a revivir el esfuerzo humano; [...] lo que Zola hizo por mí, lo hizo por una generación entera. Quiero decir aquí que todo el movimiento del Teatro Libre se organizó ante su gesto de poderoso animador. Durante quince años de lucha, Zola no tuvo para nosotros otra actitud que su reconfortante aprobación[16].

EL TEATRO DE ZOLA EN ESPAÑA

La difusión de Zola en España hasta 1890 es bien conocida gracias el libro de Pattison, *El naturalismo español*, y trabajos posteriores que lo han completado[17]. Su estudio

(15) La obra tenía el aliciente de haber estado prohibida por la censura. Las reacciones de la crítica francesa fueron muy variadas. Muchas giraron en torno a la idea de si se trataba de un drama o una novela dialogada, tema que se discutía mucho por entonces.
Antoine, *Le théâtre*, París, 1932, pp. 222 y ss. recoge varias críticas al respecto. Dumas censura este tipo de obras. Sardou la considera obra sólo válida para la lectura. Augier dice que es una novela dialogada. Lo cierto es que entonces en Francia era habitual adaptar novelas al teatro. Lo practicaban Zola, los Goncourt, Daudet... Interesa tenerlo en cuenta pues determinó en España, por mímesis, un acercamiento de los novelistas al teatro, como veremos.

(16) Citado por Salvat, *ob. cit.*, p. 121.

(17) Walter Pattison, *El naturalismo español: historia externa de un movimiento*, Madrid, Gredos, 1969. Especial mención merece, Nelly Clemessy, *Emilia Pardo Bazán romancière (La critique, la théorie, la pratique)*, París, Centre de Recherches Hispaniques, 1973. Su cap. III. "L'accueil fait au naturalisme en Spagne avant *La cuestión palpitante*", pp. 55-74. Aporta nuevos datos que hacen que haya que adelantar las primeras referencias a Zola a 1874, año en el que Ricardo Blanco Asenjo, en "Del realismo y del idealismo en la literatura", *Revista de la Universidad de Madrid*, estudia la evolución de estos conceptos.
Significativos son también: Emilio Nieto, "El realismo en el arte contemporáneo", *Revista Europea*, 49 al 52 (1875).
El asunto se complica si tenemos en cuenta que para una exacta valoración del *naturalismo* es preciso considerar también otras líneas de procedencia de este movimiento: ciertos aspectos del romanticismo,

es mucho menos preciso a partir de estas fechas, apoyándose en que cambió entonces el interés hacia nuevas corrientes: la novela rusa, los dramaturgos nórdicos y las teorías de autores como Lombroso, Ferri o Max Nordau.

Pero sólo si seguimos a Zola durante la siguiente década y vemos cómo evolucionó, modificando los planteamientos naturalistas iniciales hacia un naturalismo más abierto —"naturalismo social" lo ha llamado Pérez de la Dehesa con fortuna—, se entiende la encarnizada defensa que los grupos intelectuales pequeñoburgueses y obreros españoles hicieron del escritor francés en los últimos años del siglo, a raíz de su participación en el "caso Dreyfus"[18]. Su presencia es constante en las publicaciones de unos y otros. Admiraban la evolución de su ideología, sus novelas y sus ideas sobre el teatro que hicieron propias en buena parte. Es, tal vez, este último el aspecto que menos ha sido documentado de su influencia, aunque es un paso previo e indispensable para abordar con claridad el peculiar desarrollo del naturalismo teatral en España. Las posiciones adoptadas por el público y la crítica ante sus escritos teóricos y piezas teatrales son un síntoma elocuente de las dificultades que encontraron quienes quisieron aclimatar, con las restricciones que veremos, el naturalismo en la escena española.

Si de la larga lista de obras de Zola difundidas en España, que ofrece Pattison, entresacamos las producciones teatrales, éstas resultan poco significativas a primera vista:

del folletín, del costumbrismo. Véase, José Antonio Gómez Marín, *Aproximaciones al realismo español*, Madrid, Miguel Castellote editor, 1975, pp. 52 y ss.

No menos arduo resulta historiar la implantación del término *naturalismo* en la crítica. Aparte de los estudios citados son al respecto útiles: Gifford Davis, "The Spanish Debate over Idealism and Realism before the impact of Zola's Naturalism", *PMLA*, LXXXIV-6 (1969), pp. 1649-1656. *Idem.*, "The Critical Reception of Naturalism in Spain before *La cuestión palpitante*", *HR*, 22 (1954), pp. 97-108.

Manuel de la Revilla, en 1879, en "El naturalismo en el arte", usaba indistintamente *naturalismo* y *realismo*, considerando el naturalismo "la demagogia" del realismo.

Nelly Clemessy, *ob. cit.*, p. 59, demuestra cómo efectivamente se utilizaban indistintamente, predominando, con todo, el término realismo.

Fue la publicación de *La Taberna* (1877) y el escándalo que provocó lo que hizo que la crítica francesa en adelante utilizara el término *naturalismo* de manera más precisa, referido al nuevo grupo. A España llega a través de la crónica de Ch. Bigot en *RC* (abril 1876, pp. 237-240; febrero 1877, p. 403; y agosto 1877, pp. 394-395).

"Pico de la Mirándola" en *IEA* (marzo y abril 1877), pp. 190 y 251, le dedica dos de sus "Lettres parisiennes", utilizando la denominación de *naturalista*; el 15 de abril escribe: "los escritores que se apellidan a sí propios naturalistas, y cuyas flamantes producciones en prosa y en verso (*La Chanson des gueux, La fille Elisa*) se complacen en la fotografía de todas las podredumbres carnales, son la última manifestación de ese desenfrenado desgajamiento literario". Estos primeros juicios son muy negativos y moralizantes. Que no estaba asentada la distinción conceptual lo muestra la continua confusión en los años siguientes por los críticos españoles.

Fue Menéndez Pelayo quien tal vez situó mejor las cosas en su artículo "De tal palo tal astilla", *IEA* (19-IV-1880), p. 226, donde señala que una cosa son los rasgos de técnica naturalista existentes en Clarín y otra la aceptación de los postulados filosóficos que constituyen la base de la doctrina naturalista.

(18) Parcialmente estudiada por Rafael Pérez de la Dehesa, "Zola y la literatura española finisecular", *HR*, 39 (1971), pp. 49-60. Y José Fernando Dicenta, *Luis Bonafoux, "la víbora de Asnières"*, Madrid, CUS, 1974, pp. 165-193.

Sería necesaria una revisión sistemática de las publicaciones de aquellos años. Textos de Zola aparecen con mucha frecuencia. Igualmente de escritores como Daudet, los Goncourt o Maupassant. Es muy insuficiente la lista de traducciones de estos que proporciona Pattison, pp. 52-62, y desde luego, muy discutible su afirmación de que "el naturalismo francés es, para los españoles, casi exclusivamente la influencia de Zola" (p. 62).

a) *Nana*. Según *El Imparcial* (18-V-1885), se representó una versión de esta obra en Madrid con muy poco éxito[19].

b) *Historia de un crimen*. Según *La Epoca* (18-XII-1881), se ha hecho una adaptación de *Teresa Raquín* por Hermenegildo Giner de los Ríos, representada en el Liceo Capellanes el 23-X-1881. Tuvo poco éxito, pero después se publicó, ya que aparece anunciado en *La Ilustración Española y Americana*; tomo 25-2, p. 328 (20-XI-1881)[20].

c) *Teresa Raquín*. De nuevo según *La Epoca* (15-V-1883), que dice fue representada con poco éxito por una compañía de actores portugueses en el Teatro de la Comedia[21].

Sin embargo, no incluye Pattison apenas referencias a las obras teatrales de Zola en los repertorios de las compañías extranjeras, que actuaron en la península en aquellos años y escapan, además, a su repaso, algunos arreglos de interés.

En lo que respecta a las compañías extranjeras, vehículo importante durante todo el siglo para el conocimiento e introducción de las novedades europeas en nuestro país, Bohigas Tarragó constata cómo:

> En las alturas de 1882 asomaban ya las preferencias por las corrientes literarias y artísticas de Francia en contraposición al dominio de que hasta entonces había disfrutado Italia; la Meca de los artistas, situada en Roma, iba a desplazarse a París, para dar, desde allí, la tónica de la cultura europea.
>
> En el repertorio de las obras representadas por las últimas compañías italianas cada día abundaban más las de origen francés; el naturalismo procedente de Francia aparecía en la moda y el drama nacionales; nuestros pintores, y entre ellos nuestros escenógrafos, acudían a la capital francesa para ponerse a tono con el momento[22].

Las obras de autores como Dumas hijo y Sardou, ocupaban con todo mucho más lugar en los repertorios de estas compañías. Dramas que la moral burguesa española vetaba a nuestras compañías, eran admitidos en éstas como productos exóticos, ajenos a la manera de ser española, aunque con muchos años de retraso. Casos típicos, merecedores algunos de una monografía, fueron obras como *Frou-Frou* o *La Dama de las camelias*.

Las obras de Zola ocupan un lugar escaso en estos repertorios. Reseño los estrenos:

(19) "Ramiro" en "Revista de teatros", en *RC*, LVII (mayo-junio 1885), pp. 236-238, la ataca con dureza por "inmoral" y "extraída del cieno de las más hediondas pasiones".

(20) Según mis notas se repone en 1885 en el Teatro *Novedades* a comienzo de temporada; es vuelta a atacar por el revistero de *RC*, LX (noviembre-diciembre 1885), pp. 213-215. Escribe en esta ocasión "Ramiro": "presenta las llagas más repulsivas y asquerosas del cuerpo social, sin que el ingenio, el talento, ni aún la cortesía trate de suavizarlas" (p. 214). Constata el hecho de que el público acude en abundancia porque gusta de los melodramas.

(21) M. Cañete, "Los teatros", *IEA* (22-VII-1883), considera "repugnante" y "antiartístico" su tema; los intentos naturalistas en el teatro le parecen inútiles, porque, dice, no se puede esclavizar el arte a la ciencia.

(22) Pedro Bohigas Tarragó, *Compañías dramáticas extranjeras en Barcelona*, Barcelona, Instituto del Teatro, 1946, p. 52. Desconozco si existe alguna monografía similar para Madrid, pero de cualquier forma su repertorio debió ser parecido.

En 1882, la Compañía de Giovanni Emmanuel representó *Nana*. En 1883, la compañía portuguesa de Luis Furtado Coelho, representó *Teresa Raquín*; es probablemente la representación a la que alude Pattison, efectuada en el teatro de la Comedia. En 1893, la compañía de Giovanni Emmanuel, volvió a ofrecer *Nana*. Yxart por su parte, proporciona datos no existentes en la obra de Bohigas, como el éxito de la compañía italiana de Tersero con *Teresa Raquín*[23].

Tampoco incluye Pattison el arreglo que Pina Domínguez hizo de *La Taberna*, en 1883, partiendo del que había hecho Busnach en París[24]. Se estrenó en el teatro Novedades, de Madrid, el 1 de diciembre de aquel año, siendo luego editado por Hidalgo en su Galería Teatral.

En la anquilosada crítica española del momento suscitó comentarios que revelan una ignorancia supina del quehacer teatral de Zola y a los que contestó el propio Pina con una carta dirigida al crítico Pedro Bofill, incluída como prólogo en la edición citada. Se dirige a él porque ha sido el único que ha reconocido no conocer el drama de Busnach, pasando luego a censurar a quienes, sin conocer la adaptación francesa, juzgan la suya en relación con aquella:

> Quién dice que Zola fue ajusticiado en Novedades (estilo culto): quién afirma que no es posible hacerse cargo del drama original por el arreglo que serví a los señores; quién asegura que *La taberna* es un sainete; quién, por último, llama *bufos* los cuatro primeros cuadros de la obra[25].

Para defenderse, cita el prólogo de Zola al arreglo de Busnach del que entresaca párrafos significativos referentes a la misión de la crítica: "repito que la crítica sólo es poderosa cuando sea justa"; "cualquiera puede recoger el lodo de las calles y lanzarlo a la faz de un escritor, semejante trabajo no exige ni talento ni honradez".

Su arreglo, indica, es "casi una traducción literal de la obra francesa", aunque ha cambiado los nombres y adaptado su argot al español, de cuyo resultado se envanece:

> Ninguno de los tipos principales... (y permítaseme la inmodestia) ha perdido su carácter, ni su importancia. No he cargado la mano en la parte cómica ni he aligerado la dramática como algunos aseguraron. Sólo suprimí un cuadro; el de la Taberna, porque ante todo, tengo la pretensión de conocer a nuestro público y las dimensiones extraordinarias de la obra exigían aligerarla (p. XI).

¿Quería decir de paso Pina que el público español no aceptaría una escena en una taberna sin protesta como años más tarde ocurrió con *Juan José*? El mismo recuerdo del público a quien dirige su obra le hizo también cambiar el final sin percatarse de que,

(23) José Yxart, *El año pasado: 1887*, Barcelona, 1888, p. 112.

(24) Una comparación entre las dos versiones en Albert Bensoussan, "Emile Zola sur la scène espagnole: de *L'Assommoir* a *Germinal*, de *Juan José* a *Daniel*, de Joaquín Dicenta", incluido en *Hommage Ch. Aubrun*, Paris, Editions Hispaniques, 1975, pp. 69-78.
Para él, *Juan José* y *Teresa* son obras que siguen la enseñanza de Zola a través de Pina Domínguez.

(25) Utilizo esta edición: *La taberna (L'Assommoir)*. Melodrama en tres actos y ocho cuadros, arreglado a la escena española por D. Mariano Pina Domínguez, Madrid, Imprenta de Cosme Rodríguez (administración de Hidalgo), 1883. Texto citado, pp. VI-VII.

al hacerlo, dejando con vida a Gervasia, destruía lo que de documento de denuncia social tenía la obra:

> Pero otra vez el carácter y la índole especial de nuestro público, y más particularmente el que asiste al teatro Novedades, influyeron en mi ánimo. Además, Gervasia muere de hambre en medio del *Boulevard*, sin encontrar una mano protectora ni un corazón generoso. Mi obra se desarrolla en Madrid, y los españoles no dejamos morir de hambre a nadie en medio del arroyo (p. IX).

Lo melodramático, latente siempre en el naturalismo, se apodera así de lo innovador en el arreglo de Pina. Bensoussan, en el artículo citado más arriba, recalca este aspecto, que lleva a un final moralista a Pina: Gervasia se podrá *redimir* por el "trabajo y la religión".

Sólo la estrechez de miras de la sociedad española podía acusar de naturalista e inmoral la obra de Pina. De hecho, algunas publicaciones de talante conservador, como los *Anales del teatro y de la música*, se percataron de lo mucho que había suavizado Pina, haciendo desaparecer "los detalles más repugnantes" e introduciendo "un fin moral que no existe en la novela". Según esta revista alcanzó 50 representaciones consecutivas, asistiendo a ellas con expectación e interés "muchos autores y críticos y todo el elemento de la juventud literaria"[26].

Lily Litvak, en un trabajo sobre el teatro naturalista catalán, alude a otro arreglo de *La taberna*, en 1884, que iniciaría, según ella, el teatro naturalista catalán. Fueron sus autores Eduard Vidal i Valenciano y Rossend Arús:

> La significación de esta obra iba mucho más lejos de lo que los autores podían suponer. Se trataba de un drama en prosa, y el escenario catalán no contaba con otra pieza en prosa de importancia que *Lo gra de mesc*, de Feliu i Codina, estrenada en 1883, que sólo por ello se apartaba del teatro tradicional.
> Aún más importante era el hecho de que *La Taberna*, escrita once años antes que *Juan José*, abandonaba el ruralismo y escenificaba la vida obrera. El drama, sin embargo, no estaba concebido bajo una estética estrictamente naturalista, el tema fue abordado desde el punto de vista casi romántico, pues los autores se autoproclamaban moralizadores del pueblo, y aunque había en la obra elementos de crudo realismo, no tenían un fin meramente descriptivo, sino que pretendían servir como lección de buenas costumbres[27].

---

(26) *Anales del teatro y de la música*, Madrid, 1883-1884. La crítica, fechada 16-XII-1883, ocupa las pp. 195-198.
Destaca además aspectos del montaje: "el cuadro del lavadero y el del mercado están verdaderamente copiados de la realidad [...] los otros tienen más artificio..." (197); "puesto en escena con mucho lujo y propiedad" (197). La espectacularidad de este teatro no es lo menos importante como venimos viendo.
Para M. Cañete "representa genuinamente el espíritu y carácter de ese bastardo *naturalismo*" a pesar de que Pina ha suprimido lo más "pernicioso" y "repulsivo"; no se levanta un ápice sobre otros melodramas. En *IEA* (30-XII-1883).

(27) Lily Litvak, "Naturalismo y teatro social en Cataluña", en *Comparative Literature Studies*, V-1 (1969), College Park (Maryland), pp. 279-302. Texto citado en p. 282. Reproduce también parte de la justificación de los autores de por qué utilizan este tipo de escenas. Menciona, p. 297, algunas otras no citadas por Pattison: *La taberna*, L. Suñer Casademunt. *Emilio Zola o el poder del genio*, José Fola. *Germinal*, J. P. Rivas.

El teatro de Zola llegaba, pues, simultáneamente a Madrid y Barcelona, interesando sobre todo *La Taberna* por su contenido sociológico. En Cataluña, la respuesta inicialmente fue mayor, lo cual es explicable tal vez por la existencia de menos población obrera en Madrid donde el proceso de acercamiento de la pequeña burguesía al proletariado era más lento.

De cualquier forma, este primer "teatro social" catalán —por aceptar la denominación de Lily Litvak— cuyo autor más destacado fue Pin i Soler, no se desprende nunca de su moralismo, hasta el punto de que ha sido llamado "naturalismo espiritualista" con evidente contradicción, y buscó sus temas más en la clase media urbana que en los problemas de los trabajadores. Se prolongará en José Roca y Roca, que introduce el obrero e industrial catalanes, y en Angel Guimerà que, en 1890, estrenó *La sala d'espera* y *La boja* en un intento de salir de su teatro romántico[28].

Las actividades del *Teatro Libre*, incluso cuando incluyeron a Zola en su repertorio, no tuvieron apenas eco en España. Además, las escasas referencias que rastreamos en la prensa española de estos años suelen ser negativas. El repaso de la correspondencia que enviaba desde París Ricardo Blasco a *La España Artística* es un ejemplo elocuente[29].

En los años noventa se hicieron aún más nítidas las posturas ante la obra de Zola. Revistas como el *Nuevo Teatro Crítico* (1890-1893), de la Pardo Bazán, propugnaban una progresiva sustitución de Zola y el naturalismo por Tolstoi y el espiritualismo ruso. Sus novelas eran ridiculizadas por la prensa conservadora y sus obras teatrales eran tratadas con desdén[30].

Un sector de la crítica moderada asimilaba, entretanto, sus ideas teóricas y las manipulaba fragmentariamente. En la revista *Teatro Moderno* (1891), en cuya redacción figuraban Ruiz Contreras, Flores García, Federico Urrecha y Salvador Canals, se evoca a Zola como maestro desde el manifiesto programático del primer número y se incluye

(28) *Ibíd.*, pp. 284-285, comenta estas obras; deben verse también para el contexto literario de estas obras los recientes trabajos de Xavier Fábregas sobre el teatro catalán: *Angel Guimerà: les dimensions d'un mite*, Barcelona, Edicions 62, 1971, e *Historia del teatre català*, Barcelona, Millà, 1978.

(29) *La España Artística* era una publicación semanal dedicada al teatro. Pertenecía a la agencia teatral "El Teatro", de Fiscowich. En la Hemeroteca Municipal de Madrid, he visto del nº 2 (15-VI-1888) al 99 (23-VI-1890). Ignoro si se siguió publicando. Es especialmente interesante para conocer cómo llegaba el movimiento teatral europeo a España, pues mantenía correspondencia con varias ciudades extranjeras. De las cartas de Blasco desde París, en el nº 27 (23-XII-1888), comenta el estreno de *Germinia Lacerteux* como un fracaso; nº 28 (1-I-1889), ecos de la polémica suscitada por esta obra; nº 45 (4-V-1889), comentario nada favorable del estreno de *Magdalena*, de Zola.
Las publicaciones obreras no eran mucho más comprensivas. *El Socialista*, 305 (8-I-1892), comentaba así, en la sección de noticias de "La semana burguesa", una representación experimental: "Vean ustedes en lo que entretiene sus ocios la burguesía. El empresario del Teatro Realista de París, que debe conocer el gusto de sus abonados, ofreció a estos una función a puertas cerradas, y qué tal sería la función se deduce de lo siguiente que cortamos de un periódico: "Una de las escenas representa la ilusión de un aborto. La primera escena fue repetida; por el contrario, la del aborto produjo un efecto de repulsión; y como si la piedad, en defecto del pudor, hubiera conmovido a los espectadores, estos protestaron".
Una nota similar en *Gaceta teatral española*, 1 (4-I-1892), bajo el título "El teatro libre".

(30) Clemessy, *ob. cit.*, pp. 147-171, realiza un estudio detallado de *Nuevo Teatro Crítico*. Artículos significativos: "Zola y Tolstoi", nº 5 (mayo 1891), pp. 35-73. O, en *La España Moderna*, (junio 1891), pp. 68-94, "Edmundo Goncourt y su hermano".
La bestia humana, fue ridiculizada por *El Imparcial*. Véase, Pattison, *ob. cit.*, pp. 148-149.

la traducción de uno de sus artículos teatrales, "El público de los estrenos"[31].

Más interés tiene para nosotros la actitud de la *gente nueva*, que seguía a Zola con gran interés, percatándose del nuevo sesgo del naturalismo que acentuaba su carácter social. Sintomática es la entrevista que le hizo Rodrigo Soriano en 1891, en la que Zola reconocía:

> Los naturalistas hemos sido sectarios, guerreros, excesivamente arrojados. Peleamos con todas las armas y a un débil ataque respondimos con lluvia de metralla. Resultado, que la tendencia se ha exagerado, se ha extremado lamentablemente y la reacción se impone, es necesario[32].

Unos años más tarde, Ernesto Bark, valorando de manera acertada esta transformación del naturalismo, recordaba el periódico que un grupo de escritores de la *gente nueva* publicó entonces, *La Democracia Social*, de orientación republicano-socialista, antecedente del que con igual título se publicó en 1895, inspirados ambos en gran parte por el ideario de Zola[33].

La España Moderna difunde numerosos estudios críticos de Zola a partir de 1890. Aparecidos primero en la revista, se incorporaban luego también como libros al catálogo, en el que figuran: *Estudios literarios* (1892), *Estudios críticos* (1892), *La novela experimental* (1892), *Nuevos estudios literarios* (1892), *Los novelistas naturalistas* (1893) y *El naturalismo en el teatro* (1892).
El texto de este último había aparecido en la revista a finales de 1891, es decir, trece años después de su primera publicación, cuando ya nuevos aires movían el mundo del teatro[34]. Aunque para entonces, como bien indica Yxart, los escritores conocían desde hacía tiempo los ensayos de Zola sobre el teatro, fueron estas ediciones el espaldarazo definitivo para su difusión[35].

(31) *Teatro Moderno*. Se publicó en Madrid en 1891. La traducción de Zola, nº 3 (30-X-1890). Salvador Canals era tal vez el más convencido de las posibilidades del naturalismo en el teatro pues escribe sobre el tema una y otra vez en *Revista de España* y luego en el *Diario del teatro*. Urrecha, todavía en 1900, en *El teatro. Apuntes de un traspunte*, p. 69, escribía: "Sigamos ateniéndonos a Zola, porque no vamos más acompañados".
Una valoración de conjunto del teatro de Zola es la de Critón, "Dramaturgos contemporáneos: Emilio Zola", *Nuevo Heraldo* (27-I-1893).

(32) Rodrigo Soriano, "Una conferencia con Emilio Zola", *Revista de España*, t. 137 (1891), pp. 226-239, 346-358, 413-425. Tuvo difusión también como libro aparte. Se trata de una visita al novelista francés que realizó acompañado de Darío Regoyos. Se muestra admirador incondicional de su literatura. De la Literatura española, Zola dice conocer muy poco de ese momento: le extraña que la Pardo Bazán siendo católica escriba sobre el naturalismo; de Galdós ha leído una novela; de Oller, *Le papillon (La mariposa)*, "algo lírica".
Le preocupa saber si en España se interesan por sus libros. Lo más importante de sus declaraciones es su insistencia en limpiar el naturalismo de "hojarasca", de hacerlo un movimiento más amplio y sereno, "clásico".

(33) Ernesto Bark, "El naturalismo español", *G*, 19 (10-IX-1897); también, "El renacimiento literario", *G*, 16 (20-VIII-1897). Esta evolución del naturalismo puede ser seguida en los artículos, muy documentados, de Rafael Altamira: "El Realismo en la literatura contemporánea", *La Ilustración Ibérica*, 173 (24-IV-1886) al 199 (23-X-1886); "Balance de la situación", *La Justicia* (18 al 21 y 25-X-1889).

(34) Emilio Zola, "El naturalismo en el teatro", *EM*, XLII (1891), pp. 82-108.

(35) José Yxart, *El arte escénico en España, I*, Barcelona, La Vanguardia, 1894, p. 89. En *Medio siglo de teatro infructuoso*, de Ruiz Contreras, iguales testimonios.

Un poco antes, *La España Moderna* había publicado su "Carta a la juventud", verdadero manifiesto y llamada a los jóvenes a escribir una literatura comprometida socialmente[36]. Estos jóvenes leían ávidos a Zola, junto con Sudermann, Ibsen, Mirbeau, etc. y adoptaban posturas de claro rechazo de la sociedad burguesa.

Los intereses de renovación social convivían con los de renovación estética y *Germinal* se convirtió pronto en la revista portavoz del naturalismo entendido al nuevo modo[37].

Más tarde, cuando los germinalistas colaboran en revistas como *Vida Nueva*, a veces se esgrime a Zola contra los estetas puros[38], aunque habrá voces como la de Llanas Aguilaniedo, que defenderán que "estetismo" no necesariamente implica "decadentismo", sino con frecuencia otros códigos de comportamiento, como los de Wilde o D'Annunzio.

Su teatro rara vez se representa. Ya en 1898, Antonio Vico estrenó en el teatro de la Princesa *Teresa Raquín* arreglada por Ruiz Contreras. No tuvo mayor repercusión en la prensa; las reseñas tienden sobre todo, a una valoración global de su teatro[39].

La revisión del proceso de Dreyfus reavivó aún más el interés por el escritor francés que, en contra de la opinión popular, apoyó en todo momento al oficial judío. La prensa de todas las tendencias se hizo eco y otro tanto ocurrió a raíz de su muerte en 1902[40].

En lo que al teatro se refiere, el testimonio más destacable fue el estreno en el teatro Circo, de Barcelona, ya en 1903, de un endeble drama de homenaje, *Emilio Zola o el poder del genio*, de José Fola Igúrbide.

Blasco Ibáñez editó una completa biografía suya, *Emilio Zola. Su vida y su obra*[41], e intentó publicar a precios populares sus novelas en la editorial Sempere. No llegó a hacerlo pero sí otras editoriales, alcanzando amplias tiradas[42].

(36) Emilio Zola, "Carta a la juventud", *EM*, XL (1891), pp. 116-143. En esta revista, sin embargo, después hay un bajón si no en el interés por Zola, ya que se reseñan todas sus obras, sí en la publicación de textos originales suyos.
Resultaban más polémicos y atractivos Lombroso, Ferri o Nordau. Véanse: Lily Litvak, "La sociología criminal y su influencia en los escritores españoles de fin de siglo", en *RLC*, 48 (1974), pp. 12-31; *idem*, "La idea de decadencia en la crítica antimodernista en España", *HR*, 45 (1977), pp. 379-412; Lisa E. Davis, "Max Nordau, "Degeneración" y la decadencia en España", *CHA*, 326-327 (agosto-septiembre de 1977), pp. 307-323.

(37) Rafael Pérez de la Dehesa, *El grupo Germinal: una clave del 98*, Madrid, Taurus, 1970. Antonio Ramos Gascón, "La revista *Germinal* y la gente nueva", en *La crisis de fin de siglo: ideología y literatura*, Barcelona, Ariel, 1974, pp. 125-142. Los artículos dedicados a Zola son múltiples: Jacinto Benavente, "Emilio Zola", *G*, 13 (30-VII-1897); los ya citados de Ernesto Bark; Paul Bourget, "Emilio Zola", *G*, 33 (31-XII-1897); "En casa de Zola", *G*, 35 (31-XII-1897). Al reanudarse la publicación en 1899, se comenzó a publicar como folletín *Germinal*, "expresamente traducida"; se inserta algún artículo suyo: "El trabajo anónimo en la prensa", nº 2 (31-III-1899).

(38) "Los estetas", *Vida Nueva*, 21 (30-X-1898). En adelante esta revista *VN*.

(39) Como ejemplo puede verse la reseña de Eduardo Bustillo, "Campañas teatrales", *IEA* (8-XII-1898); recuerda la trayectoria teatral de Zola y los escasos estrenos de sus obras que se han hecho en los años anteriores.

(40) José Fernando Dicenta, *Luis Bonafoux...*, ob. cit., y R. Pérez de la Dehesa, "Zola y la literatura española finisecular", art. cit.
España Artística, 72 (19-V-1898), inserta "Zola y Dreyfus en el teatro"; comenta que se ha estrenado en París en el teatro del *Odeón* una obra con este tema titulada *Morituri!* con poco éxito.

(41) Paul Alexis, Vicente Blasco Ibáñez y Luis Bonafoux, *Emilio Zola*, ob. cit.

(42) Rafael Pérez de la Dehesa, "La Editorial Sempere en Hispanoamérica", *Revista Iberoameri-*

Nuestra revisión demuestra que, al igual que en Francia, el teatro de Zola con la excepción de *La Taberna* no tuvo gran difusión. Mayor la tuvieron sus escritos teóricos, que fueron leídos, ya para ser negados, ya para ser reformulados.

EL NATURALISMO TEATRAL EN ESPAÑA

La filosofía positiva comtiana arrancaba de unos pilares muy concretos y definidos históricamente: el nuevo orden social emergente de la Revolución Francesa y el gran desarrollo de las ciencias de la Naturaleza. Ninguno de ambos gozaban de gran arraigo en España, que iba acumulando fracasos revolucionarios unos tras otros, con lo que, pasados los turbulentos años de la Gloriosa, de nuevo nos encontramos con la ausencia de una auténtica transformación burguesa de las estructuras nacionales y una realidad social en la que los vestigios del Antiguo Régimen eran más poderosos que los intentos de implantación del Nuevo Régimen.

La filosofía moderna había llegado a España fundamentalmente en la forma del Krausismo, importado y reelaborado por Julián Sanz del Río. Aunque se sustentaba en doctrinas filosóficas idealistas, su tolerancia en el campo de la filosofía fomentó el estudio de otras corrientes filosóficas, entre ellas el positivismo (Comte) y el evolucionismo (Darwin), fundamentos filosóficos del Naturalismo. Si los krausistas habían tenido que luchar por sus nuevas ideas, culminando su puja con la expulsión de los profesores krausistas de sus cátedras universitarias en 1867, era presumible una mayor oposición aún a la implantación del positivismo y del evolucionismo[43].

La revolución de 1868, no obstante, había impulsado de manera definitiva el libre examen. En adelante, los debates fueron constantes en todas las ramas del saber, incluido el campo de la creación literaria.

El artículo de Clarín "El libre examen y nuestra literatura presente" es una buena síntesis del cambio operado y la división que hace en la novela española del momento en dos grupos —el de los novelistas de la revolución y el de los de la reacción— es válida también para otros géneros, aunque a veces de manera menos nítida[44].

El inicio de la Restauración supuso el comienzo de lo que Aranguren ha llamado la "recepción social" del positivismo en España[45], originando un cambio en la mentalidad de la burguesía española, que pasó de ser una "burguesía de agitación" a una "burguesía

cana, 69 (1970), pp. 551-555.
Sus obras eran muy estimadas por los obreros en cuyas bibliotecas figuraban en gran cantidad. Véase, José Carlos Mainer, "Algunas consideraciones sobre lectura obrera en España", en *Teoría y práctica del movimiento obrero en España*, Valencia, Fernando Torres editor, 1977, pp. 175-239.

(43) Véanse: Pierre Jobit, *Les Educateurs de l'Espagne contemporaine*, París, 1936, 2 vols.; Juan López Morillas, *El krausismo español*, México, 1956; Vicente Cacho Viu, *La Institución Libre de Enseñanza*, Madrid, 1962; María Dolores Gómez Molleda, *Los reformadores de la España contemporánea*, Madrid, 1966; una buena síntesis de la relación krausismo-literatura en Juan López Morillas, *Krausismo: Estética y literatura*, Barcelona, Labor, 1973.

(44) Leopoldo Alas, *Solos de Clarín*, Madrid, Alianza, 1971, pp. 65-78.

(45) J. L. L. Aranguren, *Moral y sociedad*, Madrid, Edicusa, 1970, 4ª edic., p. 164.

de negocios", amiga del orden y con deseos de enriquecerse[46]. Esta burguesía reformuló el positivismo de acuerdo con sus intereses y sin desprenderse con frecuencia de la ambigüedad que caracteriza el pensamiento de los años anteriores. Escribe Diego Núñez:

> La actitud positiva va a encerrar, por tanto, dentro de su ambigüedad significativa, de cara a la posición liberal, una concepción positiva del progreso, que realiza, de entrada, una acerada crítica de la metafísica idealista y de la mistificación moralista o retórica de los problemas nacionales, a la par que un afán de fundamentar las formulaciones políticas reformistas en el conocimiento científico de la realidad social; y, al mismo tiempo, expresa el repliegue ideológico de amplios sectores de la burguesía media española que sustituye el *pathos* romántico de la libertad por la aceptación pragmática del orden canovista, integrándose así en el edificio de la Restauración[47].

Los debates sobre el positivismo en el Ateneo, en el curso de 1875-1876, perfilaron dos bandos según la postura adoptada: uno, el de los que seguían postulados metafísicos, que englobaba a católicos —Perier y Caballeda—, eclécticos —Moreno Nieto—, hegelianos —Montoro—, y krausistas como González Serrano. En el otro grupo se alineaban los impugnadores de la metafísica: neokantianos —Perojo y Revilla—, y los llamados "positivistas naturalistas".

Políticamente, esta situación se traducía en un abandono de las actitudes idealistas utópicas y la adopción de posiciones más realistas y comedidas. Los políticos, incluidos los republicanos, optaron por el camino del *pactismo* y del *posibilismo*[48]. Sólo algunos núcleos —el que giraba en torno a Pi y Margall y los internacionalistas— seguían en sus posturas intransigentes[49].

Como reconocía en el equilibrado discurso de clausura Gumersindo de Azcárate, resumiendo los debates del Ateneo, se trataba de una nueva situación del pensamiento filosófico coetáneo. Desde sus planteamientos krausistas, criticó determinados aspectos de las propuestas positivistas, pero admitió la importancia de los "antimetafísicos"[50].

(46) José María Jover, *Conciencia obrera y conciencia burguesa en la España contemporánea*, Madrid, Rialp, 1956.

(47) Diego Núñez Ruiz, "Mentalidad positiva y Restauración", en *Teoría y sociedad: homenaje al profesor Aranguren*, Barcelona, Ariel, 1970, p. 294.
Utilizo en este apartado abundantemente los trabajos de este autor sobre el positivismo en España, especialmente, *La mentalidad positiva en España: desarrollo y crisis*, Madrid, Tucar ediciones, 1975. La llegada del comtismo es estudiada en las pp. 111-136, la del evolucionismo —Darwin, Spencer y el naturalismo germánico— pp. 165-198.

(48) Es la línea política de la llamada "democracia gubernamental", representada por hombres como Castelar, Carvajal, Salmerón, Azcárate, integrantes del partido posibilista y del posterior partido centrista de Salmerón. Para más detalles, Diego Nuñez, *La mentalidad positiva...*, pp. 30-37.
Alcanza incluso a publicaciones más radicales como *Germinal*, que, en "Nuestro programa" (n° 1, 30-IV-1897), escribe: "Nuestra política será realista y positivista enfrente de metafísicos e ideólogos, y nos ocuparemos detenidamente de hacer estudios de los problemas económicos y sociales".

(49) Sobre los movimientos obreros en aquellos años, tema "cenicienta"de muchos historiadores del siglo XIX en la actualidad, he tenido en cuenta, Anselmo Lorenzo, *El proletariado militante* (1901), reeditado por Alianza (1974); Juan José Morato, *El partido socialista* (1918); Manuel Tuñón de Lara, *El movimiento obrero en la historia de España*, Barcelona, Laia, 1977, 3 vols. Al referirme a anarquistas y socialistas militantes preciso más.

(50) Diego Nuñez, *ob. cit.*, pp. 48-49, sintetiza su intervención.

Los krausistas buscarán en los años siguientes fórmulas conciliatorias, tratando de armonizar la razón y la experiencia, en lo que Diego Núñez llama el "krausismo positivo"[51]. Se convierte este krausismo así en una actitud intelectual abierta y flexible, que cuajará en la actividad de la Institución Libre de Enseñanza, muy permeable a lo positivista, pero con un fondo ético importante, que se traducirá especialmente en la defensa de una "educación integral" que aúne la cultura científica y humanista.

Cuando a la difusión del comtismo suceda la del evolucionismo de Darwin, Spencer y el naturalismo germánico, se habrá llegado al objetivismo naturalista. Entonces el análisis positivo de la realidad social sustituye a las interpretaciones moralistas y especulativas. Las publicaciones de más prestigio intelectual siguen con detalle los avances científicos europeos y en el Ateneo interesan las discusiones de estos temas. Se plantea el problema del atraso científico de España y el descubrimiento de este atraso lleva a actitudes similares a las del despotismo ilustrado, que se harán mucho más evidentes tras la crisis de 1898, heredando nuestro siblo este elitismo, resultante de la no consumación de la revolución burguesa.

En el reformismo regeneracionista de principios de siglo aflora con frecuencia esta mentalidad, que explica las censuras que se hacían a la juventud literaria española del momento, abierta a corrientes irracionalistas. Las críticas de Clarín a los modernistas, por ejemplo, adquieren nuevo sentido vistas dentro de este contexto[52].

El positivismo dejaba sentado en España un método científico de trabajo, que llevaba a un estudio racional de los fenómenos sociales; fijaba las bases de la sociología como ciencia autónoma. Las limitaciones de la sociología española de aquellos años son las del positivismo español y su falta de claridad se deriva de la imposibilidad de armonizar el positivsmo y el idealismo.

Este es, a grandes rasgos, el cañamazo ideológico en el que se desenvolvió el naturalismo literario español. La pugna de tendencias ideológicas enturbia la distinción entre los términos *realismo* y *naturalismo*. Se puede, no obstante, hablar de naturalismo literario en tanto en cuanto se realizó la confluencia de la corriente filosófica del positivismo y del realismo literario. El naturalismo literario español tuvo por ello unos límites restringidos, más aún en el teatro que en la narrativa.

La vacilación terminológica que se advierte en los primeros años, se fue clarificando después para quienes estudiaron con detenimiento el naturalismo literario, acabando por identificarlo con la escuela de Zola y definiéndolo como la posición extrema del realismo[53].

(51) *Ibíd.*, cap. III, "El krausismo positivo", pp. 77-110.

(52) *Ibíd.*, pp. 227-230.

(53) Gifford Davis, "The Critical Reception of Naturalism...", *art. cit.*, sintetiza estas primeras referencias:

> "There raports were informative. Daudet and the Goncourts shared space with Zola, and disciples were mentioned. The influence of Balzac, Stendhal, and Flaubert was assessed. The physiological basis, the importance of inheritance and milieu, and the fatalism of the system, were all noted, as were the methods of documentation and the impersonality of style. The social objetives were generaly reconigzed and approved".

Ténganse en cuenta las referencias bibliográficas de la nota 17 de este capítulo.

Hasta 1878 hubo un desconocimiento generalizado del movimiento naturalista. Fue entre 1880-1882 cuando se estudió más y se incorporó a nuestra cultura a raíz de la publicación de tres novelas de Zola en castellano —*Una página de amor, La Taberna y Nana*— y la difusión de sus ensayos teóricos *Le roman experimental* (1880) y *Les romanciers naturalistes* (1881), que tardaron más en ser traducidos.

Los primeros productos artísticos logrados siguiendo los postulados de la nueva escuela no se hicieron esperar: en 1881, Galdós publicó ya *La Desheredada*, que Clarín comentó en un artículo que podemos considerar el manifiesto del naturalismo español[54]. El naturalismo se convirtió en moda para la juventud literaria con la consiguiente banalización de sus supuestos teóricos. Clarín censurará en reiteradas ocasiones esta degradación a la par que trataba de fijar los contenidos del naturalismo, demostrando un buen conocimiento del tema, desde luego muy superior al de sus detractores, obcecados en sus anatemas moralizantes. Clarín no sólo conoce bien la escuela francesa, sino que desarrolla su propia teoría naturalista[55].

Por otro lado, ya el romanticismo tenía un flanco objetivista y crítico que se aproxima a lo que entendemos por naturalismo, desde el momento en que propugnaba una observación directa y analítica de la realidad social[56]. No sólo la novela caminaba en este sentido, sino también el teatro en las obras de costumbres contemporáneas, ya comedias y dramas, ya melodramas.

Lo que va a diferenciar la observación del novelista o dramaturgo naturalista es la problematización que hace de la realidad y la búsqueda de lo individual, en tanto que el costumbrista buscaba lo típico, lo inmóvil, sin una consideración de las leyes naturales que explicasen los fenómenos que observaba.

El naturalismo teatral español es muy incipiente, casi se puede negar su existencia si para afirmarlo buscamos grandes obras. El relativo equilibrio del primer decenio canovista favoreció a los sectores conservadores que abortaron los intentos de la nueva escuela, pero se puede rastrear en la literatura y en la crítica un interés por el naturalismo teatral, en cuyas propuestas vieron algunos un posible camino de renovación formal e ideológica del decaído teatro español.

Un primer y significativo jalón de la importancia social que el teatro tenía fueron dos importantes debates acerca de la situación del teatro, celebrados en el Ateneo de Madrid, apenas unos meses antes que el ya citado sobre el positivismo; fueron convocados como: "Ventajas e inconvenientes del realismo en el arte dramático, y con particularidad

---

(54) Recopilado por Sergio Béser en *Leopoldo Alas: teoría y crítica de la novela española*, Barcelona, Laia, 1972, pp. 225-239. Apareció por primera vez en dos partes en *El Imparcial* (9-V-1881 y 24-X-1881), siendo luego recogido en *La literatura de 1881*. Coloca a Galdós en la *vanguardia* artística española, opuesto al tradicionalismo ideológico y literario. Al año siguiente, Clarín publicó su serie de artículos, "Del naturalismo", en *La Diana*; la Pardo Bazán, "La cuestión palpitante", en *La Epoca*. Defensores ambos del naturalismo, cada uno a su manera, tipifican las dos direcciones del naturalismo español en adelante: progresista uno, conservador la otra. Véanse, S. Béser, *ed. cit.*, pp. 108-148 y Clemessy, *ob. cit.*

(55) Resulta imprescindible al respecto, Sergio Béser, *Leopoldo Alas, crítico literario*, Madrid, Gredos, 1966.

(56) Véase, J. A. Gómez Marín, *Aproximaciones al realismo español*, ob. cit.

en el teatro contemporáneo" (1875); y, "¿Se halla decadencia en el teatro español?" (1876)[57].

La importancia de estos debates rebasa el ámbito de lo teatral. Constituye un importante aspecto de la polémica entre *realismo* e *idealismo* en el arte y, con frecuencia, lo artístico pasó a segundo plano, teniendo un peso definitivo las motivaciones políticas y morales de los ponentes. Se convirtieron en una prolongación de los denuestos y apologías que, desde los años cincuenta, se venían haciendo de la literatura francesa, personalizada sobre todo en Víctor Hugo, para la novela y por Alejandro Dumas hijo, para el *realismo social* en el teatro.

Cuando se atacaba a la literatura francesa se atacaba igualmente a toda postura ideológica progresista y, si hasta la revolución de 1868 había habido posibilidades de confusionismo, ahora quedan mucho más delimitadas las posiciones ideológicas.

El balance definitivo de la polémica arroja un saldo muy escaso de partidarios del realismo y naturalismo en el teatro, atacados de "materialistas" y "sensualistas". Todo lo más que se admitía era un realismo con múltiples restricciones.

El modelo de drama realista será *Consuelo* (1878), de Adelardo López de Ayala, que Manuel de la Revilla proponía como ejemplo del camino que había que seguir para regenerar el teatro español:

> Hora era ya de volver al buen camino y de restablecer en toda su pureza los grandes principios del arte dramático. Hora era de oponer al neo-romanticismo triunfante el realismo de buena ley que representa el señor Ayala... A la sublevación de la sensibilidad y de las conciencias heridas en lo vivo por la desmelenada musa romántica, a la siniestra pesadilla de la imaginación calenturienta ha sustituído, por fin, alimentado por la eterna fuente de toda inspiración verdadera, la realidad viva y palpitante realizada por los encantos de la forma bella[58].

La situación de crisis por la que pasaba el teatro Español alcanzó también entonces gran resonancia. De la lectura de los múltiples artículos publicados con tal motivo se deduce la penosa situación de los teatros españoles[59].

(57) G. Davis, *art. cit.* (PMLA-1969), hace un repaso detallado de los resúmenes que publicó la prensa. También, Narciso Alonso Cortés, *Vital Aza*, Valladolid, SEUER, 1949; y Clemessy, *ob. cit.*, pp. 57 y ss.
Resúmenes del debate de 1875 en *Revista Europea*, IV (1875), pp. 115-119, 194-199, 273-274, 318-320, 400 y 475-479.

(58) Manuel de la Revilla, "Revista crítica", *RC*, XIV (1878), p. 173. Siguió siendo tenido en gran estima en los años siguientes. Unas muestras: Clarín, *Solos de Clarín*, pp. 98-109; Yxart, *El arte escénico, I*, pp. 44-46.
Clarín, no obstante, en aquel momento mostró su disconformidad con los debates del Ateneo y los utilizó como pretexto para atacar al gobierno: "La decadencia del teatro y la protección del gobierno", por Zoilito, *El Solfeo* (11-IV-1876); "Contrapunto", por LA, *El Solfeo* (7-III-1875). Recogidos en la excelente edición de Jean François Botrel, *Preludios de "Clarín"*, Oviedo, Instituto de Estudios Asturianos, 1972.

(59) Especialmente significativos son los de Manuel de la Revilla: "La decadencia de la escena española y el deber del gobierno" (1876); "Comités de lectura y teatros oficiales" (1876); "El Teatro Español" (1877); y "La organización del Teatro Español" (1877). Recogidos todos ellos en *Obras*, Madrid, 1883. Algunos otros: Alberto Sanabria Puig, "El Teatro Español", *Revista Europea*, 156

El naturalismo llegaba, pues, estando todavía las espadas en alto entre idealistas y realistas, conservadores y liberales, y, de otro lado, en un momento de total estancamiento del sistema de producción teatral. La inexistencia de un realismo consistente y moderno en el teatro español hipotecaba las posibilidades de que el naturalismo penetrara con fuerza. Como no se cansarían de repetir Clarín, y años más tarde Yxart, el teatro se había separado de las nuevas corrientes literarias y artísticas, reiterando temas trasnochados, basados más en convenciones que en la realidad; la *literatura del teatro* lo separaba de lo humanamente literario.

Es imposible delimitar con exactitud el comienzo del interés por el naturalismo teatral en la crítica española, por la confusa utilización de los términos en sentidos muy diversos. Clarín fue tal vez el primero que habló del nuevo teatro que reclamaba Zola en *El naturalismo en el teatro*, ensayo que tuvo una importancia decisiva en sus ideas sobre el teatro[60]. Si hacemos caso a Yxart, el mismo año de su publicación, 1879, ya se hacía eco de él en un artículo, pero sin atreverse a animar a nadie a practicar esta teoría[61]. No he logrado localizar este artículo de Clarín a que se refiere; tal vez, Yxart confunde la fecha adelantándola[62]. Los comentarios de Clarín por entonces no son aún de decidido apoyo al nuevo movimiento; escribe en ocasiones comentarios de censura:

> Se va exagerando un poco el naturalismo en el arte.
> Tanto que esto va siendo el mundo al revés.
> En el teatro y en la novela la verdad fotografiada, la realidad con sus pelos y señales.
> Y en la vida real... las *falsificaciones*.
> Yo preferiría que hubiese más fantasía en el arte y más verosimilitud en los billetes de banco[63].

(18-II-1877), pp. 193-200. M. J. Roca, "El Teatro Español", *idem*, 158 (4-III-1877). Alberto Sanabria Puig, "Carta", *idem*, 161 (25-III-1877). Ameliano J. Pereira, "La decadencia del Teatro Español", *idem*, 162 (1-IV-1877). Manuel Fernández y González, "Nuestro pensamiento sobre la literatura dramática contemporánea", *El Imparcial* (5-12 y 20-II-1877). J. Alcalá Galiano, "¿Se halla en decadencia el teatro español?", *RC*, II (1876). Demetrio Araujo, "El teatro español y su decadencia", *RC*, IX (1877). C. Peñaranda, "Algunas observaciones sobre la decadencia del teatro español contemporáneo", *RC*, XIII (1878), que sostiene que de 300 a 350 piezas que se han estrenado en la temporada, más de dos tercios son piececillas en un acto, es decir, una producción orientada ante todo al consumo de los "teatros por horas". E. de Cortázar, "El teatro y los teatros", *Revista de España*, XLV (1883), pp. 98-109, etc.

(60) S. Béser, *Leopoldo Alas, crítico literario*, ob. cit., p. 221 considera que este artículo tuvo una influencia "decisiva" en sus ideas sobre el teatro.

(61) Yxart, *ob. cit.*, p. 90.

(62) Yxart mismo, para esas fechas, no conocía bien el naturalismo. Cuando se incorporó, en 1884, a *L'Avenç* y escribe sobre el tema, dulcifica el naturalismo zolesco, identificándolo con antirretoricismo y deseo de ir hacia la verdad de las cosas; pero en ningún momento se desprende él mismo de cierto tono moralizador. Véase, E. Valentí, *El primer modernismo literario catalán y sus fundamentos ideológicos*, Barcelona, Ariel, 1973, p. 160 y ss., donde traza, además, la trayectoria de la recepción de Zola en Cataluña.

(63) "Palique", *La Unión*, 314 (7-X-1879). Cito por la edición de Botrel, p. 204. En mi repaso por su recopilación de artículos, no hallo referencias de interés al respecto. Tampoco en su documentado prólogo alude Botrel a este artículo que por su interés no le habría pasado desapercibido. Aparte de *El Solfeo* (1875-1878) y *La Unión* (1878-1880), habría que revisar *El Día* (1881-1884).

En *Solos de Clarín* (1881), dedica ya más atención a la renovación teatral, demostrando un buen conocimiento de las ideas de Zola en "Del teatro"[64], donde alude a la decadencia del teatro español y su posible regeneración si sigue los caminos de la novela:

> ...siga sus huellas el drama y, en lo que su índole consienta, acérquese a ella, tome de ella cuanto pueda llevarse a las tablas y sea lo que el público busca y encuentra en la novela moderna y en el teatro no[65].

Repasa de la mano de Zola el teatro francés contemporáneo —Sardou, Dumas, Augier—, que "tiene algo de lo que el nuevo drama necesita", pero que no acaban de romper los convencionalismos tradicionales. Clarín está resumiendo, en realidad, el texto de *El naturalismo en el teatro*. Pero no acepta completamente sus ideas, pone reparos a su positivismo que considera exagerado. El escritor, novelista o dramaturgo, debe utilizar lo que Zola llama:

> La *experimentación artística*, que lleva a la imitación empírica la ventaja inmensa de no ser impensada, fragmentaria, inconexa, sino hecha bajo plan, con un fin: tómase de la realidad el dato (y aquí es donde entra la escrupulosa y fiel verdad de la observación) y con este elemento, que ha de ser todo lo copioso que se pueda conseguir, se trabaja mediante la experimentación, que es el aprovechamiento de los datos de la observación para el fin de comprobar el supuesto y reconocer su legitimidad, o desecharlo por subjetivo, abstracto y falso[66].

Las unidades de lugar, tiempo y espacio no se entenderán de manera dogmática sino acopladas a la acción de la obra, que debe

> Ante todo, abandonar ese ideal de la acción pulida, sustantiva, correcta, sabiamente distribuida, separada de todo el resto de las acciones humanas por la barrera artificial de las tablas. La acción dramática no debe ser más que un fragmento de la vida toda, tal como es, con relaciones de antecedentes, de consiguientes, de coordinación y subordinación con todo lo no representado, de lo que depende necesariamente, sin que el autor deba esforzarse en ocultar esta dependencia. El interés y la unidad de acción no deben estar en la abstracción ingeniosa del poeta que supone, contra la realidad, acontecimientos casuales que por sí solos representan un mundo aparte, suficiente para retratar en miniatura todo un orden de la vida; el interés del drama debe estar en el fondo del ser dramático, por un lado, y por otro, en el resultado de sus relaciones con la realidad en que se mueve, relaciones necesarias en todo caso, vulgar o extraordinario; la unidad del drama debe, ante todo, fundarse en la unidad de acción total de la vida, en el determinismo lógico de la convivencia social[67].

---

(64) L. Alas, *Solos de Clarín*, ob. cit., pp. 50-64, "Del teatro". Tal vez sea su obra crítica de mayor personalidad.

(65) *Ibíd.*, p. 53. "Fidelio" (Julio Nombela), en *El Demócrata* (24-IV-1880), se expresaba en parecidos términos, sosteniendo que la gran lucha del naturalismo se llevaría a cabo en el drama.

(66) *Ibíd.*, p. 58.

(67) *Ibíd.*. p. 61.

Los sujetos de las acciones serán personajes no abstractos, determinantes de aquéllas, sino que

> Respecto a la relación del carácter a la acción, las influencias han de ser mutuas, pero no simétricamente, sino con ponderación distinta según los casos, pero de un modo que jamás la resultante del choque de fuerzas entre lo exterior y el carácter sea la línea misma proyectada imaginariamente por el autor (o por el espectador), bajo el punto de vista que señale la virtual dirección del carácter considerado abstractamente[68].

Durante el invierno de 1881 a 1882, en la Sección de Literatura del Ateneo, tuvo lugar un debate sobre el Naturalismo. Participaron escritores de todas las tendencias, pero el teatro fue poco mencionado en las discusiones, a juzgar por los resúmenes de la *Revista de España* y otras publicaciones[69].

Era la de Clarín todavía una voz casi aislada. Otros críticos son mucho menos precisos[70]. La vacilación terminológica es más frecuente en los revisteros teatrales que en los críticos de novelas. Es el caso de "Ramiro", que publicaba sus reseñas en la *Revista Contemporánea*, en la sección "Revista de teatros". En ocasiones, ataca a "realistas" y "naturalistas", situándolos en el mismo plano, por inmorales y porque no embellecen la realidad[71].

Clarín sigue insistiendo en sus artículos en la necesidad del nuevo teatro. En "Del naturalismo", indica al comienzo que se va a ocupar del teatro, pero después apenas lo trata; se centra en la crítica del positivismo zolesco, que considera un error del "fuerte y bravo" escritor y en desarrollar sus propias ideas sobre el naturalismo. Del teatro apenas dirá:

> El teatro limita la realidad porque, al ser representación de lo real por lo real mismo, necesita *físicamente* ser una proyección reducida del mundo; a la manera que el plano o la carta geográfica, por la misma exactitud de las distancias y proporciones, necesitan ser una reducción con una escala[72].

Clarín estaba intentando crear una síntesis fructífera entre su formación hegeliana

(68) *Ibíd.*, p. 63. En su crítica de *Mar sin orillas*, de Echegaray, matiza estas relaciones. Recogida en el mismo libro, pp. 120-137.

(69) Detalles en Clemessy, *ob. cit.*, pp. 60 y ss.

(70) Así, José Alcázar Hernández, "Del naturalismo en nuestro teatro moderno", *Revista de España*, LXXXIV (enero-febrero 1882), pp. 371-379. Escribe: "Todo lo que no sea natural y verdadero debe excluirse del teatro" (p. 375). Sin embargo, defiende después como "apóstoles del realismo en nuestra literatura dramática" a Sellés —*El nudo gordiano*—, Cavestany y el propio Echegaray, "naturalista" en *O locura o santidad*.

(71) *RC*, LV (enero-febrero 1885), pp. 75 y ss., pp. 475 y ss. LIV (noviembre-diciembre 1884), donde reseña la puesta en escena por Emilio Mario de *El amigo Fritz* en el teatro de la *Comedia*, "con una verdad, propiedad escénica en todos sus extremos y detalles, dignos del mayor y más justo elogio" (p. 232); defiende la obra contra los naturalistas. Para Fernando Díez de Tejada, sin embargo, la obra es naturalista, si bien no al modo zolesco: "El amigo Fritz", *RC*, LVII (mayo-junio 1885), pp. 63-73. Se critican con dureza, como ya vimos en su lugar, los estrenos de Zola que se hacen: *Nana* y el arreglo de *La Taberna* de Hermenegildo Giner de los Ríos (T. LVII y LX respectivamente).

(72) Recopilación de S. Béser, p. 138.

y las corrientes naturalistas[73]. Sólo acepta la renovación formal del naturalismo, pero no sus presupuestos filosóficos.

Otra fuente importante para el conocimiento de la difusión del naturalismo en España es la revista *Arte y Letras*, de Barcelona. El teatro, sin embargo, tampoco ocupa apenas espacio. De nuevo es en artículos de Clarín donde aparecen alusiones de interés. En "Los teatros de Madrid", expectante ante la nueva temporada, escribe:

> Nuestro teatro actual no es nada de lo que debe ser. Soy el primero en reconocer que el gusto del público ha mejorado un tanto y ganado no poco al hacerse más exigente; pero en general, se aplaude todavía lo insignificante, lo falso y hasta lo absurdo; son muy pocos los que empiezan a comprender que hace falta algo nuevo en el teatro, algo más conforme con las ideas y usos de la vida real contemporánea[74].

El resto del artículo es una sarta de lamentaciones por la decadencia del teatro español. El análisis de comienzo de temporada que hace, ratifica sus pesimistas juicios. Nada ha cambiado de forma apreciable. No mucho después, comentando *Conflicto entre dos deberes*, de Echegaray, a pesar de su simpatía por este dramaturgo, acaba reconociendo la necesidad de un teatro no efectista y que no es Echegaray precisamente el "Mesías del teatro naturalista"[75].

En febrero de 1882, se estrenó *Las esculturas de carne*, de Eugenio Sellés, con notable éxito. Se vio en la obra el comienzo del naturalismo teatral, aunque ni siquiera está escrita en prosa y su final moralizante recuerda los dramas de tesis de unos años antes. Sellés construye a los personajes mediante antítesis irreconciliables: de un lado, el muy idealista Miguel, personaje *raisonneur*; de otro Víctor y Juan, "criminales de guante blanco", que no se conmueven por nada, "esculturas de carne", que trapichean sin escrúpulos buscando sólo el propio beneficio.

Fueron valoraciones morales de los críticos, no literarias, las que hicieron que este endeble drama haya pasado a la posteridad como drama naturalista. Críticos como

---

(73) S. Béser ha estudiado acertadamente la filiación hegeliana de su crítica, a través de su contacto con los krausistas. Véase *L. Alas, crítico Literario*, ob. cit., pp. 51 y 145; por lo que se refiere al teatro es particularmente significativo, pp. 220-221. Parecidos condicionantes, si bien más atenuados, gravitan sobre la crítica de su amigo Yxart. Se halla diluida en todas sus críticas; véase, en particular, en las advertencias iniciales a *El arte escénico, I*, pp. 1-12; al hablar del naturalismo, pp. 245 y ss.; en *Obres Catalanes*, Barcelona, 1895, en su ensayo "Enric Ibsen", donde rechaza el *teatro libre* por sus excesos al tratar casos patológicos: "lo cas patologich, causant una emoció fisica depriment, immediata, brutal, cohibeix de tal manera a l'espectador, que l'emoció verdaderament artistica, contemplativa, desinteressada no's produeix, no resulta," (pp. 206-207).
En su momento le había llevado a elogiar *La cuestión palpitante* de Pardo Bazán, por su no radicalismo.

(74) *Arte y Letras*, 4 (1-XI-1882). Se publicó esta revista en Barcelona entre 1882-1883. Dirigida por Yxart, en la redacción figuraban: Galdós, Sellés, Alas, Palacio Valdés.
Véase, Sergio Béser, "Siete cartas de Leopoldo Alas a José Yxart", *Arch.*, X (1960), pp. 385-397; y S. Béser y L. Bonet, "Indice de colaboraciones de Leopoldo Alas en la prensa barcelonesa", *Arch.*, XVI (1966), pp. 157-211.

(75) *Arte y Letras*, 7 (1-III-1883). El propio Echegaray niega su virtual *naturalismo* en "Estudio sobre el realismo en la ciencia, en el arte en general y en la literatura", en *Anales del teatro y de la música*. Madrid, 1883-1884, pp. VII-XIV. Y en su discurso de ingreso en la Real Academia de la Lengua (1894).

Manuel Cañete colocaban a la misma altura los términos *inmoral* y *naturalista*[76].

En otro orden de cosas, sirvió este estreno como aglutinante del grupo naturalista, el "Bilis-club", que se reunía primero en la Cervecería Inglesa y luego en la Cervecería Escocesa, de la calle Príncipe. De los asistentes a esta tertulia destacaban Clarín entre los jóvenes y Galdós entre los consagrados, reconocido como maestro indiscutible por los jóvenes naturalistas[77].

El éxito de Sellés fue celebrado con un banquete del que salió la idea de homenajear a Galdós con otro similar. A éste segundo no asistieron sólo los naturalistas, sino también escritores y críticos de variadas posiciones ideológicas y estéticas. La importancia de los naturalistas en su organización y celebración quedó, de cualquier forma, suficientemente probada al sentarse a la derecha del novelista Eugenio Sellés[78].

A primeros de abril de 1883, se comenzó a publicar la *Revista Ibérica*, que no alcanzaría más que 14 números y que sirvió de manifiesto al grupo naturalista. Su primer artículo es un elogio de Galdós con una descripción del banquete celebrado unos días antes. Pero, pese al carácter naturalista "militante" de la publicación, no hay en sus artículos unanimidad de pareceres; no faltan, incluso, quienes ponen en entredicho el naturalismo.

En lo que al teatro se refiere, de nuevo es Clarín prácticamente el único que escribe del tema. En "Sobre teatro", tras una palinodia —al parecer casi inevitable—, escribe:

> Para que la literatura dramática responda a las inclinaciones y al gusto de nuestra época, es necesario llevar al teatro toda la verdad compatible con el convencionalismo de los bastidores. [...] Si el drama no pudiese seguir el movimiento de progreso que se observa en otros gérneros literarios, la novela por ejemplo, el teatro serio estaría llamado a desaparecer dentro de un breve plazo, porque como dice con sobrada razón un ilustre escritor contemporáneo, el teatro del porvenir será humano o no será[79].

Unos meses después, se estrenó el drama que marcó la cúspide de la reacción social contra el naturalismo: *Las Vengadoras*, también de Eugenio Sellés. La consideración de cómo fue recibido por el público y la crítica sirve de catalizador de cómo era recibido en aquel momento el naturalismo. Se utilizó como punto de apoyo para continuar polemizando sobre el realismo y el idealismo en la literatura.

---

(76) Manuel Cañete, "E. Sellés, autor dramático", *Ilustración Artística*, 173 (20-IV-1883), pp. 122-123. También las reseñas aparecidas en *La Epoca, La Iberia* y *La Correspondencia de España*. Dentro del mismo año, Leopoldo Cano, miembro del Bilis-club, estrenó *La mariposa*. A pesar de que extrema los ingredientes melodramáticos fue recibido con similares críticas: M. Cañete, *IEA* (15-II y 8-III-1884), no se explica la ofuscación del público que aplaude un drama que considera "de pensamiento malsano, de fábula mal urdida, de situaciones inverosímiles, de caracteres eminentemente falsos, de pasiones sin realidad". *La Ilustración Artística* y *Anales del teatro y de la música*, posturas similares. La crítica de Clarín fue muy dura: *La Ilustración Ibérica* (7-XI-1885).

(77) Pattison, *ob. cit.*, pp. 93-95.

(78) Chonon Berkowitz, *Pérez Galdós, Spanish Liberal Crusader*, University of Wisconsin Press, 1948, pp. 163-173, relata con detalle su desarrollo.

(79) Clarín, "Sobre teatros", *Revista Ibérica*, 14 (16-X-1883). J. M. Matheu, "La crítica y el teatro", recomienda que se pongan en escena personajes semejantes a los de las novelas de Galdós.

Ya los ensayos fueron seguidos con excepcional interés desde que Sellés realizó una lectura pública de presentación[80]. El día del estreno, 10 de marzo de 1884, el teatro de la Comedia estaba lleno y la representación fue interrumpida en varias ocasiones por los aplausos —seguramente de sus amigos naturalistas— mientras otros sectores del público siseaban y mostraban su desagrado[81]. Galdós, con su habitual sensibilidad para los acontecimientos de resonancia, hace que uno de los personajes de su novela *Lo pro-hibido* asista al estreno y venga escandalizado por las "tías elegantes" que salen[82].

El público burgués que frecuentaba el teatro de la Comedia no toleraba todavía con facilidad el tema de la cortesana en el teatro. Sí a lo Dumas, pero como planta exótica. *Las Vengadoras*, de hecho, tienen notable parecido con *Demi-monde* (1855), de este autor. Un arreglo de ésta había sido estrenada poco antes en el mismo teatro con éxito completo, alcanzando las treinta representaciones consecutivas[83].

Lo que este público se negaba a admitir era que personajes de esta calaña existieran en España. Se seguía pidiendo un teatro que no incidiera en la crítica de las costumbres de la sociedad sino de manera muy suave y que las obras presentaran interiores bien amueblados y actores vestidos con lujo. Había como un convenio tácito para rechazar toda obra que se saliera de estos cauces. Un repaso del drama nos muestra lo infundado de la inquietud del público burgués, ya que en *Las Vengadoras* lo que se defiende preci-samente es lo establecido.

La acción transcurre en Madrid —acto I, salida del Teatro de la Opera; acto II, sala de espera de un prostíbulo— y en San Sebastián el acto tercero, en la sala de espera de un hotel. Trata de cómo un aristócrata, Luis, enamorado de la prostituta Teresa, aban-dona a su esposa Pilar y el consiguiente escándalo. Pasado un tiempo —acto III— debido a las exigencias cada vez más tiránicas de Teresa, Luis se ha arruinado y tendrá que emigrar a América, huyendo de sus acreedores. Se cumple así la tesis de la obra: la pros-tituta es la más fiel "vengadora" de la dignidad ultrajada de la esposa.

Paralelamente, Sellés presenta a otros personajes aristócratas de vida disoluta —un vizconde, un general, un lord— pero que, a diferencia de Luis, mantienen las reglas del juego social, pues como dirá el General "esto exige la sociedad, que perdona todos los pecados menos uno, el pecado mal hecho"[84].

En este sentido se puede decir que la obra critica las corrompidas costumbres de la época, tendiendo a la sátira, y tipifica a los personajes con intención generalizadora. Acaso fuera esto lo que provocó el rechazo del público. No podían admitir en escena a una marquesa que presume de amante y aconseja a Pilar que, en lugar de recriminar a Luis, haga lo propio (I, 6); o que el General, que había despreciado a las *vengadoras*, llamándolas "estatuas de barro doradas, groseras por dentro, como todo lo que viene

(80) Lo comenta *La Correspondencia de España* (8-II-1884).

(81) *Ibíd.* y *La Iberia* (11-III-1884).

(82) Pérez Galdós, *Lo prohibido*, en *Obras completas, IV*, Madrid, Aguilar, 1960-1962, pp. 1756 y ss.

(83) Recibida con recelos por críticos como M. Cañete, que sostuvo que "acalora" y "excita" las pasiones, *IEA* (30-XI-1883).

(84) Eugenio Sellés, *Las Vengadoras*, Madrid, Galería Hidalgo, 1892, p. 27. Ignoro si existe edición de la primera versión. Si la hay sería necesario contrastarlas para precisar los cambios efectua-dos. En el prólogo indica que ha suprimido escenas completas y añadido otras.

de abajo" (I, 2), acabe casándose con una de ellas (III, 1).

No existe apenas intriga; al levantarse el telón ya se está desencadenando el final del *drama* de los tres personajes: Pilar, conocedora de las relaciones de Luis con Teresa, ha optado ya por enfrentarse a la situación. En la escena séptima del primer acto se produce el primer encuentro con Teresa en un desafiante diálogo en el vestíbulo del teatro. Su decisión última de no perder a su esposo es casi inmediata y se lleva a cabo en una extemporánea visita a la casa de citas de Teresa apenas comenzado el acto segundo, que acontece una hora más tarde que el primero. No es pues un drama de estructura clásica.

Los personajes tampoco ofrecen mayor novedad. Son poco consistentes y encarnan valores contrapuestos: Pilar es un cúmulo de virtudes, una paciente y una humilde esposa que hasta el final dará pruebas de fidelidad, ayudando al libertino esposo a pesar de sus desdenes. Tan sólo en las escenas que preceden a la ruptura sale de su atonía. Por el contrario, Teresa es presentada como autoritaria, soberbia y dominante en su relación con Luis (II, 1); sólo en un momento, para resaltar más la maldad de Luis, es presentada como compasiva (II, 3) y ante Pilar como humilde y educada, cargados sus parlamentos de reflexiones sentenciosas sobre su maldad, resultando a la postre un personaje falso y contradictorio. Sellés la supedita a la demostración de sus tesis. Luis, por su parte, apenas aparece individualizado; es un libertino tipo, nada más.

La actuación del resto, más comparsa que personajes, se subordina a la actuación del trío protagonista y a la demostración redundante de la tesis del drama: el matrimonio del General con Lola es deshonroso; al amancebamiento del Vizconde con Virtudes se le vaticina un final similar al de Luis: ruina económica y moral.

Como en sus otras obras, la elaboración del diálogo es muy esmerada, pero sin ninguna diferenciación entre los personajes. Ni las escenas de mayor tensión, como cuando se enfrentan Teresa y Pilar (I, 7; II, 3), desaparece el tono sentencioso, como bien vio Yxart al juzgar la obra, demostrando que el lenguaje de los personajes es idéntico al del autor en el prólogo, tanto en contenidos como en estructuras[85]. La falsedad resultante de todo ello hace que desmerezca la calificación de naturalista e incluso de realista. No hay drama, sólo verbalismo.

Crítico hubo con todo que sostuvo "que algunas escenas y algunas frases podrían descargarse un poco del pronunciado sabor naturalista"[86]. Para "Fernanflor" es un extravío del autor, aunque la considera

> zurcido de bellísimos retazos franceses; es una obra francesa, en su espíritu y en sus personajes; lo único que tiene de española es la energía del estilo... *Les filles de Marbre, Dalila, La Dama de las camelias, Le Demi-Monde*, han inspirado las *Vengadoras* y le han prestado tipos, ideal, reflexiones...
> [...] La cocotte en España está en sus primeros triunfos, constituye una aristocracia del vicio y sus costumbres, sus pasiones y su lenguaje son desconocidos por el público de las galerías: la protagonista de la obra de Sellés no puede ser fácilmente comprendida en España, aunque sea popularísima en Francia[87].

(85) J. Yxart, *ob. cit.*, pp. 185 y ss.

(86) Francisco Pi y Arsuaga, *Echegaray, Sellés y Cano: ligero examen crítico de su teatro*, Madrid, 1884, p. 168.

(87) "Fernanflor", "Las Vengadoras", *La Ilustración Ibérica*, 64 (22-III-1884).

Parecida calificación le merece a "Ramiro", para quien no es un drama, porque la prostituta no es corregida y el protagonista es inverosímil; la obra pertenece

> a ese género que dan en llamar realista, tan en boga en nuestros días como absurdo y ajeno a lo que es en sí o debe ser el teatro, bien llamado escuela de costumbres y no galería del vicio y de la inmoralidad, asentando de una vez y sin rodeos, que para corregir esto no nos parece indispensable retratarlo con sus más fieles caracteres sino, por el contrario, presentarlo, no al desnudo sino envuelto en las desgraciadas y horribles consecuencias que producen, que a la par que entibian sus cínicos colores, moralizan y enseñan, y si el autor tiene en cuenta su misión de producir la belleza, inseparable condición de toda obra de arte, en vez de ser un libelo tan infamatorio como repulsivo, será el drama una obra de ingenio que no arroje hedionda arena al público [...] sino suave aroma que la verifique y corrija[88].

Para José V. Pérez es un gran error, a pesar del éxito; los criterios de valoración son también, en su caso moralistas

> En el tercer acto se descubren sensualismos asquerosos en el diálogo entre Luis y Teresa, y por último, al finalizar el drama desaparece completamente el pretendido realismo cuando Luis se marcha desespereado, y ni su esposa ni el general conocen que va a matarse, como en efecto se mata a los pies de la que fue su querida, y que entonces es ya amante de Lord Raymond.

Fácilmente pasa a criticar el naturalismo en lugar de hacer un análisis de la obra:

> A las escuelas literarias les sucede lo mismo que a las sectas religiosas: nada les daña más que su propio fanatismo. Siguiendo la escuela naturalista en el teatro español la senda por la que hoy camina la novela española, llegaría a subyugar al público; sometiéndose a los dogmas de la escuela naturalista francesa, trabaja para su ruina. El naturalismo español es moderado; el francés es fanático[89].

La carta que Galdós envió a *La Prensa*, de Buenos Aires, puede servirnos de muestra de cómo fue acogida por los simpatizantes de Sellés y del movimiento naturalista:

> Eugenio Sellés ha tenido gran arrojo al llevar al teatro español asuntos y tipo hasta ahora apartado (sic) sistemáticamente de él. Hay quien dice que éste siempre inspirado y varonil poeta intenta la peliaguda innovación demasiado pronto, pero no faltan espíritus impacientes que a (sic) tiempo echaban de menos esta calaverada de nuestro honrado y glorioso teatro[90].

Como en *Lo prohibido*, recoge el ambiente de asombro del público la noche del

(88) "Ramiro", *RC*, XLIX (1884), pp. 105-106.

(89) *Anales del teatro y de la música*, ob. cit., p. 93.

(90) Pérez Galdós, "Las Vengadoras", *La Prensa* (25-IV-1884), Buenos Aires. Cito por la edición que de esta correspondencia ha realizado W. Shoemaker, *Las cartas desconocidas de Galdós en "La Prensa", de Buenos Aires*, Madrid, Ediciones de Cultura Hispánica, 1973, pp. 71-79; texto citado, p. 74.

estreno y sus reacciones que analiza:

> Nuestro público es aún demasiado timorato para pasar estas cosas, cuando no se las dan traducidas del francés, o bien representadas en francés o en italiano. Porque hemos convenido en que las mayores inmoralidades son verdaderas y aún artísticas siempre que tengan por teatro la grande y disoluta París. ¡Pero, aquí, en nuestra España, pensar que ocurran tales abominaciones! Y si por acaso ocurrieran, que todo podría ser, guárdese el desatentado autor de llevarlas al teatro. Una de las más interesantes ramas del patriotismo es aquella que consiste en proclamar, si no la absoluta hombría de bien de nuestra raza, la necesidad de manifestar públicamente que tal hombría de bien existe[91].

Ya basta, dice, de énfasis, que personajes de levita hablen como personajes de comedia y espada; se percata, no obstante, de que su prosa no es sino un paso de los muchos que el teatro debe dar; a Sellés "la escuela de la naturalidad", le ha hecho abandonar el verso:

> La prosa de *Las Vengadoras* vale tanto como los versos del *Nudo gordiano*; es quizás demasiado escogida y sentenciosa, y seguramente ha trabajado en ella tanto o más que en las rimas de antaño; quizás para prosa de teatro es poco suelta y harto personal; pero de todos modos es bellísima, el autor ha iniciado una gran reforma[92].

Faltaba aún mucho para llegar a la "lengua hablada" en el teatro y que en la novela había logrado ya el propio Galdós en *La Desheredada* (1881) como vio bien Clarín[93].

Para Galdós el tema de *Las Vengadoras* es verosímil, pero Sellés no ha sabido desarrollarlo con suficiente fuerza; en su opinión, y Galdós manifiesta así su desconfianza aún en este teatro, personajes como la vengadora y el padre vicioso necesitaban de un mayor análisis, de una exposición menos "ingenua" y "seca" de acciones y caracteres. Al no existir esto en la obra, hay falta de "calor de afectos, falta de drama en una palabra"[94].

Esta desconfianza le lleva a pensar que el tema estaría mejor en una novela, que no necesita hacer concesiones a la muchedumbre para arrastrarla, como el teatro. Esto no justifica, sin embargo, la actitud del público, que juzga sin más criterios que el capricho del momento:

> Salió a relucir, como de costumbre, el manoseado *naturalismo*, no bien interpretado ni por los que lo profesan rabiosamente ni por los que lo combaten, ignorando lo que significa. Para ciertas personas es *naturalista* todo lo que les desagrada, todo lo que se reviste en las letras o en la pintura de formas poco simpáticas a los caracteres comedidos y correctos.

(91) *Ibíd.*, p. 75.

(92) *Ibíd.*, p. 76.

(93) Cito por la antología de S. Béser, pp. 235-236; fue publicado el artículo en dos partes: "La Desheredada", *I* (9-V y 24-X-1881); luego recogido en *La literatura en 1881*, pp. 131-134 y en *Galdós*, Madrid, Renacimiento, 1912.

(94) Pérez Galdós, *art. cit.*, p. 78.

Tiempo es ya de que sepamos a qué atenernos en lo tocante al verdadero sentido de esta palabra tan traída y llevada. Críticos y autores la usan como insignia de combate; mas rara vez la aplican con exquisita propiedad[95].

La acogida en su reestreno, en febrero de 1892, fue por el contrario buena. Sellés, al editarla entonces, lo hizo con un prólogo en el que explica que, al escribirla, lo hizo pensando en su lección moral que sigue siendo válida: muestra el vicio para que sea aborrecido:

> El arte realista es, pues, tan moralizador como el idealista, con una diferencia de procedimientos: Uno enseña lo que debe hacerse; otro enseña lo que debe evitarse. [...] Exponer el vicio desnudo y desgreñado, sin aliños ni pinturas, sin atenuación ni glorificaciones, es, sin duda, obra meritoria. Sacarlo así a lo alto de la escena, es sacarlo a lo alto del patíbulo. Entonces no se le presenta, se le delata; no se le encumbra, se le ajusticia[96].

Yxart comentó con acierto este prólogo como un anacronismo; era volver a los planteamientos moralizadores de los dramaturgos realistas, apuntando la necesidad de abandonar de una vez por todas esta manía de juzgar las obras desde la moral[97]. Lamentaba, además, el crítico catalán que, cuando en Europa el llamado "realismo dramático" estaba ya tan puesto en entredicho, en España su imposición fuera aún motivo de debates.

Clarín, entre 1885 y 1890, se fue percatando de la imposibilidad del naturalismo teatral en todos sus extremos. Sus libros y folletos de crítica literaria de estos años son cada uno un manojo de reflexiones sobre el tema, buscando las causas de esta imposibilidad. En *Sermón perdido*, censura a los actores que se endiosan a pesar de su arte caduco; el modelo propuesto es la naturalidad de Sarah Bernhardt[98]. Ni siquiera Cano o Sellés pueden ser considerados dramaturgos naturalistas, pues falsean en sus obras la realidad[99]. Se ignoran las propuestas innovadoras y se sigue en la rutina[100].

(95) *Ibíd.*, pp. 78-79.

(96) E. Sellés, *Las Vengadoras*, p. 7. Explica a continuación las modificaciones que ha realizado, condicionado por el nuevo final del drama. Defiende, además, que no es inverosímil el tema, como le achacaron, sino que "las vengadoras existían y existen en España, es absurdo negarlo".

(97) J. Yxart, *ob. cit.*, pp. 154-166. A similares conclusiones llega al analizar *Las personas decentes* (1890), de Enrique Gaspar, cuyo análisis omito por razones de espacio. A pesar de ello, algunos críticos posteriores han considerado a Enrique Gaspar como *naturalista*. No así los dos críticos que mejor lo han estudiado: L. Kirschenbaum, *Enrique Gaspar and the Social Drama*, University of California, 1944; y Daniel Poyan Díaz, *Enrique Gaspar: medio siglo de teatro español*, Madrid, Gredos, 1957, 2 vols.
Su obra tuvo notable importancia para la renovación del teatro posterior por su insistencia en la prosa como lenguaje teatral, su potenciación del diálogo y el tratamiento de temas contemporáneos. No llega nunca a la "lengua hablada", sino que su estilo es siempre muy elaborado. Más que de *naturalismo* en Gaspar hay que hablar de *naturalidad*. Unas palabras suyas, citadas por Poyan, *II*, p. 55, resumen bien su actitud: "Ni mi educación, ni mis inclinaciones, ni mi naturaleza, me permiten reconocer como género las obscenas extravagancias de Zola; pero sí soy ardiente partidario del realismo".

(98) L. Alas, *Sermón perdido*, Madrid, Librería de Fernando Fe, 1885. "Los actores", pp. 177-184; por el contrario hace un elogio de S. Bernhardt en "Los Pirineos y el Arte: Sarah Bernhardt", pp. 227 y ss., aplaudida por los naturalistas, a los que se tacha de afrancesados: " ¡Pero esos son los afrancesados! La colonia de los naturalistas, los enemigos del arte nacional." (p. 228).

(99) *Ibíd.*, p. 54.

En *Nueva Campaña* (1887) son los críticos los censurados por no ser capaces de enfrentarse a los malos actores[101] y el elogiado es Vico por su labor en el Teatro Español, representando a Moratín, cuyas obras gustaban a Clarín porque daban cuenta de las costumbres de su época[102].

Clarín seguía fiel, con todo, a su idea del paralelismo entre la novela y el teatro en artículos como "La novela y el teatro", recogido en *Mezclilla* (1889), sobre el que volveré al hablar de los novelistas en el teatro.

Los adversarios del naturalismo por su lado, no dejaron tampoco de escribir en contra de éste. Valera encabezaba uno de los grupos antinaturalistas más importantes. Rechaza la nueva estética desde sus posiciones idealistas, pero en vano recorremos su obra buscando un artículo consistente sobre el teatro naturalista, aunque fuera para negarlo. Su actitud, como la de tantos otros enemigos del naturalismo teatral, era más una actitud negativa *a priori* que basada en el estudio moroso de sus principios. Valera siguió anclado hasta el final de su vida en su preferencia por Tamayo. Tal vez el punto máximo de su generosidad crítica fue la manifiesta oposición que siempre demostró al teatro de Echegaray[103].

A la altura de 1890 todavía la aproximación al naturalismo teatral se seguía haciendo desde la moral. Los testimonios son muy numerosos y puramente redundantes[104].

---

(100) L. Alas, *Un viaje a Madrid*, Madrid, Librería de Fernando Fe, 1886, p. 58. Tenía fundadas razones Clarín para el desánimo, pues, incluso escritores que presumían de progresistas, resultaban a la postre de miras muy estrechas. Así, Jacinto Octavio Picón en el debate sobre "El teatro" que, presidido por Echegaray se celebró en el Ateneo en 1884. Sostenía allí Picón que la moral es inseparable de lo bello y que "no deben llevarse al teatro aspiraciones sociales, ni demanda de reformas legales, ni entusiamos políticos, ni preocupaciones religiosas". El dramaturgo, en su observación de lo natural, no debe fijarse en lo desagradable y asqueroso solo. Véase su folleto, *De el teatro. Memoria leída por J. Octavio Picón en el Ateneo de Madrid, el 5 de marzo de 1884*. Madrid, 1884.

(101) L. Alas, *Nueva Campaña*. Madrid, 1887, pp. 273-276.

(102) *Ibíd.*, "Cosas viejas", pp. 327 y ss.

(103) Véanse, Manuel Bermejo Marcos, *Don Juan Valera, crítico literario*, Madrid, Gredos, 1968, pp. 178-181. Luis López Jiménez, *El Naturalismo en España: Valera frente a Zola*, Madrid, Alhambra, 1976.

(104) Una muestra: José Siles, en *La Crítica*, 13 y 14 (18-27-I-1891), escribía en este tono:
El teatro es la piedra de toque donde se comprueba la falsa moneda del naturalismo reinante, en lo que tiene de escandaloso y extraviado. Ninguno de los hierofantes de esta escuela, aún considerada en su expresión más alta, ha podido plantar en las tablas la bandera de la victoria. Sabidas son las derrotas que de este género sufrieron Balzac, Goncourt, y últimamente Zola.
[...] Pero sí; si se puede llevar todo menos insignificante (sic) ó lo grosero. ¡Pues qué! ¿La prostitución no ha sido purificada, compadecida y hecha simpática por el autor de *Lucrecia Borgia* y el de *La Dama de las Camelias*? Todas las pasiones y vicios humanos pueden ser llevados al teatro. Lo que no es posible desterrar del teatro es el arte.
Y así como el romanticismo fue la cumbre vertiginosa de la poesía, el seudonaturalismo es el lodazal donde se revuelve lo bello. Afanábase el antiguo escritor idealista en perseguir lo sublime y lo grande hasta las regiones solo accesibles a la fantasía. Hoy el autor realista se complace y regodea en lo bajo y en lo vulgar, en lo vil y en lo nauseabundo, en todas las cosas que producen asco o crispamiento de nervios.
También, J. M. Bonilla Franco, "La moral en el teatro", *La Ilustración Ibérica*, 359 (16-XI-1889), acusa de la desmoralización del teatro a Francia e Inglaterra; ellas son las culpables de la pérdida del sentimiento religioso con el tácito consentimiento de las autoridades...
Fr. Conrado Muiños, "El Naturalismo", *La Hormiga de Oro*, 232 (1892), pp. 365 y 368, etc.

A pesar de todo, como he ido señalando, las ideas teatrales de Zola eran como un fermento que trabajaba lentamente y que se manifestó con más claridad en los años siguientes en los escritores jóvenes que constituyeron la segunda generación naturalista. Clarín e Yxart siguieron hasta su muerte proponiendo caminos de renovación en los que siempre se halla la impronta naturalista. Faltaron, sin embargo, unos dramas de suficiente entidad, que demostraran la virtualidad escénica de todas aquellas teorías como he demostrado al comentar la recepción de *Las Vengadoras*. Y faltaron igualmente unas alternativas al sistema de producción teatral dominante, por lo que las críticas que se hacían a éste resultaban inoperantes.

El legado del naturalismo teatral, con todo, fue importante para el teatro español posterior. Acentuó la conciencia de la necesidad de un cambio, aproximando el teatro a la novela, que ofrecía una mayor elasticidad de técnicas y de temas.

II

LA RECEPCION DEL SIMBOLISMO EN EL TEATRO

Los hechos más significativos del Simbolismo se produjeron durante los años de mayor repercusión social del Naturalismo: 1885-1893. Aunque a veces se ha presentado este movimiento como una reacción contra el Naturalismo, como su relevo, lo cierto es que existían buenas relaciones entre los escritores de ambas tendencias[1]. Zola conocía a los simbolistas y asistía y presidía sus banquetes con Mallarmé y Verlaine. Pasado el fervor cientifista de los años ochenta, Zola se afirma poeta de la Naturaleza y la Fecundidad en sus novelas[2].

Tantearon caminos de renovación teatral que, aunque divergentes en sus resultados, arrancaban de una insatisfacción común: ni a unos ni a otros agradaba el teatro que se hacía. Si en 1887 comenzó sus trabajos Antoine en el *Teatro Libre*, fue igualmente el año en que Mallarmé escribió crítica teatral en la *Revue Independente*. Si en la temporada de 1890-1891 Antoine intentaba ya dirigir a su grupo en nuevas direcciones, fue también el año de la revelación de Maeterlinck en el *Teatro de Arte*, que suponía el primer éxito de público del simbolismo teatral.

Bourget había publicado sus *Ensayos* (1881) y *Nuevos Ensayos de Psicología contemporánea* (1885), criticando duramente el decadentismo que se había convertido en moda. Los años siguientes supusieron, en cierto modo, una recuperación que acabaría en la revolución de las ideas estéticas de los simbolistas[3]. Moréas, Mallarmé, Verhaeren, Charles Morice, expusieron en ellos sus teorías de tal manera que, en 1891, se puede hablar ya de victoria del Simbolismo, manifiesta en el artículo de Brunetière "Le symbolisme contemporaine"[4], en el banquete ofrecido a Moréas por su libro *Pélerin passioné* y en la encuesta sobre las tendencias de la literatura contemporánea hecha por Jules Huret[5].

(1) Las precisiones con que debe ser utilizado el término *simbolismo* han sido bien delimitadas por Anna Balakian, *El movimiento simbolista*, Madrid, Guadarrama, 1969, pp. 13 y ss. Para ella, "El naturalismo y el simbolismo se nutren de las mismas filosofías fatalistas en que la voluntad humana está sometida a influencias y presiones exteriores." (p. 170)

(2) Véase el capítulo dedicado a Zola por H. Levin en *El realismo francés*, ob. cit.

(3) J. Kamerbeek, "Style de decadence", *RLC* (1965), pp. 268-285. Analiza la genealogía del término y su desarrollo crítico que culmina en Bourget.

(4) F. Brunetière, "Le symbolisme contemporaine", *Revue de Deux Mondes* (1-IV-1891).

(5) Jules Huret, en *L'Echo de Paris* (3-III al 5-VII-1891). Citado por J. Robichez.

Cuando Maeterlinck fue dado a conocer en el *Teatro del Arte* en la primavera de 1891, se había recorrido un largo camino, sobre todo en el terreno teórico, que, arrancando de Wagner, llegará a través de Mallarmé a la práctica teatral de Lugné-Poe en *L'Oeuvre*[6].

Discutido por su germanismo, Wagner contaba, sin embargo, con una creciente simpatía en restringidos círculos franceses. El artículo de Baudelaire, "Richard Wagner et Tannhäuser à Paris", escrito en mayo de 1861[7], resaltaba que su genio consistía en haber penetrado en la realidad profunda y esencial, donde el poeta escucha a veces "confusas palabras", que después debe transmitir. Ni la música sola, ni la poesía sola podrían expresarlo, porque la música no hablaría con suficiente claridad a la inteligencia, así como tampoco la poesía lo haría a la sensibilidad. El drama wagneriano es una búsqueda de la conjunción de ambas y, en este sentido, interesó a los simbolistas.

En 1885 comienza Mallarmé, al decir de los críticos, su "revolución literaria". De agosto de este año es precisamente su artículo "R. Wagner-Rêverie d'un poète français"[8], que no expone una doctrina, sino que, como anuncia su título, es un "ensueño": Mallarmé "ensueña" un "drama ideal" con el "vivificante efluvio" de la música y el concurso de todas las artes, que lleven al público a adherirse al espectáculo que contempla. No encuentra esto en Wagner, tan sólo una simple yuxtaposición, "un compromiso armonioso" de dos elementos de belleza que se excluyen: drama personal y música. Su primer error es haber conservado los personajes del drama tradicional, ligados por una intriga; el segundo, haber recurrido a la leyenda. El "Drama Ideal" debe renunciar a esto; la anécdota paraliza el sueño. El mito, del cual cree Mallarmé que se nutrirá este drama, será universal y abstracto, sin personalidad, "la Figura que no es Nadie".

Este artículo marca las pautas de toda su teoría dramática que desarrolló mientras ejerció como crítico teatral en la *Revue Independente*, entre noviembre de 1886 y julio de 1887. Las obras que reseña no le sirven sino como plataforma para exponer sus elucubraciones; no es severo con sus amigos naturalistas —Zola, Becque—, pero sus ideas iban por otros caminos. El teatro le deparaba menos alegrías que la lectura.

Lo que le fascina es la escena vacía en la que los pasos de la Bailarina ("La Danseuse") escriben con un grafismo simplificado y fulgurante un poema que descifra ávidamente y donde encuentra *"la nudité de (ses) concepts"*; ella es a la vez, *"un signe de l'éparse beauté générale, fleure, onde et bijou"* y una parte de nosotros mismos que se siente análoga y se mezcla *"dans une confusion exquise"*. Esta comunicación, esta síntesis, esta *confusion exquise* es exactamente el símbolo, la analogía universal[9].

(6) J. Robichez, *Le symbolisme au théatre*, ob. cit., pp. 33-80.

(7) La interpretación baudelairiana sería retomada por E. Shuré en 1875 en *Le drame musical*, donde sostenía que éste resumía la Poesía, la Música y la Danza.
El muy importante artículo de Baudelaire, en sus *Oeuvres Completes*, Paris, Seuil, 1968, pp. 126-135. Edición preparada por Marcel A. Ruff.
Durante los años ochenta, las alusiones son muy numerosas; véase Robichez, *ob. cit.*, pp. 36-37.

(8) Véanse el comentario que hace Robichez y el libro de Norman Paxton, *The Development of Mallarmé's Prose Style*, Genève, Librairie Droz, 1968. Contiene como apéndice dos de sus artículos sobre el teatro, pp. 126-135, en los que reflexiona agudamente sobre el teatro de Maeterlinck.

(9) Robichez, *ob. cit.*, p. 45.

Su "Drama Ideal" era algo lejano e imposible de conseguir. El mismo trabajó mucho tiempo en *La siesta de un Fauno* y en *Las nupcias de Herodías*, que quedaron al final incompletas[10].

Lo extremado de su postura condicionó a sus seguidores: *La littérature de tout à l'heure* (1889), de Charles Morice o *La fin d'un art* (1890), de Muhfled, son dos buenos ejemplos.

Una línea mucho más moderada siguió Jean Jullien en su revista *Art et Critique*[11]. Escritor ligado al *Teatro Libre*, hizo suyos algunos de los preceptos de Zola: psicología escrupulosamente exacta, abandono del personaje simpático, puesta en escena rigurosa, obras sin intriga, formadas con "tranches de vie". Pero, de otro lado, enriqueció las posibilidades de acción, orientándola hacia la pantomima.

Con Antoine y con Jullien se formó Lugné-Poe que en *L'Oeuvre* daría su máxima expresión al simbolismo teatral.

Así las cosas, el descubrimiento de las obras de Maeterlinck en París había de tener —y tuvo— los caracteres de una verdadera revelación. Mirbeau, en su artículo "Maurice Maeterlinck", publicado el 24 de agosto de 1890 en *Le Figaro*, lo presentaba como un auténtico acontecimiento[12].

Su mayor originalidad radicaba, para los simbolistas, en haber ligado las reacciones de los personajes, su drama interior, a los fenómenos naturales exteriores. No sólo suprimía radicalmente todo decorado detallado, descriptivo, sino que renunciaba al análisis psicológico, sustituyéndolo por una sugerencia continuamente cambiante. Buscaba una interrelación de luces y sonidos que pusieran de manifiesto las correspondencias que existen entre lo físico y lo espiritual. La voz no tenía más valor que el gesto o el silencio. Repeticiones de palabras, parecidas a las de frases musicales, el carácter enigmático de los textos, pausas, etc. todo lo orientaba a la creación de una situación indefinida, sugerente en múltiples sentidos.

No era un teatro precisamente destinado a la representación —en lo cual coincidía, pues, con Mallarmé— sino al libro impreso. Su escenario era más la imaginación del lector que un escenario material. Pero el estreno con éxito de *La Intrusa* (1891) en el *Teatro de Arte*, demostró también su virtualidad escénica, por lo que se continuó el camino emprendido.

Maeterlinck acabó convirtiéndose en el autor más representativo del teatro simbolista. La recepción que se hizo de sus obras en España, por ello, es la mejor prueba del interés y reacciones que suscitó el simbolismo en su vertiente teatral.

---

(10) Stephane Mallarmé, *Dos poemas dramáticos*, Barcelona, Tusquets, 1972, edición bilingüe.

(11) Comienza a publicarse el 1 de junio de 1889. Tuvo importancia en la difusión del simbolismo.

(12) Ya en 1889 alusiones a su obra: *Art et Critique* (4-II-1890), publica un importante artículo sobre *La Princesse Maleine*, firmado por Retté, que, años más tarde, enfrentado a Mirbeau, le echaría en cara erróneamente que no había sido él el introductor de Maeterlinck en París.

Para Pérez de la Dehesa, Maeterlinck fue el transmisor fundamental del Prerrafaelismo en España, junto con W. Morris y Ruskin. Este movimiento rechazaba la fealdad
y deshumanización de la revolución industrial y el utilitarismo, volviéndose como contrapartida hacia una Edad Media idealizada, a un mundo estilizado de princesas ator-
mentadas con connotaciones simbólicas y místicas.

La primera traducción de una obra de Maeterlinck en España fue la de *La Intrusa*,
realizada por Pompeyo Fabra y que apareció en agosto de 1893 en *L'Avenç*, con lo
que, una vez más, era Cataluña la primera región española que se interesaba por un
nuevo escritor[13].

Poco después, el 10 de septiembre, se representó en la segunda fiesta modernista
de Sitges. Rusiñol pronunció en ella un discurso en el que se adhería a la nueva estética
y en el que sostenía que "el arte de ayer va a morir" sustituido por un arte sincero y
minoritario, para el que las masas no están capacitadas.

Valentí ha señalado cómo coincide el auge del nuevo movimiento con la

> desvalorización del viejo naturalismo, prestigiado por la venerable figura de
> Zola, en favor de la diversidad de movimientos neoidealistas, neoespiritualistas,
> neorreligiosos que surgieron a fines del siglo sustituyendo en el campo del
> pensamiento el positivismo cientista por concepciones vitalistas e irracionalistas,
> y arrinconando en el del arte y la literatura el realismo hasta entonces dominante
> por el conjunto de manifestaciones y tendencias que suelen ser encuadradas
> bajo el nombre de simbolismo[14].

Una nueva generación de escritores accede en ese momento a la redacción de *L'Avenç*
con aires renovadores. No se trataba, con todo, de hacer tabla rasa de lo anterior, sino
de una apertura a nuevos horizontes. Los primeros modernistas no olvidaron nunca lo
que debían a Zola, ni renegaron de él. En 1893, Zola pronunció su célebre discurso
dirigido a la juventud democrática, ya citado, en el que traza la historia de sus luchas,
expone los fundamentos ideológicos del naturalismo y previene contra la reacción que
se estaba produciendo. *L'Avenç* lo reprodujo íntegro, con una nota previa en la que
señalaba su oportunidad.

A Maeterlinck se le coloca junto a los grandes escritores del momento, como nos
muestra una carta de Maragall a su amigo Antonio Roura, residente en Filipinas, fechada
el 15 de octubre de 1893, de la que copio un párrafo citado por Valentí:

---

(13) R. Pérez de la Dehesa, "Maeterlinck en España", *CHA*, 255 (1971), pp. 572-581; También:
Graciela Palau de Nemes, "La importancia de Maeterlinck en un momento crítico de las letras his-
panas", *Revue Belge de Philologie et d'Histoire*, XL (1962), pp. 714-728; Lily Litvak, "Maeterlinck
en Cataluña", *Revue des Langues Vivantes*, 2 (1968), pp. 184-198; Lily Litvak, "Naturalismo y teatro
social en Cataluña", *art. cit.*; Lily Litvak, *Erotismo fin de siglo*, Barcelona, Antoni Bosch editor, 1979.
De carácter más general, pero de interés: A. Cirici Pellicer, *Arte modernista catalán*, Barcelona, 1951;
José María Martín Triana, su antología de *El prerrafaelismo*, Madrid, Ediciones Felmar, 1976.

(14) E. Valentí, *El primer modernismo literario catalán*, ob. cit., p. 180.

Aquest te l'envio perqué llegeixis "La Intrusa" de Maeterlinck, siguint aixís, en lo possible el moviment literari: no fas cas que al tornar te creguessis que encara Zola és l'amo de tot. No fill, no: Ibsen, Tolstoi, Maeterlinck, Nietzsche, "et c'est toujours du Nord que nous vient la lumière".

Ademés amb aixó de *La Intrusa* se pot dir que ha vingut a la vida pública el grupo *modernista* de Barcelona[15].

En los números de *L'Avenç* de aquellas fechas se encuentran abundantes alusiones a estos escritores, si bien predominan, tal vez, las referencias a Nietzsche.

Yxart, que se hallaba entonces trabajando en lo que luego formaría el libro tantas veces citado, *El arte escénico en España*, no sólo se hace eco de la nueva tendencia, sino que manifiesta sus temores, lógicos si tenemos en cuenta sus planteamientos estéticos más ligados al naturalismo[16].

Era un momento de indecisiones, de intentos de conciliación, pero difícilmente se podía conciliar la aspiración social naturalista con los evasivos sentimientos de misterio y escalofrío ante lo desconocido, que caracteriza el teatro de Maeterlinck, o el misticismo difuso que tendía a impregnarlo todo. Resume Valentí:

> El año 1893 fue el de la presentación en España de Ibsen, Nietzsche y Maeterlinck. Las tres fueron debidas, más o menos directamente, al grupo modernista barcelonés, pero sólo en la representación de *La Intrusa* maeterlinckiana intervino el grupo, por así decir, corporativa y solidariamente [...] ello planteó (problemas) al grupillo radical de *L'Avenç*, pues el de Maeterlinck era, innegablemente, un teatro tan vuelto de espaldas a las realidades sociales y políticas que a aquellos interesaban como pudiera serlo la pintura prerrafaelista a la que el propio Rusiñol se estaba convirtiendo (p. 309).

A los dramaturgos catalanes Maeterlinck les iba a influir más que Ibsen; su huella es evidente en Gual y más aún en Rusiñol. Gual representó en el *Teatre Intim*, en 1898, *L'alegria que passa* de Rusiñol, donde muestra en "visión maeterlinckiana" la "vida letárgica de un pueblo catalán"[17].

Se suele decir que Maeterlinck tardó más en ser conocido en Madrid[18]. El autor de la primera traducción al castellano fue J. Martínez Ruiz, el futuro "Azorín", que tradujo *La Intrusa* pensando en que fuera representada. Sin embargo, con el pretexto de que sólo

(15) *Ibíd.*, pp. 179-180; cita también el mismo fragmento Gonzalo Sobejano, *Nietzsche en España*, Madrid, Gredos, 1967, pp. 37-38.

(16) J. Yxart, *ob. cit.*, I, pp. 271 y ss.; no solo Yxart es negativo en su crítica; también Tintorer, crítico de *Joventut*, quien, partidario de la misión social del arte, lo considera decadente (*1904*, p. 176); Pompeyo Gener, dentro de su peculiar estilo, lo llama "profundamente ignorante", "velocipedista enfermizo, fúnebremente shakespereano"; (referencias tomadas de Pérez de la Dehesa).

(17) Rusiñol conoció la obra de Maeterlinck en París donde pasó algunas temporadas entre 1888-1892. Allí, a través de su amigo Leon Daudet, asistió a la tertulia del café Weber, donde acudía entre otros Debussy que había estrenado por entonces su versión musical de *Pélleas et Melisande*. Para la influencia de Maeterlinck en Gual y Rusiñol, véase el libro de Valentí citado, pp. 312 y ss.

(18) Conviene matizar este supuesto desconocimiento de Maeterlinck en Madrid. Zeda en su artículo "La dramática escandinava, I", *Diario del teatro* (8-I-1895), lo menciona ya como autor que no disuena en los oídos de los españoles cultos.

interesaría a una minoría, fue rechazada por Vico; debido a esto, optó por publicarla en Valencia en 1896[19].

Hoy nos interesa, sobre todo, por ser la primera obra que traduce dentro de su militancia anarquista, justo en el momento en que traduce a Kropotkin y Hamon:

> Esto nos muestra por consiguiente que el reformismo social y la literatura interiorizante y simbolista, no eran incompatibles, posición ambivalente frecuente en los escritores de la época. El mismo Maeterlinck no creía que las obras de arte perennes debieran anclarse en las doctrinas históricas y políticas del momento y rechazó por ello el arte social en los mismos años en que fue uno de los primeros miembros del Círculo de Estudiantes socialistas de Bruselas, amigo de Vandervelde y en que contribuía a las publicaciones del Partido Obrero[20].

La influencia en la propia obra de Azorín ha sido reiteradamente mencionada; en el caso concreto de su teatro no hace falta esperar a su trilogía *Lo invisible* tan llena de ecos maeterlinckianos; Lily Litvak la señalaba, no hace mucho, al estudiar *La fuerza del amor*, pieza que publica Azorín en 1901 con prólogo de Baroja[21]. Su inflexión hacia nuevos derroteros se hace aún más clara en *Diario de un enfermo*, donde ya ha pasado, por desilusión de sus ideas políticas, de una literatura combativa a una literatura esteticista.

El protagonista del *Diario* busca al lado de su amada tuberculosa, de rasgos evidentemente modernistas, sensaciones extrañas y refinadas ante la proximidad de la muerte. La visión que da del artista es la del solitario que se desentiende del pueblo y de la lucha social, deja de creer en el progreso, cuyos logros le ahogan por su prosaísmo y vulgaridad, y se orienta hacia el arte puro:

> Por ello Azorín revaloriza las palabras y los silencios y concluye en una estética maeterlinckiana basada en lo inefable. El defecto de la literatura moderna, nos dice, es que está retrasada con respecto a las sensaciones[22].

La segunda obra que se conoció en España de Maeterlinck fue *Interior* que, traducida por Pompeyo Fabra, fue estrenada por A. Gual en el *Teatre Intim* el 30 de enero de 1899, junto con *Blancaflor* y *Silenci* del propio Gual, empeñado en dar a conocer lo mejor del teatro europeo desde que el 15 de enero de 1898 formó su grupo: Goethe, Molière,

(19) No he podido ver esta edición. Tomo los datos del artículo de *Palau de Nemes*, p. 714.

(20) R. Pérez de la Dehesa, *art. cit.*, p. 576; a continuación, repasa un buen número de obras donde la huella de Maeterlinck es evidente, incluso de autores que a primera vista parecerían muy alejados de esta estética como Blasco Ibáñez, del que cita *El Intruso* .

(21) Lily Litvak, *"Diario de un enfermo*. La nueva estética de Azorín"*, en *La crisis de fin de siglo*, ob. cit., pp. 273-282. La impresión que el joven escritor recibió fue muy fuerte como escribe en *El Progreso* (5-III-1898): "Todavía lo recuerdo, y lo recordaré mientras viva, la vibrante emoción extraordinaria que la primera lectura de *La Intrusa* me causara. Aquel ambiente de tristeza, de preocupación de la muerte que llega; aquel interior silencioso, aquellos personajes que hablan durante una hora de cosas insignificantes, en vulgar, en machacón diálogo, llega a producir en el lector la obsesión dolorosa, tenaz, insacudible de la Intrusa que pasa por el jardín, que llama a la puerta, que atraviesa la escena, que entra en el cuarto de la enferma... Ese es el drama de Maeterlinck, eso es la vigorosa obra de teatro "estático" .

(22) Lily Litvak, *ibíd.*, p. 280.

Shakespeare, Hauptmann... figuran entre los autores elegidos[23]. Era el inicio de un nuevo concepto del teatro que seguirían Valle, Benavente y Martínez Sierra. Sin que ello quiera decir que éstos siguen a Gual, como quiere Díaz Plaja[24]. Más bien hay que hablar de una sincronía, al menos respecto a Benavente.

La diferencia fundamental entre Barcelona y Madrid fue que en esta ciudad no existía ningún grupo teatral como el *Teatre Intim*, por lo que el conocimiento de Maeterlinck fue ante todo a través de la lectura de sus obras. En efecto, este mismo año, la *Revista Nueva* publicaba un artículo de Remy de Gourmont que lo considera dramaturgo de la espera y de la tristeza, con un extraño poder de atracción; por otro lado, resalta su misticismo con un sentido de liberación y fraternidad, y finalmente, tratando de evitar equívocos con otros escritores, subraya que "la sensualidad no entra en el campo de sus meditaciones"[25].

La Vida Literaria reproduce el cartel de Rusiñol para *Interior*, indicando que iba a ser estrenada por el *Teatro Artístico*[26]. El estreno no se realizó, probablemente por las dificultades de conseguir teatro o empresario. Como escribía Federico Urales en la misma revista un poco después, las convenciones sociales mataban la prensa y más aún el teatro controlado por censores que, aliados a los empresarios, hacían lo que querían[27]. El texto de *Interior* no será publicado en castellano hasta 1901 en la revista *Electra*.

Al propio Unamuno, pese a su peculiar evolución en aquel momento, llega a interesarle el escritor belga. Escribe en 1899 a Rubén Darío desde Salamanca indicándole que no le atraen los escritores franceses, pero sí los belgas, como Maeterlinck en *Le trésor des humbles*, afirmación que reitera en la contestación a F. Urales en la entrevista destinada su libro *Evolución de la Filosofía en España*:

> Sin ser un esteta, antes bien detestando el esteticismo, detesto más aún el antiesteticismo. Amo sobre todo la vida interior (el *Trésor de humbles*, de Maeterlinck, me encantó)[28].

En Barcelona, la publicación en 1901 de la trilogía formada por *La Intrusa, Los ciegos* e *Interior*, afirma de forma definitiva la presencia y acogida del escritor. Paralelamente, se hacen cada vez más frecuentes las alusiones a su vida y obra en la "Revista de Revistas" de distintas publicaciones importantes y en libros misceláneos de crítica[29].

(23) Hay que corregir la fecha que da Palau de Nemes de este estreno —1900—, dato procedente tal vez de Díaz-Plaja, *Modernismo frente a 98*.

(24) F. Díaz-Plaja, *La voz iluminada*, Barcelona, 1952, pp. 207-208. Los críticos de Valle-Inclán han insistido en la influencia de Maeterlinck en las primeras obras del dramaturgo gallego. En cuanto a Benavente, ya Antonio Palomero en su sección "Los teatros", de *La Lectura* (1902), pp. 514-518, señaló la presencia de Maeterlinck en *Sacrificios, La gata de Angora y Alma triunfante*.

(25) R. de Gourmont, "Mauricio Maeterlinck", *RN*, 4 (15-III-1899), pp. 161-168.

(26) *La Vida Literaria*, 4 (enero 1899). En adelante *VL*.

(27) F. Urales, "In artistas", *VL*, 7 (febrero 1899).

(28) F. Urales, *La evolución de la filosofía en España*. Cito por la edición de R. Pérez de la Dehesa, Barcelona, Laia, 1977, 2ª edición, p. 164. También Palau de Nemes, *art. cit.*, pp. 719-721 da estas referencias.

(29) Pérez de la Dehesa cita numerosos testimonios.

Gómez Carrillo le dedica un capítulo entero —"El amor y la muerte en la obra de Mauricio Maeterlinck"— en *El alma encantadora de París*; Pérez de Ayala, un extenso artículo — "Mauricio Maeterlinck"— en *La Lectura*, elogiando su creencia en el sentimiento interior, que enlaza, en su opinión, con el krausismo; también el joven Ortega, indeciso entre dedicarse a la creación literaria y la crítica, se siente atraído por sus libros y escribe "El poeta del misterio" publicado en *El Imparcial*[30].

Se incrementa el número de traducciones: la revista *Helios* publica en 1903 la de *Lo porvenir*; Martínez Sierra, cada vez más interesado por el teatro poético, traduce *La Princesa Maleine, Los ciegos* y *La Intrusa*; y ya en 1906, Juan del Río, *Delirium Tremens*[31].

En 1904, la compañía de Georgette Leblanc, de paso para Lisboa, representó en Madrid, *Monna Vanna, Joycelle, Aglavine et Salissette* y *La Intrusa*. El público intelectual acogió muy favorablemente estas representaciones; las reseñas de las actuaciones recogidas en *Alma Española*, son significativas al respecto. Ya antes de llegar la compañía a Madrid, Gabriel Araceli publica "Maestros Modernos: Maeterlinck"[32], anunciando su venida; resalta su "culto por lo misterioso que la naturaleza guarda", sus personajes femeninos "que mueren por amor, nada más que por amor", "niñas débiles, blancas y rubias" de leyenda germánica o escandinava, y el fatalismo que impregna sus dramas. Gregorio Martínez Sierra comenta con entusiamo sus obras "rendido a la magia de su maravilloso sugerimiento", pero lo prefiere con todo leído a representado[33].

Más detallada es la crítica de Luis Morote recogida en su libro *Pasados por agua*[34]. En las primeras representaciones el teatro estaba lleno, pero en las siguientes se fue vaciando progresivamente de tal manera que la tercera noche estaba casi desierto. Desorientado, el público emitía opiniones como ésta, referida a *Joycelle*: "¡Será una lata modernista!". Tan sólo *La Intrusa* gustó.

Ortega y Gasset puso el dedo en la llaga, en el artículo citado más arriba, indicando que era necesaria una cierta preparación para entender este teatro. Revistas como *Gente Vieja* mostraron su desacuerdo e ironizaron el fracaso de las representaciones.

Deleito Piñuela, en la *Revista Contemporánea*, señaló también que sólo el fervor de los incondicionales había logrado sacar adelante estas representaciones; intenta clasificarlo y lo defiende contra sus detractores:

> Opuesto a Tolstoi por su divorcio con los candentes problemas sociales, y más sugestivo aún que Ibsen, escudriña los más ocultos repliegues de las almas, apartándolas de cuanto es material para verlas en toda su plenitud, como las veían en sus éxtasis nuestros ascetas; y a fin de crear más adecuada atmósfera

---

(30) *Ibíd.*, y Palau de Nemes. El de Pérez de Ayala en *La Lectura*, 3 (1903), pp. 48-63; el de Ortega puede verse ahora en sus *O.C., I*, pp. 28-32.

(31) Tomo las referencias de nuevo de Palau de Nemes.

(32) Gabriel Araceli, "Maestros modernos: Maeterlinck", *Alma Española*, 17 (6-III-1904).

(33) G. Martínez Sierra, "Actualidad literaria: Mauricio Maeterlinck", *Alma Española*, 18 (13-III-1904); véase además, en el mismo número, el artículo de José Francés, "Visto y leído".

(34) Luis Morote, *Pasados por agua*, Valencia, s. f.

a esta *acción interior* borrra intencionalmente cualquier noción de lugar o tiempo en el desarrollo de sus dramas, y toda forma precisa y concreta de sus personajes.

En tal concepción psicológica se hermanan con paradoja singular las intuiciones científicas sólo esbozadas aún, las exquisiteces sensitivas de la neurosis, y el sencillo animismo de los primeros hombres que dotaba de alma a los ríos y a los vientos, a los árboles y a las piedras.

Resulta pues, Maeterlinck un *decadente* y un *primitivo*, al propio tiempo; y a este sabor a la vez novísimo y arcaico de sus dramas contribuye la intervención del Destino, la divinidad fatal, el *ananke* (sic) ciego que arrastra nuestras vidas, tan irresistible y caprichosamente como el huracán se lleva en otoño las hojas desprendidas de las ramas[35].

Cansinos Assens indica bien lo que en buena parte buscaban los escritores nuevos entonces:

Lo que le interesa ante todo (a la "novísima literatura"), aunque viva sumida en artísticos sueños, es la vida, la Vida, que en sus libros tiene una mayúscula hierática y está erigida como sobre un ara. Y no menos le interesan la Muerte y el Misterio. Es una generación pesimista, que cruza sus brazos para la acción pero que siente sin embargo, anhelos de una epopeya lírica que cumple en su obra artística[36].

De todo ello había en abundancia en la obra de Maeterlinck, lo cual nos explica que fuera la suya una de las influencias fundamentales, no ya en el teatro, sino en la literatura española finisecular en general.

(35) J. Deleito Piñuela, "El teatro de Maeterlinck", *RC*, CXXVIII (1904), pp. 514-515; no citado en los trabajos consultados.

(36) Citado por *Palau de Nemes*, p. 722.

49

III

LA RECEPCION DE IBSEN Y OTROS DRAMATURGOS NORDICOS

Sobre todos los dramaturgos del siglo XIX sobresale sin duda Ibsen, en cuya obra "podemos ver, como en un espejo concentrador, una imagen del contenido de su época"[1]. Personaje byroniano, mezcla de revolucionario y aristócrata, creó unos personajes movidos ante todo por el imperativo de la propia autorrealización. Sus dramas, altamente intelectualizados, intentan "definir los poderes supra-racionales y establecer un contacto entre ellos y la vida humana. Este contacto puede ser explosivo"[2].

En sus obras cuestionó la moral que regía la sociedad burguesa y propuso una nueva moral superior, al igual que ocurre en Nietzsche[3]. Esta nueva moral la encarna en personajes mesiánicos, prolongación en un sentido o en otro del autor.

Ibsen, en efecto, admitía que Brand, Peer Gynt y el emperador Juliano eran expresiones de sí mismo[4]. Estos individuos excepcionales contienen una fuerte dosis de romanticismo exacerbado. Sólo a disgusto entran en dramas sociales, como es el caso del Doctor Stockman en *Un enemigo del pueblo*. Su disconformidad es mucho más radical:

> la rebelión de Ibsen, como la de otros muchos grandes poetas contemporáneos, es *total*, lo cual equivale a decir que el autor está disconforme con la creación en general y no con algún aspecto contemporáneo particular de ésta.
> [...] Su héroe es un rebelde contra Dios, y su fin no consiste en obtener cambios superficiales en la estructura social sino una alteración completa de la naturaleza del hombre[5].

Para él, el teatro era fundamentalmente una forma de autoexamen, resultando así que "Las aparentes contradicciones de Ibsen son entonces el simple resultado de ciertas

---

(1) A. Nicoll, *Historia del teatro mundial*, Madrid, Aguilar, 1962, p. 472. Véanse, pp. 471-492. Además, G. Wilson Knight, *Ibsen*, Madrid, Epesa, 1976. Robert Brustein, *De Ibsen a Genet: la rebelión en el teatro*, Buenos Aires, Troquel, pp. 13-99. R. Salvat, *ob. cit.*, 151-174.

(2) W. Knight, *ob. cit.*, p. 184.

(3) *Ibíd.*, p. 185.

(4) R. Brustein, *ob. cit.*, pp. 32 y ss.

(5) *Ibíd.*, p. 51.

tensiones dialécticas de su propio carácter. Sus ataques al idealismo revelan sus pasajeros sentimientos irónicos respecto de su propio idealismo; su rigor hacia los moralistas no es más que la severidad de un moralista convencido; su sátira del personaje rebelde es un modo de castigar al rebelde que hay en él mismo. [...] Ibsen es víctima de dramáticas antinomias, con las cuales lucha sin cesar a través de toda su carrera"[6].

Estas consideraciones han llevado a muchos críticos a ver "la quintaesencia del ibsenismo" como una total resistencia a cualquier tipo de organización estable, actitud que da cohesión a su obra en sus diversos periodos.

En toda Europa provocó fuertes polémicas con sus obras, siempre ambiguas y complejas, susceptibles de interpretaciones dispares si se toman sus propuestas fragmentariamente. También en España atrajo la atención de grupos sociales muy diversos, que distorsionaron y manipularon sus ideas según sus intereses.

La introducción de Ibsen en el mundo latino se verificó a través de París. El inicio de su popularidad va ligado al estreno de *Espectros*, en 1890, por Antoine en el *Teatro Libre*. Como era presumible, los gacetilleros de turno atacaron la labor de Antoine, evocando la claridad francesa frente a la nebulosidad nórdica, tópico que no dejará de ser explotado en los años siguientes siempre que se refieran al teatro nórdico.

Allí estaba, sin embargo, la juventud literaria, dispuesta a defenderlo a capa y espada, conocedora de la obra de Ibsen por los artículos publicados en revistas y tras haber leído las primeras traducciones de sus obras[7].

A pesar de la incomprensión del público, Antoine no se arredró y pensó continuar su labor difusora con nuevos estrenos. Escribe en su diario:

> Juin 1890.— Je me preocupe de suite après le retentissement, décidément considerable, des *Revenants*, malgré l'incompréhension du public et les plaisanteries hostiles de Sarcey, de frapper un second coup avec une autre oeuvre d'Ibsen[8].

Se trataba de *Pato salvaje* que no tardó en ser estrenada. Tras ésta, todas sus obras fueron siendo acogidas en todo tipo de teatros.

Al igual que Zola y Maeterlinck, fue introducido en España por los grupos intelectuales más avanzados, atentos a las novedades europeas y paralelamente, por las compañías extranjeras en sus giras por la península. En el repertorio de éstas, con todo, sólo se incluyó a Ibsen cuando se puso de moda en París y la elección de los dramas se supeditaba al lucimiento de los primeros actores, que los elegían de acuerdo con sus características personales.

Novelli incorpora a su repertorio *Espectros* en 1891, pero por su poco éxito en Italia no lo representa en España en su gira de 1892. Gregersen y, siguiendo sus pautas,

(6) *Ibíd.*, p. 59.

(7) J. Robichez, *Le théâtre symboliste*, ob. cit., el apartado "La revelation d'Ibsen", pp. 92-103. Más precisiones en M. G. Lerner, "Edouard Rod and the Introduction of Ibsen into France", *RLC*, I (febrero-marzo 1969), pp. 69-82.

(8) Citado por H. Gregersen, *Ibsen and Spain*, Nueva York, Harvard University Press, 1936, p. 25. En este capítulo completo su estudio sobre la recepción de Ibsen en España, aduciendo nuevos testimonios de publicaciones no utilizadas por Gregersen.

Valentí citan una carta abierta de F. Puig Samper a Joan Sardà, director de *La Vanguardia* y que ésta publica el 10 de septiembre de 1892, quejándose de lo anticuado de su repertorio:

> ¿Qué interés no despertaría una obra del noruego Ibsen, del belga Maeterlinck o de algún otro de los escritores del norte, como Herz o Björnson?
> Y si esto no fuera posible, por falta de buenas traducciones, ahí está el teatro francés enriquecido últimamente con obras de interés literario y aun social, y en la misma Italia existe un grupo de escritores notables, que tratan el drama en sentido moderno[9].

Sardá le contesta desde la misma *Vanguardia* el día 18 de septiembre:

> Ud. lo sabe mejor que yo, y bien lo apunta en su carta. Los grandes *tenores* del arte dramático no nos van a traer ni el teatro noruego, ni el ruso, ni el franco-belga ni las demás obras que acá y acullá —lo de acá es cuasi fórmula— apuntan en busca de la nueva religión teatral. Sí, el público está cansado; quiere algo nuevo; pero tenga Ud. por seguro que ni Ibsen ni Maeterlinck, ni *tutti quanti* fuera de España tientan la nueva revolución teatral han de darle, por lo menos a nuestro público, la satisfacción que inconscientemente apetece, según muestra en forma negativa con la poca que le causa el repertorio corriente[10].

Sí que incluyó Novelli *Espectros* en sus giras de 1894 y 1896, cuando ya nadie podía negar la evidencia de la importancia de Ibsen como dramaturgo innovador.
Hasta 1899 no presenta Teresa Mariani su versión italiana de *Casa de Muñecas*[11]. Al año siguiente, Eleonora Duse busca el propio lucimiento con *Hedda Gabler*, obra que será representada también por la compañía italiana de la Vitalini en 1901, 1902, 1903. Completa la lista de representaciones Zacconi, que escenifica en 1903 *Espectros*, censurándosele su interpretación por su temperamento latino, que, al decir de algunos, desfigura la obra. El balance no resulta muy halagüeño, al igual que ocurriera con Zola y Maeterlinck.

Según Gregersen, quizás la primera alusión que se hace a Ibsen en la Península, se debe a Clarín en un artículo de diciembre de 1889, donde muestra una vez más estar al día de las novedades extranjeras[12].
Para Valentí es en dos artículos algo posteriores donde Clarín da la primera muestra de un conocimiento directo de su obra, analizando *Espectros* —conocido entonces por

---

(9) Tomo la cita de E. Valentí, *El primer modernismo catalán*, ob. cit., p. 209. H. Gregersen, *ob. cit.*, trata estos temas en el cap. V, "Visiting italian interpreters of Ibsen", pp. 65-72. Debe verse también, Pedro Bohigas Tarragó, *Compañías dramáticas extranjeras en Barcelona*, Barcelona, Instituto del Teatro, 1946.
lona, Instituto del Teatro, 1946.

(10) Valentí, *ob. cit.*, pp. 209-210.

(11) Comentando la representación del drama en Madrid en el teatro de la *Comedia*, M. Martínez Espada, *Teatro contemporáneo*, Madrid, Imprenta Ducazcal, 1900, pp. 59-60, indica que el público se aburrió y la crítica veía aún con recelos a Ibsen.

(12) *Gregersen*, p. 51. Remite a L. Alas, *Ensayos y revistas 1888-1892*, p. 226.

Los Aparecidos— y emitiendo un juicio muy favorable del drama[13]. Recoge también Valentí, en nota, un artículo de J. Ortega Munilla, "Los dramas de Ibsen"[14], donde atribuye a Echegaray las primeras noticias que de Ibsen han llegado a la Península; reproduzco la cita de Valentí:

> Muchos años ha tardado en llegar a España la fama del gran dramaturgo noruego Henrik Ibsen, y para que se cite alguna de sus producciones y se imprima su nombre en los periódicos, ha sido preciso que partiera la iniciativa de un hombre tan amigo de lo nuevo y tan estudioso como el insigne Echegaray, que sigue el movimiento intelectual del siglo en todas sus manifestaciones con la constante y febril ansia propia de la perdurable juventud de un genio.

La opinión expresada por Ortega Munilla es exacta y Echegaray, aunque no en artículos de prensa, trató pronto de imitarlo en *El hijo de Don Juan* (1891).

Banalizador incorregible, la mezcla no podía ser más extraña: el viejo tema de don Juan del teatro español con las aportaciones paracientíficas de la herencia biológica. A pesar de lo endeble de la obra, Clarín le dedicó uno de sus paliques, intentando salvarla[15]. También Castelar, perteneciente al mismo grupo político que Echegaray, trató no ya de emparentarlo con Ibsen, sino que lo situó por encima, dejándose llevar por su confusa retórica[16].

IBSEN EN CATALUÑA

En Cataluña, en torno a 1892, había ya un notable interés por Ibsen. José Yxart y Juan Sardá lo defendían y trataban de divulgarlo desde las páginas de *La Vanguardia*.

Ya antes Yxart, y era tal vez el primer ensayo extenso que se escribía en catalán sobre Ibsen, le había dedicado un trabajo, "Enric Ibsen", que proporciona excelentes datos para el conocimiento de cómo se fue conociendo Ibsen en España[17]. Primero había llegado su nombre de manera indirecta, incluído en los programas musicales del Tívoli de Madrid, junto con Grieg; la gente preguntaba quién era. Luego, "los aficionats a la lectura de coses noves se passaven de mà en mà les traduccions francesses de l'autor noruech"[18].

(13) *Valentí*, p. 210. Los artículos fueron publicados primero en *La Correspondencia de España* (25-I y 2-II-1891), luego recogidos en *Ensayos y revistas*, Madrid, 1892, pp. 407-434.
Alusión a Ibsen no citada por ninguno de estos críticos es la noticia del estreno de *Hedda Gabler* en París, en *Gaceta Teatral Española*, 2 (15-I-1892).

(14) J. Ortega Munilla, "Los dramas de Ibsen", *Los lunes del Imparcial* (11-I-1892).

(15) "Ibsen y Echegaray", *La Correspondencia de España* (27-IV-1892).

(16) Citado por *Gregersen*, pp. 88-89; era una opinión compartida por otros críticos como demuestran las reseñas de *El hijo de Don Juan*, que recoge Gregersen.
Mucho más ponderada y correcta es la reseña de Palau en *RC*, LXXXVI (1892), pp. 304-307.

(17) Aparece recogido en *Obres Catalanes*, Barcelona, Tipografía L'Avenç, 1895, pp. 192-214. No cita esta obra Gregersen, sí Valentí en su bibliografía final, pero no comenta este ensayo, fechado en 1892. Si tenemos en cuenta esta fecha, es uno de los primeros ensayos sobre Ibsen en España.

Se comentaba además, que Echegaray estaba escribiendo una obra siguiendo sus pautas. Esta alusión confirma que Echegaray conoció pronto su obra y nos hace retroceder de nuevo a *El hijo de Don Juan*, cuyo estreno ya he mencionado.

Lo que se conoce hasta el momento, según Yxart, son *Los Apareguts —Espectros—* y *Una casa de nina —Casa de muñecas—*, aparte de los artículos de revistas sobre él[19].

El resto del ensayo anticipa trabajos posteriores de Yxart. Capta ya perfectamente el alcance y significación de Ibsen: "Un moralista rigid... a la seva manera" (p. 195); tiene por norma decir la verdad, "tota la veritat contra les convencions socials: un revolucionari" (p. 195); aspira a la reforma social, a mejorar la condición de la mujer, liberando su personalidad; ataca la moral corrompida por el interés, el egoísmo, la mentira y la ley; es, sin embargo, contradictorio.

A pesar de que indicaba que sólo se conocían dos obras, sintetiza *Un enemic de la societat —Un enemigo del pueblo—*, resaltando su "esperit individualista intransigent", "és un revolucionari... que detesta als revolucionaris, y sobre tot la bullanga" (p. 197). Y aún menciona más abajo *Hedda Gabler*, al referirse a la emancipación de la mujer y la forma de concebir sus dramas:

> Lo cas de conciencia com fonament de tots aquêts drames. Lo cas de conciencia es lo que crea'ls conflictes, és lo que mou als personatges: aquêts no'l rahonem llargament, ni ab disquisicions de filosofia, aixo may!
> Però se alboroten, pateixen, s'estimen (p. 199).

Sólo un reparo le pone y es que, como el teatro naturalista francés, cae en los casos patológicos. Tampoco en esta ocasión, pues, se desprende Yxart del fondo idealista que impregna sus ideas teatrales: "lo cas patologic, causant una emoció física depriment, inmediata, brutal, cohibeix de tal manera a l'espectador, que l'emoció verdaderament artística, contemplativa, desinteresada, no's produeix, no resulta" (p. 206).

Alexandre Cortada, en *L'Avenç*, publica tres artículos sobre "El teatro á Barcelona"[20] de gran interés, aunque se limita al análisis del teatro en esta ciudad, que considera de baja calidad, de "barrio". Propone utilizar el teatro no sólo como medio de renovación estética, sino como "palanca para realizar un ideal social". Primero se deberá comenzar creando un *teatro independiente* como los de Francia o Alemania, donde se promocionen los mismos autores que allí. Para Cortada, todo anuncia la futura tragedia realista. Tolstoi y Zola han proporcionado los primeros modelos. Ibsen todavía no ha desplazado a Zola, no han hecho aún mella ni el fuerte individualismo que traen los escandinavos ni el amor como cuestión social, que tan importante lugar ocupa en sus obras.

(18) *Ibíd.*, p. 193.

(19) Probablemente a través de la traducción al francés que había hecho Prozor en 1889. Jules Lemaître le consagró cuatro artículos a esta traducción en *Le Journal des Debats*. J. M. Lavaud, opina que debió ser también ésta la edición que Clarín utilizó en sus primeros artículos; Véase su trabajo "Ibsen et le théâtre d'idées à Madrid à la fin du XIXè", en *Théâtre et Societé*, Université de Pau, 1977, pp. 61-74; su opinión en p. 63.

(20) Valentí, *ob. cit.*, los apartados: "Un programa para la renovación del teatro", pp. 204-208, y "La entrada de Ibsen en Barcelona", pp. 209-221.

La difusión de Ibsen era lenta y gradual. No había ninguna prisa por parte de las empresas teatrales de estrenar sus dramas. Tal vez se estrenó alguna de sus obras en las veladas de grupos anarquistas, que mostraron un gran interés por su teatro y en los años siguientes fueron sus mayores promotores.

El 14 de abril de 1893 se estrenó *Un enemigo del pueblo* en el teatro *Novedades* de Barcelona, a cargo de la compañía de Antonio Tutau; los traductores —la obra se estrenó en castellano— eran dos "modernistas": Carles Costa y Josep M. Jordá, de la plantilla de *La Publicidad*.

La situación de Barcelona favorecía el estreno de esta obra más que otras de Ibsen por sus contenidos ideológicos; sin embargo, no obtuvo el éxito esperado, motivo por el que se lamentará *L'Avenç*[21]. Efectivamente, si tenemos en cuenta la fuerza anarquista barcelonesa en ese momento y que la obra en una de sus vertientes puede tomarse como un manifiesto del anarquismo, extraña que no tuviera mejor acogida. Tal vez sea debido a que el tipo de anarquismo propuesto es más racional que el de Bakunin o el de Stirner.

El atractivo del drama viene de su propia ambigüedad —que en cierto modo la hacía inocua— y que llamó la atención a grupos pequeñoburgueses y obreros inquietos, cuyos intereses parecen confluir en aquel momento; confirma esto un artículo de Maragall aparecido el 10 de diciembre de 1892 en el *Diario de Barcelona* sobre esta obra y que le lleva a clasificar a Ibsen como "idealista y simbolista"[22]. Comentando este artículo concluye Valentí:

> Maragall consiguió con Ibsen lo que no pudo hacer con Nietzsche: recomendarlo al público burgués y bien pensante de Barcelona. Conscientemente o no, lo que intentaba era informar a esta clase social de la existencia de un movimiento de ideas perfectamente "modernas", que podía sustituir, probablemente con ventaja, a la antigua ideología ligada a la llamada "tradición", a las creencias religiosas y a la Iglesia[23].

Lo que de Ibsen interesa a la burguesía catalana son, fundamentalmente, las ideas que expone en sus dramas y que representan un revulsivo contra la inercia habitual. El público captó la pugna entre mayorías y minorías y que debía haber una aristocracia intelectual que gobernara. Pero el sentido de la obra es mucho más amplio: lo que Ibsen pretende es que todos, absolutamente todos, sean libres; lo que han de hacer los más avanzados es iluminar el camino[24].

En noviembre, en el teatro *Gran Vía*, se estrenó *Nora* en traducción catalana de F. Gomis; fue recibida con frialdad, pero el público se dividió cuando la protagonista

---

(21) *L'Avenç*, V (1893), pp. 119-120. La falta de éxito, con todo, fue muy relativa. El primero de mayo la obra estaba en cartel.

(22) Puede verse en *Obres Completes*, X, Barcelona, 1931, pp. 19-28.

(23) Valentí, *ob. cit.*, p. 214; también la reseña de Maragall en *Diario de Barcelona* (22-IV-1893); en *Obres Completes, XV*, pp. 20-36, citada por Valentí.

(24) Valentí recoge numerosas reseñas no tenidas en cuenta por Gregersen; de éstas destacan las de escritores *anarquistas* como Gener o Brossa.

reivindica su derecho a abandonar el hogar. El interés por Ibsen, con sus más y sus menos, siguió ya adelante:

> ...una vez roto el hielo con las representaciones públicas de 1893, el culto a Ibsen se mantuvo sobre todo en sociedades dramáticas privadas, de carácter obrerista y anarquizante, animadas y dirigidas por hombres como Ignasi Iglesias y Felip Cortiella, por no hablar del "Teatre Intim" de Adrià Gual (fundado en 1898), que rindió también su tributo a la boga ibseniana[25].

Ni las publicaciones conservadoras pueden sustraerse a mencionar, al menos, la producción del escritor noruego. Tal es el caso de *El teatro moderno*[26], revista estéticamente conservadora pese a su título, que alude a sus dramas para atacarlos: Calvo Acacio en "Monólogos y apartes", defiende un teatro escrito pensando en los primeros actores, con grandes monólogos que permiten su lucimiento y critica por ello a Ibsen y a sus seguidores por suprimir estos monólogos[27].

Otras veces son artículos meramente informativos como "El último drama de Ibsen", referido a *El maestro constructor de Solness*, que sitúan peyorativamente dentro del teatro simbolista reiterando consabidos tópicos:

> El simbolismo en las obras dramáticas nunca echará raíces por aquí; pues dado nuestro modo de ser y de sentir, vamos al teatro para impresionarnos, no para descifrar un enigma[28].

El 29 de abril de 1894 se estrenó en el teatro *Gran Vía* el drama de Bjornson *Una quiebra*, en traducción de J. M. Jordá y C. Costa. Existía el proyecto de estrenar *Los Tejedores* de Hauptmann, traducido por Soler de las Casas y precedido de una conferencia de Pitarra, pero la bomba del Liceo y la consiguiente persecución de anarquistas redujeron muchos de estos proyectos a la nada[29]. La imposibilidad de llevarlo a la escena no impidió que apareciera una edición de *Los Tejedores de Silesia*, de Hauptmann, realizada por Ricardo Mella, partiendo de la edición francesa de *La Societé Nouvelle*. Se publica como

---

(25) *Valentí*, pp. 218-219; en la obra de Guimerà supone un giro; en adelante también las compañías extranjeras lo incluyen en sus repertorios.

(26) *El teatro moderno (revista semanal literaria y artística)*, Barcelona, 1894-1895. No la utilizan ni Gregersen ni Valentí; contiene interesantes artículos sobre el teatro de Galdós que usaré en su lugar; en 1895 colaboran la Pardo y Dicenta.
Parece continuar en *El teatro universal (semanario crítico, literario, artístico y de noticias)*, Barcelona, 1896; no he podido ver más que los números 1 y 6.

(27) *El teatro moderno*, 4 (7-III-1894).

(28) J. V., "El último drama de Ibsen, I y II", *El teatro moderno*, 24 y 25 (11 y 16-VIII-1894); el fragmento citado pertenece al segundo, p. 194.
Similar es el artículo anónimo, "Un drama de Ibsen", *El teatro moderno*, 19 (26-V-1895), que da cuenta del estreno en París de *El niño Egolf*, calificando su acción como "monstruosa".

(29) *Valentí, ob. cit.*, p. 219 nota 40. También el artículo de Lily Litvak, "Naturalismo y teatro social", ya citado.

folletín en la revista anarquista *Ciencia Social* en 1896[30]. Lleva como pie de imprenta: "Biblioteca Ciencia Social", lo que hace suponer que tenía también tirada autónoma respecto a la revista. La desaparición de ésta en el número nueve –puede ser que salieran más números que no he visto– deja cortada la publicación en el tercer acto.

Teatro Social[31], también anarquista, dedica su único número casi completo a Ibsen: "Biografía" (con grabado), resaltando sus dramas revolucionarios y el haber creado un "teatro sociológico", así como su actitud rebelde, para lo que transcribe un fragmento de unas declaraciones hechas en París en el periódico *Petit Journal*:

> "Aprecio a Zola el bien que ha hecho a la humanidad con sus libros; pero entre él y yo media un siglo de despreocupación. Zola es socialista autoritario, y *yo soy anarquista revolucionario*".

Subrayo la última frase como prueba del intento de colocarlo dentro de su causa por los promotores de la publicación.

El resto del número incluye un artículo sobre "Casa de muñeca" (sic), un importante artículo teórico "El teatro y su fin", que analizó más adelante[32], para concluir con una breve nota, "Nuevas", donde se valora negativamente una serie de obras que pretenden pasar por anarquistas, pero que más bien les "parecen la incoherente expresión de un grupo de degenerados"; son: *El mundo que nace*, de Itúrbide, *Teresa*, de "Clarín", *Los condenados*, de Pérez Galdós, *La festa del blat*, de Guimerà y *Los domadores*, de Sellés.

Para las revistas anarquistas era importante, pues, separar las obras que consideraban anarquistas de todas aquellas otras que, sin serlo, pretendían en algún sector social pasar por tales. La recepción de *La festa del blat* puede servir de muestra. Es conocido cómo Guimerà, influido por el ambiente, intentó renovar en aquellos años su dramaturgia, pero, como señala Fábregas:

> Ara bé, ni *En Pólvora* ni *La festa del blat* no signifiquen per part del dramaturg l'adopció del realism en tant que actitud des la qual observar uns conflictes; les formes realistes desenrotllades a partir del costumisme són encastades amb cura per Guimerà damunt el substrat romàntic patent en la mateixa identitat psico-lògica dels protagonistes i en la idealització de llurs sentiments. Als dos drames la qualificació ètica dels personatges hi és presentada sense clarobscurs: tant els qui pertanyen al món dels desheretats com els qui pertanyen al món dels ins-tal.lats, dels dirigents i que, per tant, semblen destinats a combattre's entre si, pode arribar a una entesa portats de llur natural generositat; aquesta entesa, capaç de

(30) *Ciencia Social:revista mensual de Sociología, Artes y Letras*, Barcelona, nº 1 (oct. 1895) al 9 (junio 1896). No hay más números en el Instituto de Historia de Barcelona donde la he consultado. Contiene colaboraciones de Unamuno, Gener, Mella, Verdes Montenegro. No es utilizada por Gregersen y Valentí. La parte publicada de *Los Tejedores* aparece en los números 6 al 9 (marzo-junio 1896). No dedica ningún artículo a Ibsen, pero su presencia está latente; así, en la "revista de revistas" del nº 9, comentando el artículo "Ibsen en España", de la *Revista Crítica de Historia y Literatura*, se quejan de que no destaquen sus valores revolucionarios.

(31) *Teatro Social. Boletín de la Compañía Libre de Declamación*. Barcelona, 1896, 4 pp. Se conserva en Amsterdam y en el Instituto Municipal de Historia, de Barcelona.

(32) Véase más adelante el capítulo sobre "Anarquismo y teatro". Redactado este trabajo recibo el libro de Lily Litvak, *Musa libertaria*, Barcelona, A. Bosch, 1981. Según ella, pp. 220 y ss., "El teatro y su fin" sería obra de Iglesias. La revista se repartía a la entrada del teatro.

proporcionar la felicitat a uns i altres, ne pressuposa el més petit canvi de les estructures socials, sinó l'assuaujament de les relacions personals per mitjà de l'amor al proïsme, virtut innata i suficient que no necessita operar sobre la realitat sinó tan sols admetre-la amb conformitat[33].

No obstante, un sector del público burgués reaccionó violentamente en su día, influido sin duda por los recientes acontecimientos anarquistas. Este timorato público vio en la obra una glorificación del anarquismo en el personaje de Jaime, joven anarquista huído. El esquema estructural de la obra es totalmente el del drama romántico; bajo ningún concepto se puede hablar de anarquismo, cuando, además, al final se llega a la aniquilación de este personaje.

Jaume Brossa, en la crítica que dedica a la obra en *Ciencia Social*, vio bien estas insuficiencias; aunque en Guimerà hay "intenciones de evolucionar", resultan fallidas, pues se lo impiden su "insuficiencia de alma" y su formación literaria tradicional. Después de analizar la obra concluye:

> El melodrama resulta un contubernio de romanticismo y realismo.
> [...] La moraleja de *La festa del blat* es la siguiente: todos somos hombres débiles, y amos y criados debemos vivir en perfecta armonía. En el fondo, la concepción de Guimerà es Sancho-pancesca y para idealizarla presenta el suicidio indirecto del protagonista. Este galimatías ha hecho decir a los críticos miopes, como Miguel i Badía, que aquello era la glorificación de un dinamitero cuando todo se reduce a un jeroglífico de pasiones sin significación trascendental.
> [...] Su alma es pariente de los tipos que crea. Quiere vivir lo moderno y el atavismo le hace sentir la nostalgia del pasado. Intenta purificarse con los ideales nuevos, pero no sale de la *sangre* meridional que impera en el teatro español, cuyo fondo no puede sacudir el teatro catalán[34].

Iguales reparos se hacían a otras obras semejantes, ya estrenadas por primera vez en Cataluña, ya traídas de Madrid. Este mismo año se representa *La eterna cuestión*, de Enrique Gaspar, y *Juan José* de Joaquín Dicenta, ésta en el teatro *Lírico*, frecuentado por la clase media y que fundamentalmente vio en ella "una defensa del amor libre", por lo que fue rechazada[35].

A Ibsen, por el contrario, todavía no se le ponían reparos, ofuscados los críticos en el tremendo espíritu de rebeldía que anima sus obras.
En 1896, Ignacio Iglesias representó *Espectros*, traducido al catalán por Pompeyo Fabra y J. Casas Carbó, haciendo él el papel de Osvald y Brossa el de Manders en el teatro *Olimpia*, con una conferencia previa de Pere Coromines. Era un intento de *Teatro Independiente* que no pasó inadvertido incluso en Madrid, donde se tomaba como modelo[36].

(33) Xavier Fábregas, *Angel Guimerà: les dimensions d'un mite*, ob. cit., p. 81; para la obra que nos ocupa, "L'actitud davant l'agitació social", pp. 78-83; su interpretación en "La visió de la societat", pp. 167-188.

(34) Jaume Brossa, "La festa del blat", *Ciencia Social*, 8 (mayo 1896), pp. 252-254; textos citados, p. 254.

(35) Lily Litvak, *art. cit.*, p. 290.

(36) Véase, más adelante, nuestro apartado "Una significativa encuesta sobre el *teatro libre*". Otras publicaciones madrileñas siguen con atención el desarrollo del teatro catalán: por ejemplo, la

Tuvo críticas animosas, como la de J. Roca i Roca:

> Representar una traducción catalana de la obra de *Gendangere* (Espectres) de Ibsen, hecha con escrupulosa fidelidad y sin la menor mutilación; tomar por su cuenta la interpretación de la misma, un núcleo de actores aficionados y conseguir interesar a un concurso de unos quinientos espectadores, entre los cuales preponderaba la juventud intelectual, únicamente es hoy hacedero en nuestra ciudad, que es, como antes hemos indicado, el vehículo de todas las innovaciones artísticas y literarias nacidas en el extranjero[37].

Estos aficionados al teatro trataban de conjuntar en sus representaciones el mensaje ideológico con la calidad artística.

Al mismo tiempo iba cuajando la labor de Adrià Gual iniciada en 1893, buscando ya espectáculos "totales"[38]. No es que Gual, como se ha dicho a veces, rechazara el naturalismo por el simbolismo, sino que, al igual que otros, sincretiza. El nombre de *Teatre Intim* se debe a que fueron obras leídas, trabajadas y montadas en círculos amistosos reducidos, no por el intimismo de las obras representadas, aunque sin menoscabo de éste[39].

Gual quería ir más allá de las meras denominaciones de "teatro naturalista" o "teatro simbolista" en sus planteamientos. Ante todo le interesaba que fuera *buen teatro*, hacer teatro para públicos amplios, "popular", pero sin entender el término como una forma de ocultar "la baixa calitat d'allò ofert a la massa desproveïda de preparació"[40].

Lo intentó con *Blancaflor*, poniendo mucho cuidado en las canciones populares que se cantaban en la obra y que arregló Albéniz. Lo vuelve a intentar en *La Culpable* (1899), cuya acción transcurre en el patio de una fábrica, con actores vestidos de obreros y tema próximo a los de algunos melodramas[41]. Al final de la representación hubo una gran ovación y luego unos inevitables choques entre los partidarios de la obra y sus enemigos, que sirvieron de pretexto a la prensa conservadora para algunos de sus ataques.

Esta inusitada actividad teatral catalana atrajo la atención de Madrid que, como ya he indicado, disfrutaba de un panorama teatral mucho más anodino.

revista anarquista *La Idea Libre*, 104 (25-IV-1896), dedica uno de sus artículos a comentar sus actividades: "Teatre Independent".

(37) Valentí, *ob. cit.*, pp. 219-220, nota 43.

(38) La trayectoria de Adrià Gual ha sido trazada por él mismo en su libro *Mitja vida de teatre. Memòries*, Barcelona, Aedos, 1960. Se puede seguir paso a paso su evolución: "tocat de corrents del nord" (p. 50) desde 1895 cuando escribe *Lluna de neu*, estudiando el color teatral y la música (p. 53); le impresiona la blandura de la Duse y las caracterizaciones de Novelli (p. 59); lee con avidez, además de Ibsen, a Maeterlinck, Baudelaire, Verlaine, Nietzsche... (p. 51).

(39) Lo explica en su libro al referirse a *Silenci, ob. cit.*, pp. 65 y ss.

(40) A. Gual, *ob. cit.*, p. 99.

(41) *Ibíd.*, pp. 106 y ss. Los decorados fueron pintados por el luego conocido escenógrafo Salvador Alarma; era su primer trabajo separado de su tío. El cartel anunciador fue realizado por Ramón Casas.
El mismo año escenificó *L'alegria que passa*, de Rusiñol, *Els artistes de la vida*, de Cortiella, una versión de *Ifigenia à Taurida*, escrita por Maragall. En 1900, *Espectros*, de Ibsen, que consideró su prueba de doctorado, antes de marcharse a París. Véase su citado libro, pp. 125 y ss.

También en otras ciudades españolas se prestó atención a la renovación teatral barcelonesa. Entre ellas, destaca Oviedo, donde el grupo krausista, que impulsaba la Extensión Universitaria, representaba obras catalanas, interesándose no sólo por las representaciones "elitistas", sino también por las de los grupos obreros[42].

Los grandes impulsores de este teatro obrero fueron, sobre todo, Ignasi Iglesias y Felip Cortiella[43]. De estos teatros de aficionados saldrán actores importantes como Margarita Xirgu, quien, siguiendo la trayectoria familiar y compaginando al principio su trabajo de actriz con el de costurera, llegaría a consagrarse como primerísima actriz, después de su gran interpretación de *Teresa Raquín* de Zola, en 1906[44].

Sobre todo Cortiella tenía una confianza enorme en el poder y en la misión del teatro; llega a convertirlo en una forma de apostolado ácrata. Su folleto *El teatro y el arte dramático de nuestro tiempo* (1904), recapitula sus ideas. Animado por un fuerte espíritu combativo, repasa el panorama del teatro español del siglo XIX:

> Nos hemos hartado hasta la saciedad de *D. Alvaros*, de *Tenorios*, de *senos de la muerte*, de *Marianas*, de *Manchas que limpian*, de *Santos Quintín* de pura literatura; de *Vengadoras* y *Domadores* que no vengan ni doman nada y ni hacen nada; de *Sotarres*, de *pubilles* y *hereus*, de *Cornelias*, de *Juanes Joseses*, de taberna y de *Auroras* que parecen obscureces; de *Aigües que corren* y no corren; de *Electras* que se tapan la nariz ante el clericalismo y se embriagan con las pestilencias de Dios; de *Mariuchas*, que, con leones que no muerden y bajo el amparo divino de un muro digno de Pérez Escrich, hacen negocio y diálogos aparte y escuchan ocultos tras los árboles... y se enamoran y se casan...

(42) Rafael Altamira, "El teatro catalán", *La Lectura* (septiembre de 1904), citado por Lily Litvak; debe ser completado con otros dos artículos suyos: "El teatro obrero en España", *La revista socialista*, 4 y 5 (15-II y 1-III-1903) y "El teatro popular", *La revista socialista*, 36 (1-IV-1904). Dentro de esta misma publicación tiene interés también el artículo de J. A. Meliá, "Arte dramático: *La madre eterna*", nº 52 (16-II-1905), elogia el teatro catalán como teatro obrero, que se ha abierto paso en Madrid poco a poco.
Interesante también es el folleto del mismo Rafael Altamira, *Lecturas para obreros*, Barcelona, 1904, que proporciona una lista de autores y obras.
Pompeyo Gener publica en Barcelona una edición de *Espectros*. Según *Gregersen*, p. 78, mala traducción.

(43) Sobre estos autores, Xavier Fábregas, *Aproximació a la historia del Teatre Català Modern*, Barcelona, E. Curial, 1972, en especial: "Ignasi Iglesias: el modernisme naturalista", pp. 171-183; "Felip Cortiella, Adrià Gual, dos dramaturgos pròxims i oposats", pp. 184-196. Iglesias (1871-1928) arranca de Zola, Scribe y Dumas; luego pasó a ser gran propagandista de Ibsen y Hauptmann. Defensor de las clases humildes, extrae sus personajes del barrio obrero de Sant Andreu del Palomar.
Cortiella era obrero tipógrafo y dramaturgo. Fue otro de los grandes propagadores de Ibsen. Desarrolló su actividad en el barrio de Poble Sech.
En el *Homenatge dels catalans a Enrich Ibsen*, Barcelona, 1906, pueden verse detalles de su labor difusora. Además de Ibsen, a partir de 1900, traducen a Mirbeau, en especial, su obra *Los malos pastores*, que ya habían representado años antes.

(44) Antonina Rodrigo, *Margarita Xirgu y su teatro*, Barcelona, Planeta, 1974. Interesa: "Los teatros de aficionados", pp. 28-33; en nota de pie de página (p. 31) transcribe una completa nómina de sociedades y centros obreros barceloneses.
Pedro Xirgu, padre de la actriz, era un entusiasta de los coros de Anselmo Clavé y formaba parte de un grupo teatral de aficionados.
Para su estreno de *Teresa Raquín*: "Una gran obra de Zola: Teresa Raquín", pp. 37-42.

[...] Hemos llegado a hacer un verdadero pisto manchego de arte dramático, y *han ido apareciendo como por generación espontánea ese mar de autorcillos de mirar hacia adentro, mucha melena... ¡y sálvese quien pueda!* pero, tanto en España como fuera de España, el dramaturgo y el arte dramático de nuestro tiempo son aún desconocidos.

Os advierto que *coloco la misión del dramaturgo tan elevada y tanto o más difícil que la de maestro de escuela y la de madre: como la de un grande apóstol de la humanidad*[45].

Me limito a subrayar las ideas básicas, harto claras; frente a todo ello, su propuesta de que es necesaria una crítica dura, implacable, incluso a Ibsen y Mirbeau:

> Su teatro no es aún bastante libre y sano. Es aristócrata, cuando no tímido y vago, abusando de intelectualismo; mezquino, concediendo lugar preferentemente a una clase de la sociedad, haciendo percibir sólo una parte de las vibraciones del alma humana; enigmático e incompleto en sus tipos principales, despreocupados y conscientes a medias, sorprendidos y desprevenidos en los conflictos en que se ven envueltos; y siempre, como teatro aún burgués, falto de ansias vehementes de emancipación social con ideales generosos bien definidos.

Como contrapartida hay que crear "una dramaturgia reeducadora de las multitudes, planteadora de las fórmulas de convivencia social para un próximo futuro de justicia y amor". La teoría dramática —y la práctica teatral— se convierten así en panfletarias, con la obligación de abandonar lo libresco y pisar la realidad.

IBSEN EN MADRID

En Madrid, entretanto, aparte del fallido intento de Echegaray, ya citado, y de la parodia de Arniches y Celso Lucio *Los Aparecidos* (1890), que demuestra la actualidad de Ibsen, se iban publicando artículos sobre sus obras. *La España Moderna* en "El Teatro de Ibsen" caracteriza su obra como

> un naturalismo sin restricciones, ausencia de convencionalismo en el estilo y en la factura literaria, y, en fin, el culto de la democracia y de la Ciencia, todo ello, combinado con la creencia absoluta en la necesidad de la emancipación de la mujer[46].

No mucho después, Benavente escribe un artículo, "Ibsen", que hay que tener en cuenta, dada su importancia posterior como dramaturgo; destaca en él su individualismo antisocial y su espíritu rebelde:

(45) Felip Cortiella, *El teatro y el arte dramático de nuestro tiempo: conferencia leída en una velada de 1904.* Barcelona, 1904, pp. 10 y ss.

(46) A. V., "El teatro de Ibsen", *EM*, XXX (junio 1891), pp. 305-319. Es traducción de otro publicado en Inglaterra.

62

Ibsen es individualista. Piensa que cada individuo debe educar por sí mismo su conciencia y de ella emanar la religión, moral y ley. ¡Cuántas sanas energías individuales no sucumben ahogadas en el medio social, débiles para resistirle o cobardes para oponerse a él![47].

Pero la obra de Ibsen no le entusiasma, considera su éxito pasajero, cayendo en el tópico de preferir la claridad meridional a lo nórdico; lo que sí le llama la atención es la estructura de sus obras, tan distinta a las de Scribe o Sardou:

> La exposición de sus obras es, como el resto de la acción, clara y sencilla, los personajes aparecen de bulto, algo borrosos en sus contornos, pero destacada la fisonomía en una luz a lo Rembrandt, que sombrea y aclara con fuerza[48].

Villegas aprovecha su crítica de *Realidad*, de Pérez Galdós, para emparentarla con Ibsen y el teatro de tesis:

> En el teatro reina casi sin rival la comedia de tesis. Echegaray, Dumas, Ibsen, puede decirse que escriben teoremas representables. La célebre fórmula de Víctor Cousin, el arte por el arte, ha perdido ya todo su valor práctico: la fórmula moderna es el arte por la ciencia[49].

Más importante fue la labor editorial de *La España Moderna* dando a conocer en poco tiempo, entre 1891 y 1892, *Casa de muñecas, Espectros y Hedda Gabler*[50]. Publicadas primero en la revista se difundieron también como libros tal como era habitual.

La aparición de estas tres ediciones en tan corto espacio de tiempo debió fomentar el interés por Ibsen entre los elitistas lectores de la revista. Carecemos de datos sobre la tirada de estas ediciones, pero lo cierto es que, en adelante, los críticos de teatro muestran una propensión a ver "ibsenismo" en las obras de autores españoles; los más informados, como Villegas[51], leen con atención las obras de Ibsen; otros engloban lo ibseniano dentro de un término que va haciendo fortuna: "modernismo"[52].

(47) Jacinto Benavente, "Ibsen", *EM*, XXXVIII (febrero 1892), pp. 201-206; cita, p. 202.

(48) *Ibíd.*, p. 205.

(49) Villegas, "Impresiones literarias: *Realidad*, de Galdós", *EM*, XL (1892), p. 195. También, L. Passarge, "Enrique Ibsen", *EM*, XLIV, pp. 121-130. *Gregersen* (p. 52) cita este artículo sin mencionar su autor ni su contenido. Se refiere a la poesía de Ibsen.

(50) *Casa de muñecas*, tomos XLIV y XLV; *Espectros*, tomo XLIV; *Hedda Gabler*, tomo XLVII.

(51) Villegas, por ejemplo, censura a Echegaray al comentar su obra *Mariana*, que ha querido imitar *Hedda Gabler*; duda que lo haya conseguido: *EM*, XLVIII (1892); t. LII, lo hace extensivo a Galdós aludiendo a *La loca de la casa*; t. LX a Gaspar aludiendo al espíritu de rebeldía que anima *Huelga de hijos...* También Luis Morote comentando *Mancha que limpia* de Echegaray: *Diario del teatro*, 48 (12-II-1895)... Se convierte en un tópico, en una automatizada expresión de los gacetilleros.

(52) La utiliza insistentemente Eduardo Bustillo en *IEA*, para referirse a los que intentan "romper moldes" como entonces se decía: el 22-X-1893, comenta cómo, en el teatro de la *Comedia*, ha pasado sin éxito *El hogar moderno* de Herranz, porque no ha convencido a los elegantes abonados "el *modernismo* de aquel hogar imposible"; o el 22-XI-1893, comentando *Huelga de hijos*, de Enrique Gaspar: "La palabra *modernismo* brota a todas horas de los puntos de algunas plumas que no aciertan a tocar sin ella las cuestiones de arte y letras en nuestros días. Una de esas plumas, para mí muy esti-

En la revista *La Anarquía*[53]aparece tempranamente el artículo "El teatro de Ibsen", anticipándose incluso a las revistas barcelonesas. El desconocido autor se alegra porque "por fin el teatro de nuestra época evoluciona en el sentido radical de la novela". Dentro de esta evolución,

> Enrique Ibsen es el paladín más entusiasta de esta escuela radicalísima, y su nombre, que ha tiempo corría por la prensa, tiene aspecto de novedad literaria debido al estreno en España de su drama *Un enemigo del pueblo*.

Se refiere al estreno, ya comentado, verificado en Barcelona el 14 de Abril, en el teatro Novedades. Las frases que siguen tienen aún mayor interés y son un dato más del sentido que tenía entonces el término "modernista":

> En su aspecto literario propiamente dicho, Ibsen es un *modernista*; en el teatro resulta innovador y en el terreno político-social un radical y un revolucionario.

Inevitablemente las simpatías del columnista se van hacia Stockman, "sabio que crea". Advierte la novedad dramática de este teatro, su *naturalidad* y que

> hablan los personajes al cerebro, no al corazón; no son sentimentalistas sino racionalistas. La franqueza y el valor del autor al atacar los males de la sociedad cautivan y predisponen el ánimo a dejarse trabajar como una cera. Si el simbolismo es un defecto de la escuela de Ibsen, en *Un enemigo del pueblo* está tan atenuado que difícilmente se vislumbra.

Las vacilaciones de la prensa burguesa refiriéndose al "ibsenismo" de Echegaray son aludidas de forma muy expresiva: "Echegaray semeja a su lado de brocha gorda"[54].

No sólo conocen la obra de Ibsen, sino también la de Hauptmann, dedicando un artículo a *Los Tejedores*. Como en *Un enemigo del pueblo*, destacan el ímpetu y la rebeldía de

mable, abona en cuenta de Don Enrique Gaspar, como uno de los grandes méritos de *Huelga de hijos*, el de ser obra *modernista*." (p. 319)

(53) *La Anarquía*, 1890-1893, director: Ernesto Alvarez. La he consultado en la *Biblioteca Rosendo Arús*, de Barcelona.
El artículo citado aparece en los números 141 y 142 (25-V y 1-VI-1893). Publicación no utilizada por Gregersen ni Pérez de la Dehesa en su edición de *La evolución de la filosofía en España*, ob. cit., en cuya introducción incluye un apartado con el título de "Ibsen y el anarquismo español", pp. 41-47, apartado por otra parte, excelente. Para él la primera referencia a Ibsen en la prensa ácrata madrileña sería en la *IL* (1896), p. 45; vemos, sin embargo, que hay que adelantarla al menos hasta 1893. Aprovecho esta nota para corregir otro *lapsus* de su trabajo, donde escribe: "*La Revista Blanca* publicó en 1898 una biografía del dramaturgo noruego muy elogiosa, y *el mismo año salió una parecida en Ciencia Social*". Subrayo el posible error. Que yo sepa, con este título, sólo apareció una revista anarquista en Barcelona entre 1895-1896, ya citada. Tampoco Alvarez Junco en su completo índice de publicaciones anarquistas la menciona: *La ideología política del anarquismo español (1868-1910)*, Madrid, S. XXI, 1976, pp. 630-633.

(54) Existen otros ataques al dramaturgo: "Los sabios y el 1º de mayo", de Juan Montseny, nº 88 (20-V-1891), donde se critica duramente el número de *El Liberal* en el que escriben sobre la cuestión obrera Echegaray, Azcárate y otros. En 1893 se repiten los ataques, nº 139 (11-V-1893); de nuevo es J. Montseny, "Los sabios y el socialismo", esta vez contra Echegaray. Es decir, la oposición literaria hay que situarla siempre también en el marco más amplio de la oposición política.

Backer. La desaparición de la revista en este número nos priva de conocer el comentario en detalle del drama, pues indica "concluirá", al terminar de resumir su argumento[55].

Durante 1894 y 1895 la prensa diaria da cuenta de las nuevas obras de Ibsen y, de forma más esporádica, aparecen artículos críticos de mayor envergadura, asociándolo con el "teatro de ideas" y el naturalismo[56], dando ya por sentado que los dramaturgos españoles siguen sus procedimientos. Escribe "Zeda":

> Los rusos Tolstoy, Dostoyouski y Tourgueneff (sic), son ya populares entre nosotros; el belga Maeterlinck y el alemán Hauptmann tienen en España lectores apasionados; la extravagante pero genial filosofía de Nietzsche atrae la curiosidad de los pensadores; la crítica del danés Brandes es estudiada por cuantos siguen el movimiento literario de nuestros días; los más insignes autores dramáticos imitan los procedimientos de Ibsen, y los nombres de Bjorson y Strimberg (sic) no disuenan ya en los oídos españoles[57].

No es admisible, dice, que se les critique sin conocerlos; no son "novelescos", pero eso no les quita valor; por el contrario, al insistir en el análisis de la vida interior de los personajes, han dado un nuevo vigor al teatro, que ahora sigue los mismos derroteros que la novela.

La representación de *Espectros* por Novelli el 11 de abril de 1894, a pesar de la fama del actor, había resultado soporífera para el público y las críticas fueron negativas[58]. Cuando la volvió a representar en 1896, como ocurrió en Barcelona, hubo más espectación por las noticias favorables que llegaban de Europa. Era de nuevo la moda quien opinaba[59].

El *simbolismo* de los autores nórdicos fue uno de los puntos más debatidos por los críticos y el público. Para Alonso y Orera no era invención ni mucho menos de Ibsen; lo considera más que simbolista un "ultrarrealista", empeñado en mostrar aspectos negativos de la realidad; aboga por una mayor sencillez y no acepta su ideología que considera nihilista[60].

(55) *La Anarquía*, 144 (17-VI-1893).

(56) Luis Garín, "El mundo al día, la última obra de Ibsen", *I* (27-XI-1894); "El pequeño Egolf", *Diario del teatro*, 2 (2-XII-1894), noticia y resumen del argumento de esta obra. René Doumic, "El teatro de ideas (fuera de España)", *Diario del teatro*, 9 (3-I-1895); artículo histórico en el que sostiene el autor que todos han seguido la línea de Scribe; Bécque lo desembarazó de convenciones, pero —según él—, el naturalismo y sus seguidores han llevado estas libertades a lo inadmisible.

(57) Zeda (Fernández Villegas), "La dramática escandinava, I y II", *Diario del teatro*, 14 y 31 (8-I y 26-I-1895). Alguno de los lectores se sintió aludido: n° 50 (14-II-1895) publica una carta-artículo firmada por J. Morales, "Uno de la montaña a Un doctor de la ley", pidiendo a Zeda que se explique más, que él lee a Ibsen pero no entiende nada.

(58) *La Epoca* (12-IV-1894); *La Correspondencia de España* (13-IV-1894), escribe López Ballesteros: "Anoche, con motivo de representarse una obra que, alcanzando los honores de la celebridad, ha recorrido las escenas de Europa, acudieron al teatro gran número de escritores, deseosos de escuchar a Ibsen *en todas sus crudezas*". Parte del éxito es atribuible a la actuación de Novelli: "Todos los médicos que había en el teatro —y eran muchos— estaban asombrados de los detalles y pormenores de ejecución que el gran actor desplegaba en el curso de su dolencia." (Esta segunda cita, de *La Epoca*).

(59) *IEA* (22-IV-1896); también *Gregersen*, p. 78 para ésta y posteriores representaciones.

(60) E. Alonso y Orera, "El simbolismo y otras cosas", *Diario del teatro*, 63 (27-II-1895). Su pretendido simbolismo era también para Galdós uno de sus mayores escollos. Se refirió a ello en el prólogo a *Los Condenados*.

Para otros críticos esto hacía que no fuera viable llevar las obras de Ibsen a la escena. El de *La Ilustración Española y Americana*, resumiendo el año, escribe:

> Maravilloso libro, para leído, el *Brand* de Ibsen.
> Pero en el escenario no cabe aquella grandeza filosófica del soberano ingenio de Noruega. Yo no espero nada nuevo —trascendental, pero viable en escena— de los ingenios gastados en otro terreno del arte, ni de sus esfuerzos preconcebidos: lo espero todo de un ingenio absolutamente virgen e ignorado[61].

Así las cosas, mientras *El Globo* publicaba como folletín *La dama del mar*, buscando un público lector amplio, el 5 de marzo de 1896 se estrenó en el teatro de la Comedia *Un enemigo del pueblo*, sin ninguna fortuna.

Parte del fracaso fue debido a la mala adaptación que hizo Villegas, quien, aparte de acortar el número de actos de cinco a tres, cambió nombres y situaciones, llegando a suprimir alguna de las escenas más importantes como la del mitin, indispensable para hacerse cargo de sentido social de la obra[62].

Años después, reconocía Villegas en un artículo publicado en *La Epoca*[63], que había acentuado lo melodramático en su arreglo, movido por la importancia que tenía en aquel momento el teatro de Echegaray, el romanticismo popular de Dicenta y el realismo de filiación francesa propio de Enrique Gaspar. Además, al público le hubiera resultado difícil admitir la forma dramática de Ibsen.

(61) E. Bustillo, "Los teatros", *IEA* (30-V-1895).

(62) E. Valentí, *ob. cit*, p. 221, recoge de paso el malicioso comentario de la publicación catalana *La Publicidad* (16-III-1896), que merece ser reproducida como muestra de las fricciones existentes entre Barcelona y Madrid: "En cuanto a lo que aseguran nuestros colegas de Madrid respecto a que los públicos de España no quieren el teatro *intelectual*, hemos de recordar o hacer saber a nuestros compañeros de la villa y corte, que precisamente en Cataluña, o sea, en una y no de las menos importantes partes de España, se gusta del teatro moderno, como sobradamente se ha demostrado, obteniendo un exitazo hace tres años el propio drama de Ibsen *Un enemigo del pueblo*, traducido fielmente al castellano; no obteniendo menor éxito *La casa de Muñecas* del propio autor, *Los Espectros*, representados asimismo en catalán por diversas compañías; y finalmente, las dos obras españolas fracasadas en Madrid, *Los Condenados*, de Galdós, y *Teresa*, de Clarín, quizás las únicas españolas escritas con vistas al teatro de ideas". Gómez de Baquero, "Crónica literaria", *EM*, LXXXVIII (abril 1896), escribía: "Probablemente el público, en general, no será nunca partidario de los moldes nuevos. Podrá serlo de la frase, por seguir la autoridad de los periódicos que lea. Pero el *misoneismo*, o mejor que el misoneismo, el apego, no a lo antiguo sino a lo presente, a lo acostumbrado, es disposición de espíritu natural a todas las mayorías." (p. 113). "Las mayorías son siempre conservadoras, hasta cuando parecen más revolucionarias. Sólo se extienden rápidamente las novedades impuestas por la moda, y cuando la moda puede imponerlas son novedades muy relativas y superficiales." (p. 114) En su opinión, si no ha interesado, es por la falta de espíritu del público. De otro lado, señala que es difícil adaptar su problemática a nuestra escena.
G. Sobejano, *Nietzsche en España*, ob. cit., p. 50, resalta del comentario de Baquero cómo éste de manera clarividente vincula el personaje protagonista a las grandes individualidades, aunque sin la grandeza del superhombre nietzscheano. También en la *Revista Crítica de Historia y Literatura Españolas, Portuguesas e Hispanoamericanas* (marzo 1896), en un artículo anónimo se reprocha ese Ibsen edulcorado de Villegas. Orera, "Ibsen traducido y mártir", *La Ilustración Ibérica*, 701 (6-VI-1896), vuelve a insistir y hace un buen repaso de las ideas ibsenianas. Salvador Canals, *El año teatral: 1895-1896*, Madrid, 1896, pp. 250-260, se sintió obligado a justificarlo.

(63) Fernández Villegas en *La Epoca* (16-II-1908).

Este tropiezo inicial dificultó el conocimiento de Ibsen en los teatros de Madrid; la rápida retirada de la obra de la cartelera obliga al columnista de *La Idea libre*, al hacer la reseña, a decir que ellos no pudieron ir, por lo que se limitan a hacer un elogio del autor y la obra, "hermosa producción anarquista"; censura que no se haya respetado el original y transcribe parte de la crítica de Urrecha en el *Heraldo*[64].

Tal confianza en los valores revolucionarios del teatro de Ibsen le lleva unos días más tarde a insertar otro artículo, con grabado incluido, insistiendo en su anarquismo:

> La antigua evolución de la intriga está sustituida en las obras ibsenianas por la marcha ascendente de una idea, y cada una de estas obras es, sobre todo, un drama de conciencia. En la mayor parte de los dramas, el personaje principal llega a conocer por una casualidad, por un acaso, una verdad nueva de la que ni siquiera tenía noción; poco a poco esta verdad se impone, atraviesa el alma del héroe como un relámpago haciéndole ver el mundo que se aparece bajo una nueva luz, como una revelación; surge entonces el choque trágico entre el ideal nuevo aparecido y el mundo hasta entonces aceptado y que le parece ya mentira e ilusión. Hay que empezar de nuevo la vida como Nora, de *Casa de Muñecas* o matarse, como Eduvigis, de *El pato silvestre*.
>
> Este lado idealista del teatro de Ibsen, esta investigación implacable de las verdades y de las bellezas absolutas del alma, lleva consigo, por contraste obligado, un lado realista de estudio de costumbres y de observación[65].

En el párrafo transcrito descubrimos el léxico más característico del anarquismo español: "ideal", "idea", "verdad nueva", "nueva luz"..., contrastados con ese mundo viejo de "mentira e ilusión". Se insinúa el tema del mito prometeico tan querido y tratado por los anarquistas: "hay que empezar de nuevo la vida".

Aunque abundan las referencias críticas no había representaciones ya que faltaba en Madrid una tradición cultural que las propiciase y por otro lado, no existía una tradición cultural obrera notable. El conocimiento de Ibsen fue sobre todo libresco. Pese al ingente número de teatros en funcionamiento, tantos que a más de un crítico preocupaba tal diversidad y lo fácilmente que quedaban vacíos, el sistema de producción era siempre el mismo, interesando más llenar el teatro y obtener buenas recaudaciones que cualquier otro fin. Los autores escribían para sus "parroquianos" y a la medida de los primeros actores. Los sucesivos artículos que iban apareciendo eran palabras sembradas en el aire con buenas intenciones, pero poco más[66].

(64) "Un enemigo del pueblo", *IL*, 98 (14-III-1896).

(65) *IL*, 107 (15-V-1896); en 108 (22-V-1896), otro artículo, "Teatro revolucionario", que ocupa la primera plana, referido a Bjornson. Lo comento en el apartado correspondiente. El tono es similar. No he podido consultar la revista a partir del nº 112, es presumible que sigan apareciendo otras referencias a Ibsen.
Dos años más tarde, la *RB* en el primer artículo que le dedicó, "Enrique Ibsen", insiste en lo mismo. Es el nº *10 (15-XI-1898)*.

(66) A veces son simples noticias de estrenos: *Diario Ilustrado* (11-XI-1897), o comentarios sobre trabajos dedicados a su obra: A. Sánchez Pérez, "Ibsen y Sherard", *IEA* (22-XI-1897). Enrique Maldonado, "Ibsen" (con grabado), *G*, 26 (29-X-1897); analiza personajes de sus dramas, en especial, Nora. Publicación no utilizada por Gregersen. M. de Unamuno, "La regeneración del teatro español". Lo comento en detalle más adelante. Propone una síntesis de Calderón e Ibsen, tradición y moderni-

La compañía de la Mariani puso en escena *Casa de Muñecas* el 17 de abril de 1899[67], suscitando variados comentarios. De los más penetrantes es el de Pompeyo Gener, que, además, es buena muestra de cómo se iba modificando la valoración del escritor y el ambiente teatral español, por lo que lo transcribo extensamente:

> La muerte ha pasado a ser un elemento secundario. La tragedia de las ilusiones muertas, el alma desolada que se condena al martirio de vivir, son los elementos terriblemente bellos de la moderna dramaturgia. Sólo en la obra más vulgar del poeta noruego, *Espectros*, aparece la muerte en toda su repugnancia. Todavía como en todo crepúsculo la luz se combina con la sombra, la muerte repugnante con la tragedia espiritual.
>
> En el diálogo influye notablemente la contextura síquica del personaje. En los dramas meridionales aparecen individuos con una potencia anímica limitada: el *Juan José*, por ejemplo, es un caso de salvajismo madrileño. Este hombre acciona mucho y piensa poco, por lo cual es posible que diga todo lo que piensa. [...] En cambio, tras la inmovilidad aparente de los dramas de Ibsen, se agitan mundos de ideas, se suceden con velocidad vertiginosa trágicas imágenes, se desencadenan tempestades psíquicas que es imposible revelar en el diálogo. Y por esto los personajes se limitan a señalar brevemente los jalones del mundo interior que se revuelve en ellos; sus palabras y sus ideas valen, no por lo que dicen, sino por lo que sugestionan..
>
> De ahí otra diferencia esencial en lo que al público se refiere. El drama meridional se desarrolla totalmente en las tablas: el público no tiene que hacer sino abrir los ojos y ver, atender de cuando en cuando y oir.
>
> [...] En las tragedias del norte se desarrolla el argumento en el alma del espectador. El diálogo de los personajes es vigorosamente sugestivo: las ideas e imágenes aisladas que llegan al público, éste las completa y transforma para rehacer en su propia alma la catástrofe psíquica que surge en los cerebros de los individuos de la obra[68].

Quedan, pues, diferenciados, desde el peculiar planteamiento crítico de Gener, el teatro meridional y el nórdico; pero, además, caracterizado el público español y la imposibilidad de la implantación del "teatro de ideas", como se llamaba.

Otros articulistas insistieron en lo mismo. Martínez Espada, en *La Vida Literaria*, se expresa con términos similares a los de Gener. Le molestan las críticas de *El Liberal* y *El Día*. Comparte los elogios de *La Correspondencia*, *El Heraldo* y *El Correo* que consideran bien la obra y censuran al público:

> La deducción es lógica: el público de nuestro país, mejor, el público madrileño, continúa yendo al teatro para que le distraigan mientras hace la digestión; re-

dad. Juan Fastenratch, "El dramaturgo noruego Enrique Ibsen", *RC*, CX (1898), pp. 42-49; equilibrado artículo de conjunto.

(67) Sobre los comentarios suscitados por su actuación, véase *Gregersen*, pp. 80-81; de estrenos posteriores, en 1908, 1917, *ibíd*,, pp. 81-84.
La relación de estrenos efectuados por compañías extranjeras se completa con el estreno de *Hedda Gabler* por la Vitaliani en el teatro de la *Comedia* en la primavera de 1901 (*Gregersen*, p. 84), que no sería estrenada por actores españoles hasta bastantes años más tarde en que lo hizo la Xirgu.

(68) Pompeyo Gener, "Las tragedias del norte (a Teresa Mariani)", *VN*, 48 (7-V-1899).

chaza todo refinamiento artístico, todo lo que no se base en la estúpida rutina y prefiere a pensar un poco, a observar, que el autor le conmueva poniéndole los nervios en tensión aunque desvirtúe la verdad, atropelle la lógica y convierta en figuras de Guignol a los personajes de su obra[69].

La *Revista Nueva*, de Ruiz Contreras, edita este año *El pato silvestre*, como folletín y en tirada aparte. Anuncia también que están siendo traducidas obras de Sudermann, Strindberg, Ibsen, Tolstoi y que "Alternando estas obras con varias de autores castellanos, catalanes, italianos y franceses, logrará obtener un *Teatro para lectura*, libre, sin trabas de cómicos, abonados y estrenos, pensado y escrito con amplitud", hacia el cual tienden, como nuestro Galdós, todos los intelectuales modernos"[70].

El número uno de la *Revista de Arte dramático y de literatura*, del mismo Ruiz Contreras, contiene el primer acto de *Despertaremos de nuestra muerte*, sin que aparezca la continuación en los números siguientes[71].

Para estas fechas, Ibsen era ya un lugar común en la crítica. Se repiten los tópicos establecidos en los años anteriores, alternando con la aparición de estudios más serios, como los póstumos de Ganivet, uno de los pocos españoles que leyó las obras en su idioma original: *Hombres del norte* (1905) y *Cartas finlandesas* (1907)[72]. El trabajo de Unamuno, "Ibsen y Kierkegaard", redactado en 1907 para la velada celebrada en el Ateneo en honor de Ibsen[73], o el libro de Clemencia Jacquinet, *Ibsen y su obra*, con prólogo de José Prat, que es un buen documento para conocer la postura crítica adoptada entonces por los grupos anarquistas, son los jalones más importantes[74].

(69) M. Martínez Espada, "Teatros", *VL*, 16 (27-IV-1899), p. 266; nº 18 (11-V-1899), ironiza sobre la crítica que José Laserna ha hecho en *El Imparcial*, llamando a los que gustan las obras de Ibsen, "simiescos imitadores de los snobs de fuera", añadiendo "y esto es modernismo"; Martínez Espada en lugar de contestarle, remite al trabajo de Gener sobre Nora.
A Benavente le interesó poco. Ironizó la obra en una de sus crónicas: "Apuntes de un espectador", *RN*, 15 (5-VII-1898), pp. 676-679.
Juan Ramón Jiménez tradujo por entonces algunos poemas suyos: "Poesías de Ibsen", *VN*, 83 (7-I-1900). Sobre Juan Ramón Jiménez en aquellos años: R. A. Cardwell, *Juan Ramón Jiménez. The Modernist Apprenticeship: 1895-1900*, Berlín, 1977.
Augusto Desmoineaux, "El nuevo drama de Ibsen", *VN*, 92 (11-III-1899).

(70) *RN*, 16 (15-VII-1899); las palabras entrecomilladas corresponden a un breve artículo de Galdós, aparecido en el número 14, defendiendo el *teatro libre* leído. Lo comento más adelante.
La traducción de *El pato silvestre* en los números 8 al 12 (abril-junio 1899).

(71) *Revista de Arte Dramático y de Literatura*, 1 (1-VII-1902) al 6 (5-XI-1902). En el primer número se incluye el "Prospecto de la *Revista de Arte Dramático*", publicación que debió aparecer en marzo de 1902, dirigida al Ministerio de Instrucción Pública en demanda de apoyo para el teatro artístico. Después publicó dos números más, que no he visto y en los que apareció, según los índices: "Teatro independiente: Ibsen: *Juan Gabriel Borkman*". Gregersen cita esta última revista, pero no su sucesora.

(72) Véanse en sus *Obras Completas*, Madrid, Aguilar, 1951, 2ª edición.

(73) Gregersen, *ob. cit.*, pp. 114-115.
El interés por la relación de la obra de Ibsen con la de Kierkegaard es muy anterior; coincide con la crisis unamuniana. Ruiz Contreras, *Memorias de un desmemoriado*, Madrid, Aguilar, 1961, pp. 185-186, reproduce una carta en la que Unamuno escribe: "En el idioma noruego (danés) ya estoy adelantadísimo. Traduzco el libro de Brandés sobre Enrique Ibsen, tal vez el mejor estudio acerca de éste, hecho por quien conoce su país y sus tradiciones. Resulta que la fuente principal de Ibsen es un pensador y teólogo danés, Kierkegaard, de quien trae notables pasajes Brandés. Dice éste que Ibsen

Todos ellos nos ayudan a establecer un balance final de la recepción de Ibsen en nuestro país en el momento del límite cronológico de nuestro trabajo, mostrando una tendencia a destacar el fuerte individualismo que impregna las obras ibsenianas y quedando muy lejana ya su consideración como autor teatral social.

OTROS DRAMATURGOS NORDICOS EN ESPAÑA

El interés que suscitaron las obras de Ibsen se extendió pronto a las de otros dramaturgos nórdicos, que no alcanzaron su popularidad, pero que contribuyeron a enriquecer más aún el panorama cultural de fin de siglo. Además de Hauptmann, al que ya me he ido refiriendo, destacan Bjornson, Strindberg y el alemán Sudermann.

La vida de Bjornson transcurrió estrechamente ligada a la de Ibsen, lo que ha hecho que, con frecuencia, haya salido malparado por inevitables comparaciones con él[75]. En su teatro y en su vida, sin embargo, adoptó una actitud de compromiso más clara que Ibsen, que hizo que, en su día, fuera acogido con aprecio por sectores ideológicamente avanzados. Sin alcanzar la altura de Ibsen es un dramaturgo de considerable influencia en aquellos años.

En España, se le menciona con frecuencia en artículos dedicados a Ibsen, siendo más escasos los dedicados a su persona y obras. De éstas interesó especialmente *Más allá de las fuerzas humanas*.
Su temática, similar a la de *Un enemigo del pueblo* de Ibsen, hizo que se fijaran en ella los grupos anarquistas. *La Idea Libre* resume su argumento para demostrar cómo las cuestiones sociales van llegando al teatro, pero no ya "a la manera de Zola en *Germinal*, relacionando conflictos con circunstancias particulares de tiempo, de caracteres, sino refiriéndolos a las ideas fundamentales"[76].

Unos meses más tarde, la misma revista dedica su primera plana a su teatro, resumiendo su vida y considerándolo "uno de los temperamentos más enérgicos, más batalladores y más revolucionarios, influído por Kierkegaard, defensor del teatro de Ibsen desde su periódico *La hoja de la noche*"[77].

aspiraba a llamarse "el poeta de Kierkegaard". Resulta que muchos de los dramas ibsenianos son doctrinas kierkegaardesas puestas en acción. Voy a leer a Kierkegaard, y escribiré algo de él en relación con Ibsen.
[...] La *Biografía de Ibsen* me ha levantado el ánimo, con su paciencia y tenacidad desde que en 1857 publicó su primera obra. Su crédito europeo, que no empezó hasta 1880 refluyó en su país, que —de rechazo— vio lo que representaba."

(74) Clemencia Jacquinet, *Ibsen y su obra*, Valencia, Sempere, s. f. (pero 1907 por la fecha del prólogo).

(75) A. Nicoll, *Historia mundial del teatro*, ob. cit., pp. 493-496; para su llegada a España, R. Pérez de la Dehesa, su introducción a *La evolución de la filosofía en España*, ob. cit., pp. 45-47.

(76) "El teatro moderno", *IL*, 96 (29-II-1896) y 98 (14-III-1896); anterior a estas fechas, Valentí, *ob. cit.*, p. 219, nota 40, menciona el estreno de *Una quiebra* el 29 de abril de 1894 en el teatro Granvía, de Barcelona, sin éxito.

(77) "Teatro revolucionario", *IL*, 108 (22-V-1896); Pérez de la Dehesa cita un artículo similar aparecido en *La lucha de clases* (4-XII-1897), de Bilbao.

También *El Globo* dedicó un largo artículo de tres columnas al mismo drama, concluyendo su análisis con un elogio del dramaturgo por sus finales más esperanzados que los de Ibsen y por sus propuestas encaminadas a lograr una fraternidad humana cada vez mayor[78].

La valoración de sus obras experimentó una evolución similar a la de las de Ibsen y en los últimos años del siglo se le fue considerando progresivamente menos revolucionario e incluso conservador.

Sus obras muy rara vez fueron representadas. Martínez Espada comentó favorablemente *Un fallimento (La quiebra)*, elegida por el señor Zampieri en su beneficio[79] y Llanas Aguilaniedo en *Alma contemporánea* le dedicó unas páginas muy poco precisas[80].

Las ediciones castellanas y catalanas de sus obras fueron posteriores a 1900. *Las sendas de Dios* (1902), *Amor y geografía* (1903), *El rey* (1903) y *Més eullá de las forsas* (1904) son algunas de las primeras.

Los dramas de Strindberg, tan importantes después en el teatro vanguardista del surrealismo y del expresionismo, no fueron mencionados en estos años sino de pasada[81].

Tal es el caso de Yxart que se limita a entroncarlo con el naturalismo y a apuntar que *La señorita Julia* escandalizó a los mismos concurrentes del *Teatro Libre* de París[82]. De 1895 son un par de alusiones señalándole como modelo de individuo excéntrico: el *Diario del teatro* publica "Los modernistas: sensaciones extravagantes", recogiendo la noticia del internamiento de Strindberg en una clínica a causa de las quemaduras producidas por unos experimentos[83]. El segundo testimonio es de Clarín, en un artículo sobre la misión de la crítica teatral, donde menciona a Strindberg como autor de "extravagancias ingeniosas"[84].

(78) "Un drama nuevo de B. Biornson", *El Globo* (23-I-1896). También en otras revistas se recalcan los finales de sus obras y se le considera predicador de una religión liberadora: "Bjornstjerne Bjornson", *La Ilustración Ibérica*, 721 (24-X-1896). *La España Moderna*, XCIV (octubre 1896), publica un poema suyo. En "Curiosidades", *G*, 6 (11-VI-1897), noticia del estreno de *Superior a nuestras fuerzas* por el *Teatro Libre* de Berlín.

(79) M. Martínez Espada, "Crónica teatral", *VL*, 20 (25-V-1899), p. 328. Cita como reseñas positivas de la obra, las de *El Globo, El Nacional, El Español*. El mismo en su libro *Teatro contemporáneo*, ob. cit., p. 61, vuelve a referirse a esta obra que, según él, fue aplaudida. Indica que Valle-Inclán está traduciendo uno de sus dramas, pero debió ser uno de tantos proyectos que no llevó luego a cabo. Mucho más tajantes fueron en *Revista Nueva*, 16 (15-VII-1899), "Un ideal místico en el teatro". Lo consideran totalmente conservador.

(80) J. M.ª Llanas Aguilaniedo, *Alma contemporánea*. Huesca, 1899, pp. 67-68.
Ya en 1901, *RB*, 68 da noticias de *Donde no alcanza el esfuerzo humano*. En *Juventud*, "Laboremus", sobre el drama del mismo título.
Del propio Bjornson: "El momento psicológico", *Natura*, 32 (15-I-1905); "Francia y Rusia", *Natura*, 34 (15-II-1905).

(81) A. Nicoll, *ob. cit.*, pp. 496-508; Brustein, *ob. cit.*, pp. 101-154; sobre Strindberg en España, el artículo muy general de Guillermo Díaz-Plaja, "Strindberg en España", *Estudios Escénicos*, 9 (1963), pp. 103-112.

(82) Yxart, *El arte escénico*, I, p. 245.

(83) *Diario del teatro*, 37 (31-I-1895)

(84) Clarín, "Entre bastidores", *IEA* (22-IX-1895).

J. María Jordá le dedicó un extenso artículo en *Germinal*, poniéndolo en relación con Ibsen por la complejidad de sus ideas y su dimensión social:

> El teatro de Strindberg, como el teatro del autor de *Espectros,* es el teatro de ideas, su arte es el arte social, y casi todos sus dramas son dramas simbólicos. Observador agudo, dotado de una profunda intuición de las almas, Strindberg ve, siente y juzga las ansiedades, los descorazonamientos, las aspiraciones y los dolores que contristan y afanan a la sociedad moderna[85].

Las ediciones de sus dramas son también posteriores a 1900. Díaz Plaja menciona: *L'Inspector Axel Borj* (Barcelona, 1902) y que entre 1903 y 1905, la librería de Antonio López dio a conocer las versiones castellanas de *La señorita Julia* y *Padre.*

Junto con los autores mencionados se difundieron el teatro y las novelas del alemán Sudermann, escritor que fue muy leído por los escritores jóvenes.

Parece que fue Unamuno su primer introductor en España con su traducción de *El honor*, en 1893, para *El Nervión* de Bilbao. Al año siguiente, Yxart lo consideraba uno de los líderes de la juventud berlinesa y destacó también su obra *El honor*[86].

El honor y *Magda* fueron sus dramas más comentados y admirados. *El honor* era considerado como un drama social decisivo en la trayectoria del *Teatro Libre* de Berlín y que, en él, Sudermann "encontró algo nuevo: la poesía de las clases bajas"[87].

La Idea Libre comentó en dos artículos *Magda* favorablemente por su defensa de la emancipación femenina. Para los anarquistas de esta publicación Sudermann significaba "el espíritu de independencia, el mismo furor contra los pactos hereditarios y no consentidos, contra las comedias del sentimiento, contra las declaraciones políticas, contra la razón de las mayorías, la tiranía de las costumbres, lo que se entiende por virtudes entre las clases burguesas, los cimientos de la sociedad"[88]. En apoyo de estas mismas afirmaciones mencionan también *El honor*, que muestra a madres e hijos prostituídos y *El fin de Sodoma*, que denuncia la corrupción del mundo de la banca.

El honor y *Magda* fueron estrenados en Madrid en 1897. El primero arreglado por Fernández Villegas con el título de *El bajo y el principal.* Pero Villegas falseó la obra pues acentuó ciertos aspectos melodramáticos, para hacerla más asequible al público[89].

Magda, que ya había sido representada antes por Sarah Bernhardt en francés, sus-

---

(85) J. María Jordá, "El teatro moderno: Augusto Strindberg", *G*, 28 (12-XI-1897). A. Sánchez Pérez, "Strindberg", *IEA* (22-XII-1897), remite al libro de Gómez Carrillo, *Almas y cerebros*, donde puede verse un estudio de su teatro, en especial, sobre *La señorita Julia*. Armando Guerra comentó su obra en "Manifestaciones artísticas y literarias", *RB*, 62 (1901), pp. 436-440.
Cabe hacer una simple mención a Gunnar Heiberg, cuyo "drama social" *El premio gordo*, recoge la vida de un socialista, Haller, que al tocarle la lotería, abandona la lucha y se aburguesa, siendo luego asesinado al terminar la revolución e intentar reincorporarse al partido obrero. Mereció un extenso artículo en *IL*, 84 (7-XII-1896), "El teatro moderno", donde leemos: "*El premio gordo* es, pues, en cierto modo una fusión de *Los Tejedores* de Hauptmann y de *Solness* de Ibsen".

(86) Yxart, *El arte escénico*, I, p. 247.

(87) "El teatro alemán", *Diario del teatro*, 56 (16-II-1895).

(88) "El teatro moderno (Sudermann y su drama *Magda*)", *IL*, 79 (1-XI-1895) y 82 (23-XI-1895).

citó comentarios muy dispares. Algunos críticos como Prudencio Madrid, rechazaron la obra "porque razona demasiado" y esto aburre al público[90]. Otros por el contrario, culparon al público del fracaso[91].

Salvador Canals y Felipe Trigo en dos interesantes artículos analizaron la tesis del drama, coincidiendo ambos en señalar que su intención última era socavar los convencionalismos sociales[92].

Maeztu en su artículo "Juan José en Londres", recordaba haber leído en su juventud a Sudermann junto con Galdós, Schopenhauer, Kropotkin y Marx[93]. No sólo lo leyó sino que en 1898 tradujo para *La España Moderna* su novela *El deseo* con un extenso prólogo[94].

Pérez de la Dehesa en su libro *Política y sociedad en el primer Unamuno* indica que "Sudermann era entonces considerado un escritor social avanzado, como proclamó, entre otros, Verdes Montenegro en una conferencia sobre 'El nuevo espíritu de la literatura contemporánea', que pronunció en el Ateneo en 1898 y que fue comentada en su día por Azorín"[95].

Pérez de la Dehesa tiene razón al afirmar esto, pero se le escapa a mi entender, que estos escritores se sentían atraídos en las obras de Sudermann más que por el mensaje social, por la fuerte personalidad de sus personajes. El prólogo de Maeztu que he citado es un buen ejemplo.

Las obras de Sudermann, con todo, no alcanzaron nunca una difusión mayoritaria y sus dramas fueron representados sólo por compañías extranjeras. Sobrepasado 1900 es uno de los autores más recomendados en la *Biblioteca de El Productor* y *El Productor Literario*, publicaciones anarquistas individualistas. La editorial Ediciones Populares publica en 1902, *El camino de los gatos, La mujer gris, Las bodas de Yolanda* y *El deseo*; en 1903, *El molino silencioso, La confesión del amigo* y *El cántico de la muerte*.

---

(89) Se publicó también como libro en 1897, sin referencia a Sudermann. Indica sólo "basada en una comedia alemana". El crítico de *IEA* (28-II-1898), le puso no pocos reparos. Al año siguiente fue representada por una compañía italiana; comenta irónicamente la obra *VN*, 48 (7-V-1898), reproduciendo una escena: " ¡Oh, el honor!".

(90) Prudencio Madrid, "De telón adentro, teatro de la Princesa", *RC*, CVIII (noviembre 1897), pp. 299-302.

(91) "Teatro Princesa: Magda", *El Proscenio*, 2 (3-X-1897).

(92) Salvador Canals, "Ideas teatrales: a propósito de Magda", *El Proscenio*, 3 (10-X-1897). Felipe Trigo, "Magda: el hogar", *G*, 25 (20-X-1897). Sería necesario estudiar las similitudes de algunos personajes femeninos de Trigo con otros de Sudermann.
En *VN*, 19 (16-X-1898), se publica "Confesión de amigo", diálogo teatral entre un militar y un doctor, del propio Sudermann.

(93) Ramiro de Maeztu, "Juan José en Londres", *La Correspondencia de España* (14-VIII-1908).

(94) Se publicó primero en la revista a partir del tomo CXIII (hasta el CXVII) y luego como libro aparte.
Véase también, "Coincidencias y comentarios", *Las Noticias* (27-VI-1900).

(95) R. Pérez de la Dehesa, *Política y sociedad en el primer Unamuno*, Barcelona, Ariel, 1973, p. 187.

IV

LOS NOVELISTAS EN EL TEATRO

Durante todo el siglo XIX hubo un constante trasvase de novelas al teatro, fenómeno que es necesario englobar en un contexto más amplio: la ruptura de los géneros literarios, entendidos como compartimentos, propiciada y llevada a cabo por el romanticismo.

La "descomposición" afectaba no sólo a las obras de consumo popular, sino también a obras de mayor categoría estética. La vuelta al "buen sentido", operada hacia mediados de siglo, no fue capaz de frenar la disolución de las preceptivas neoclásicas, ni impidió que lo melodramático impregnara todo tipo de obras teatrales.

Son fenómenos todos ellos que no se pueden soslayar a la hora de enjuiciar aquellos años. Ni siquiera dramaturgos como Ayala o Tamayo se libraron completamente de lo melodramático. Ayala, incluso, escribió una novela –*Gustavo*– que más bien parece un melodrama. Las descripciones semejan acotaciones escénicas y la acción es más teatral que novelesca[1].

Esta tendencia, no interrumpida nunca, fue impulsada por el realismo y, de forma definitiva, por el naturalismo. La permeabilidad de la novela le permitía asimilar y a la vez contaminar a todos los otros géneros literarios.

Fueron pocos los novelistas del realismo español que no se sintieron alguna vez tentados a probar fortuna en el teatro. De Valera conocemos sus *Tentativas dramáticas* (1879) y su temprano desencanto[2]. Galdós, Clarín, Pardo Bazán y otros merecen un estudio detenido.

Como en tantas ocasiones, la consideración de lo que ocurría en Francia tuvo una importancia definitiva, y allí, existía una decidida dedicación de los novelistas al arte escénico y también una novelización del teatro. Balzac, Sue, Sand, Flaubert, los Goncourt, Zola... reiteraron sus esfuerzos buscando triunfar en el teatro. Algo parecido ocurría en el resto de los países europeos, intensificándose aún más a finales de siglo.

(1) Editada en *RHi*, XIX (1908), pp. 300-427.

(2) Clarín trató de disuadirlo de abandonar estos intentos, distinguiendo entre teatro representable y no fácilmente representable, pero dramático en el que ve el auténtico teatro del porvenir. En *Solos de Clarín*, ob. cit., pp. 301-306.

En España, en los años ochenta, hubo una notable corriente de opinión según la cual el teatro, si quería escapar a su decadencia y estar a la altura de los tiempos, tenía que seguir una trayectoria similar a la de la novela. Esta corriente culminará con el estreno de *Realidad*, de Pérez Galdós, en 1892. El largo camino recorrido hasta aquel momento merece ser repasado y valorado adecuadamente.

En plena polémica naturalista, J. M. Matheu, en la *Revista Ibérica*, recomienda ya que se lleven a la escena personajes similares a los de las novelas de Galdós[3]. No es una voz aislada. También Clarín en "El teatro y la novela", refiriéndose al mismo tema, comenta:

> En España ostensiblemente no se ha comprendido nada que anuncie este prurito. Pero yo sé, y lo saben muchos, que Galdós vería con gran placer sus creaciones dramáticas y cómicas expresadas en forma representable[4].

Era el comienzo de su campaña para convencer a Galdós a que se acercase a las tablas. Desarrolla en este artículo ideas similares a las que exponía comentando las *Tentativas dramáticas* de Valera: distingue entre *teatro de espectáculo* y *teatro de arte*; lo mismo que hay unas novelas de consumo y unas noveleas "artísticas", existen también, dice, estos dos tipos de teatro. Las causas del éxito de la obra de espectáculo son muchas: el aparato, la música, el atractivo de un tema de actualidad maliciosa..., pero el espectáculo pasa, son obras que "ha aplaudido el sentimiento, que no tiene memoria"; por el contrario, las obras de arte son fruto de la inteligencia y de ellas sí que queda recuerdo, porque, "la memoria está en el cerebro, es compañera de la inteligencia". Es por este camino por donde deben ir los dramaturgos, lo mismo que van los novelistas que escribiendo para el teatro, pueden contribuir a que éste recupere su dimensión artística.

De aquellas fechas son algunas cartas de Clarín a Galdós donde, cansado de la situación decadente del teatro, le indica que, a su modo de ver, el camino de renovación está en un rechazo del neorromanticismo:

> El teatro muerto es; pero conste que se suicida y se suicida como una costurera: encerrándose con un brasero... le mata el humo del carbón de la madera... es decir, de cosa quemada dos veces: romanticismo recalentado. Y, además, una tendencia ridícula a un realismo absurdo[5].

Otros escritores lamentaban también la situación del teatro, pero están lejos de recomendar a Galdós que se dedique a él; en 1883, le escribe Ortega Munilla:

> Ya ve usted cómo anda el teatro; qué de desaciertos, qué de paparruchas, qué dramas. Eso se hunde, cada día se le cae una tabla. El convencionalismo acaba

(3) Citado por Pattison, *ob. cit.*, p. 97, nota 34; el artículo de Matheu, titulado "La crítica y el teatro".

(4) Apareció en *La Ilustración Ibérica*, 68 y 69 (19 y 26-IV-1884). Recogido en *Mezclilla*, pp. 341 y ss.

(5) *Cartas a Galdós*, presentadas por Soledad Ortega, Madrid, Revista de Occidente, 1964, p. 228. No va fechada, pero por las alusiones a *Lo prohibido*, de Galdós, y a *José*, de Palacio Valdés, podemos deducir la fecha aproximada.

con los mejores talentos y sólo vive (sic) de *medio* a las *medianías*. Esto ha pasado y pasará siempre en el teatro. Note usted una cosa: Daudet va a poner en escena *Les rois en exil* y Zola *Pot Builli* (sic). Los dos se tienen que valer de un M. Busnach, un Paria Domínguez del Sena que les enseña el nado (sic) en ese revuelto río del aplauso. ¿Cómo ellos, que tanto talento tienen, se ven obligados a aceptar la guía de tantos *homme* (sic) *de teatro*? Porque nada tienen que ver el talento y los bastidores porque estos son un *métier* y no un arte. He leído el Assommoir, drama y aquella trágica naturalidad, aquello que Zola llama el *train train* de la vida, que hace todas aquellas porquerías y todos aquellos horrores profundamente humanos, desaparecer: hay un traidor de por medio. Si no lo hubiere no se concebiría el drama.

¡Viva, viva la novela donde no hace falta más traidor que el público, que es el que nos vende cuando nos compra![6].

Ortega Munilla no hacía sino constatar el poco éxito de los arreglos de Zola y otros naturalistas franceses y, de paso, mostraba así su creencia en la inferioridad del teatro. Esta creencia de la inferioridad del teatro era compartida por la Pardo Bazán, quien, en un artículo publicado en la *Revista de España*, "Literatura y otras hierbas", se manifiesta contraria al trasvase novela-teatro, apoyándose en que mientras la novela es análisis, el drama es síntesis. Los novelistas deben huir de la tentación de escribir para el teatro, pues no tiene otra ventaja que el popularizar el nombre del autor y proporcionarle unos ingresos económicos[7].

Ni después del triunfo de *Realidad*, a la que dedicó un extenso artículo en su *Nuevo Teatro Crítico*, atisbó por dónde iba la renovación teatral y lo que los novelistas podían aportar. Para ella, la única renovación posible era el retorno a los dramaturgos españoles del Siglo de Oro[8].

Sólo bastantes años más tarde intentó ella misma triunfar en el teatro estrenando varias obras: *El vestido de boda*, monólogo escrito para Balbina Valverde, en 1898; *La suerte*, diálogo teatral de 1904; y sus intentos más serios: *Verdad*, drama en cuatro actos, y *Cuesta abajo*, comedia en cinco actos, ambas de 1906[9].

(6) *Cartas del Archivo de Galdós*, presentadas por Sebastián de la Nuez y J. Schraibmann, Madid, Taurus, 1967, p. 205; creo que la transcripción debe contener algunos errores por el sentido de las frases; tal vez donde pone "vive" será "sirve", donde "Paria Domínguéz", "Pina Domínguez", y donde "desaparecer", "desaparece" (?).

(7) *Revista de España*, CXVII (1887); el título completo del artículo es "Literatura y otras hierbas (carta a D. Juan Montalvo)"; acusa recibo de un libro de ensayos de éste: *Ensayos, II*.

(8) J. Martínez Ruiz, *Anarquistas literarios*, O. C., I, p. 176, ironiza sus pretensiones de ser la regeneradora del teatro nacional, copiando fragmentos de una entrevista que le ha hecho *El Nacional* (6-IX-1894), declarando: "Es indispensable renovar las campañas sublimes de Calderón y de Lope; hay que reconstruir el verdadero drama español bajo una amplia base cristiana, y hay que restaurar la tradición caballeresca, perdida en los garitos elegantes y en los balnearios cursis. No tenemos teatro. Echegaray tiene agotada la vena melodramática; sus efectismos y convenciones ya no resultan. Sellés ha esbozado vagamente las costumbres pervertidas de nuestra época; pero nada ha indicado para corregirlas. Galdós ha hecho una tentativa menos fructuosa que heróica, y la turba de escritorzuelos sigue con mansedumbre corderil el camino de artificios, falseamientos y gratas mentiras de Sardou. Se impone necesariamente tomar por modelo a quien no ha tenido rival en la escena del mundo, el gran Shakespeare, y dejarse de todos los problemas tontos y asorbetados de Ibsen." Al ser entrevistada sobre el *teatro libre* y sus posibilidades en 1896, reincidirá en lo mismo. En adelante cito por *O.C.*, Madrid, Aguilar, 1947 y ss.

(9) Mariano Miguel de Val, *Los novelistas en el teatro. Tentativas dramáticas de Doña Emilia*

Entre 1889 y 1892 fueron frecuentes los artículos que se refieren a esta relación novela-teatro. Hubo quienes vieron en esta colaboración un daño para la tradición dramática, "la invasión del naturalismo degenerado en el mundo sano e idealista de las tablas"[10]; se habló de viejos y nuevos moldes, de mantener la pureza de los géneros y de la inferioridad del teatro respecto de la novela[11].

El análisis de la teoría dramática galdosiama y de la repercusión de sus primeros estrenos son la mejor muestra de la contribución de los novelistas a la renovación teatral.

GALDOS ANTE EL HECHO TEATRAL

Es bien conocida la temprana afición de Galdós al teatro, ratificada por él mismo en sus *Memorias*. Refiriéndose a sus primeros años en Madrid escribe:

> Respirando la densa atmósfera revolucionaria de aquellos turbados tiempos, creía yo que mis ensayos dramáticos traerían otra revolución más honda en la esfera literaria; presunción muy natural en los cerebros juveniles de aquella y esta generación. Todo muchacho despabilado, nacido en territorio español, es dramaturgo antes que otra cosa más práctica y verdadera. Yo enjaretaba dramas y comedias con vertiginosa rapidez, y lo mismo los hacía en verso que en prosa; terminaba una obra, la guardaba cuidadosamente, recatándola de la curiosidad de mis amigos; la última que escribía era para mí la mejor, y las anteriores quedaban sepultadas en el cajón de mi mesa. Claro es que yo frecuentaba los teatros, principalmente en los estrenos. En una localidad alta del Teatro Español asistí al estreno de *Venganza Catalana*, del maestro García Gutiérrez, y quedé tan maravillado que al volver a casa no se me ocurría más que quemar mis manuscritos..., pero no los quemé; lo que hice fue imaginar otras cosas conforme al patrón del grandioso drama que había visto representar a Matilde Díez y Manuel Catalina...[12].

Gonzalo Sobejano ha sugerido que de esta temprana vocación queda un "irónico testimonio" en el personaje de su novela *El doctor Centeno*, Alejandro Miquis, autor

---

Pardo Bazán, Madrid, Imprenta de Bernardo Rodríguez, 1906.
Para estas fechas la Pardo Bazán mostraba un mayor interés por el tema y trata de nuevo de apuntarse el tanto de haber sido de quienes lo apoyaron en su día: "el público francés no rechaza a los novelistas en la escena. [...] la novela va invadiendo el teatro. Este último aserto, que hace muchos años defendí con ocasión del estreno de *Realidad*, daría pie para largas reflexiones, inoportunas en la ocasión presente, pero que no renuncio a expresar algún día." (p. 40).

(10) R. G. Sánchez, "Clarín y el romanticismo teatral: examen de una afición", *HR*, 31 (1963), p. 222.

(11) J. Deleito, "Reflexiones sobre la novela y el teatro", *La Ilustración Ibérica*, 489 (14-V-1892); Ruiz Contreras, *Dramaturgia castellana*, Madrid, 1891, cap. VIII, "La novela y el drama"; Conrado Solsona, "El drama contemporáneo", *Revista de España*, CXXXVII (1891), pp. 458-465.

(12) B. Pérez Galdós, *Memorias de un desmemoriado*, O. C., VI, p. 1656.

de dramas históricos en verso que nunca se estrenaron[13].

El hecho es que Galdós —siempre según sus *Memorias*— hacia 1868 habría eliminado sus dramas y comedias para dedicarse sólo a la novela *La Fontana de Oro*, por entonces comenzada[14]. En los años anteriores, su afición teatral le había llevado no sólo a escribir dramas, sino a intentar estrenarlos y había ejercido también como gacetillero teatral. Eusebio Blasco, en la semblanza que trazó años más tarde de Galdós, recordaba estos intentos. Balart se lo había enviado con una carta en la que le pedía que ayudara al joven escritor recomendando una comedia que tenía depositada sin éxito hacía tiempo en el Teatro Príncipe. Su gestión, sin embargo, resultó inútil[15].

De todas aquellas obras sólo tres nos han llegado: *Quien mal hace, bien no espere*, fechada en marzo de 1861 y por fortuna ya editada por Ricardo Doménech, que culmina una larga búsqueda del manuscrito, al final depositado en la Biblioteca Sedó, y hoy en el Instituto del Teatro de Barcelona[16]. Incluso el eruditísimo H. Chonon Berkowitz renunció antes a la suposición de la posibilidad de que el manuscrito apareciera entero, no habiendo localizado él más que algunos fragmentos por vía indirecta[17]. Como bien señala Doménech, sería absurdo esperar grandes cosas de este obrita que el joven Galdós tuvo la sensatez de subtitular "ensayo dramático"; su valor es el de un "texto límite" indicativo de los comienzos de su teatro[18]. Las otras dos obras conocidas son *La expulsión de los moriscos* y *Un joven de provecho*, publicada ésta por Berkowitz en 1935[19].

En la revista *Nuestro tiempo*, en fin, hallo mencionado un cuarto drama, *El hombre fuerte*, de 1870, del que no he encontrado más datos[20].

Hay pues unas referencias textuales que demuestran una dedicación teatral del joven Galdós, que habría abandonado luego. Esta afirmación ha de ser, sin embargo, restringida: en los años siguientes es en sus propias novelas de costumbres contemporáneas donde ejercita su capacidad dramática; se ha señalado especialmente en *Doña Perfecta* (1876), que arregló veinte años más tarde para la escena. Doña Perfecta ocupa el centro de la novela, se describen sus gestos y su voz siempre; da la impresión de que está representando como una de las actrices de la época, de tal manera que no leemos sólo la novela, sino que es como si asistiéramos a su representación, a la representación del choque entre fuerzas opuestas, entre liberales y conservadores[21].

(13) Gonzalo Sobejano, "Razón y suceso de la dramática galdosiana", *Anales Galdosianos*, V (1970), p. 40.

(14) *Memorias...*, p. 1657.

(15) E. Blasco, *Mis contemporáneos*, O. C., XIII, pp. 57 y ss.

(16) Todas estas vicisitudes son detalladas por el propio Ricardo Doménech en el prólogo a la edición del texto: "Benito Pérez Galdós: *Quien mal hace, bien no espere*", *Estudios Escénicos*, 18 (septiembre 1974), pp. 253-292.

(17) Ch. Berkowitz, *Benito Pérez Galdós: Spanish Liberal Crusader*, University of Wisconsin Press, 1948. Para los comienzos teatrales de Galdós, pp. 34-35 y el cap. XII, "Dramatic Debut", pp. 236-261.

(18) R. Doménech, *art. cit.*, pp. 258-264, realiza un acertado comentario.

(19) *PMLA*, septiembre 1935.

(20) *Nuestro Tiempo*, 13 (1902).

(21) Roberto Sánchez, *El teatro en la novela. Galdós y Clarín*, Madrid, Insula, 1974, el apartado "Doña Perfecta y la proyección histriónica del personaje", pp. 59-76. En este libro se hace un estudio bastante sistemático de lo teatral en las novelas de Galdós.

Varias otras novelas de esta primera época también tienen un enfoque dramático: *Gloria* (1887) se inicia con un capítulo titulado "Arriba el telón"; las tres partes de *La familia de León Roch* (1878) son similares en muchos aspectos a los tres actos de una obra de teatro, como señala Roberto Sánchez, quien subraya además que estará presente en las obras posteriores de Galdós el concepto de "confrontación dramática", que define como "el encuentro de posiciones antagónicas en lucha más o menos abierta[22]. Y añade: "En las obras tendenciosas de la primera época, estos encuentros cobran irremediablemente un tono melodramático; recuerdan en mucho la técnica de Echegaray, cuyos dramas se construyen partiendo del principio del conflicto, con un plan que prepara este enfrentamiento, culminación efectista y razón de ser de la obra[23].

Echegaray iba a ser quien ayudara a Galdós en sus primeros arreglos teatrales; la presencia de lo melodramático nunca desaparecerá del todo, especialmente cuando Galdós practique, continuando la rica tradición del melodrama político, un teatro atado a las circunstancias en que se estrena.

En las novelas más maduras fue aumentando, además, otro elemento dramático fundamental con arreglo a los cánones de la época: el diálogo.

Antes de llegar a las "novelas habladas", el diálogo adquiere gran importancia y forma dramática en novelas como *La Desheredada*, cuyos capítulos 24 y 30 de la segunda parte, por ejemplo, aparecen totalmente dialogados y con intencionalidad teatral desde sus títulos: "Escena vigésima quinta" y "Escena"; en ellos, además, la descripción ha sido sustituída por la acotación totalmente teatral[24].

El procedimiento es vuelto a utilizar en *El doctor Centeno, Tormento, La de Bringas, Miau*, con lo que llegamos a sus "novelas dialogadas": *Realidad* (1889), *La loca de la casa* (1892), *El Abuelo* (1897), simultáneas a sus versiones teatrales: *Realidad* (1892), *La loca de la casa* (1893), *Doña Perfecta* (1896) y *El Abuelo* (1904) y de otras escritas directamente para el teatro, como *La de San Quintín* o *Voluntad*.

Escribe al respecto Manuel Alvar:

> El descubrimiento de una manera teatral viene a confirmar la evolución interna de su quehacer literario, la unión sin fisuras de ese inmenso mundo que, atisbado con ojos de cíclope, quiso encerrar en la caverna de su creación. [...] Hay unidad de concepción y unidad de fines, no la fácil sumisión a unas maneras o el beneficiarse, sin riesgo, de los frutos obtenidos en otros campos[25].

(22) *Ibíd.*, p. 77.

(23) *Ibíd.*, pp. 77-78.

(24) *Ibíd.*, pp. 108-121; también, Jorge Campos, "Nota sobre dos capítulos de *La Desheredada*", *Estudios Escénicos*, 18 (septiembre 1974), pp. 165-172. Atinadas observaciones en R. Gullón, *Galdós, novelista moderno*, Madrid, 1973, pp. 297 y ss.

(25) Manuel Alvar, "Novela y teatro en Galdós", *Proh.*, 1-2 (septiembre 1970), p. 159.

(26) Isaac Rubio, *El teatro de Galdós*, tesis doctoral, defendida en Salamanca en 1972, p. 7. Pérez Galdós, *Memorias...*, ob. cit., p. 1735.
Echegaray es el autor español contemporáneo suyo del que hay mayor número de obras en su biblioteca: 13 según el catálogo que hizo Ch. Berkowitz, *La biblioteca de Benito Pérez Galdós*, El Museo Canario, 1951, pp. 157 y ss.; su colección de teatro español de aquel momento es realmente muy pobre; contrasta con la presencia mucho más abundante de Calderón y Lope de Vega; de autores extranjeros se lleva la palma Shakespeare, de quien hay 19 ediciones, alguna de ellas Obras Completas, en inglés,

Con todo, como ha indicado Isaac Rubio, no hay que confundir forma dialogada con drama y Galdós abusa de esto, creyendo que el diálogo es la base de lo teatral, idea muy de su época y que no es sino un convencionalismo más que rara vez superará. Todo lo anteriormente dicho atenúa mucho la afirmación, en sus *Memorias*, de que en aquellos años no se ocupaba del teatro y sienta, por otro lado, la base de su teatro en la confrontación de personajes[26].

Gracias a los estudios galdosianos de los últimos años, que han rescatado del olvido su labor periodística y parte de su correspondencia, podemos reconstruir con más detalle su trayectoria, que confirma mi aseveración anterior de que Galdós no se despreocupó del teatro.

En los apartados que siguen utilizo toda esta documentación, pues no ha sido usada prácticamente con referencia a su labor teatral, lo cual no deja de ser sorprendente, ya que Galdós desarrolló en ellos una rica y compleja teoría dramática, similar a su teoría de la novela, y que, con frecuencia, no fue capaz de materializarla en sus dramas como había logrado con las novelas.

GALDOS Y LA DECADENCIA DEL TEATRO ESPAÑOL

Al joven Galdós no le satisfacía la situación del teatro español y lo expresa con reiteración en sus artículos de aquellos años. Ve la literatura nacional como un erial baldío al hacer el balance del año 1865:

> No sabemos de ninguna obra notable, ni en nuestros teatros se ha representado comedia alguna digna de llamar la atención. Aquí no se escriben libros de filosofía, ni de ciencias, ni de crítica; esto es cosa muy ardua.
> [...] Malas novelas, malos dramas, malas comedias, escritores envanecidos, críticos bonachones, entregas suplicatorias, periódicos satíricos vergonzantes: he aquí la quinta plaga del año[27].

En ocasiones ironiza y pone en ridículo las costumbres y gustos teatrales españoles,

---

francés y español; bien representados están Goethe, Schiller, Beaumarchais, Dumas, Molière, Racine, Scribe... De autores más en boga en aquellos años: Ibsen, Bjornson, Hauptmann, sus primeras ediciones francesas; es un dato más a favor de su espíritu innovador y su atención a la renovación teatral europea.

(27) Pérez Galdós, "Las siete plagas del año 65", en *La Nación* (31-XII-1865); citaré por la edición que ha hecho William S. Shoemaker, *Los artículos de Galdós en La Nación (1865-1866, 1868)*, Madrid, Insula, 1972; el citado, pp. 254 y 256.
Similar valoración hace en la *Revista del Movimiento Intelectual de Europa*, en "Comentario del año 1865", donde escribe: "continúan los autores dramáticos arreglándonos comedias deplorables, engendrando otras insustanciales, sin color ni vida"; "la crítica dramática está en un estado deplorable: redúcese a una disertación de gacetilla, sin más criterio que el que da cuatro o cinco noches de asistencia al teatro, y algunas lecturas superficiales de los prólogos eruditos que encabezan la escelente (sic) colección de Rivadeneyra". Cito por la edición que ha hecho Leo J. Hoar, *Benito Pérez Galdós y la Revista del Movimiento Intelectual de Europa (Madrid 1865-1868)*, Madrid, Insula, 1968. Textos citados, pp. 107 y 108.

como son la afición de la aristocracia al teatro francés y el éxito arrollador de los bufos:

> El arte hispano-madrileño está cogido y acorralado. Madrid confina al Este con los *bufos*, al Oeste con el Teatro Real, al Norte con el Teatro de Maravilla y al Sur con el Teatro Francés.
> ¿Hacia dónde nos volvemos? No hay remedio: es preciso emigrar. Vamos a Francia: Tal vez allí encontremos un teatro español[28].

No es que Galdós se obceque en verlo todo negro y cuando alguna obra lo merece, no escatima elogios; es misión de la crítica, en su opinión, situar cada cosa en su sitio:

> Es preciso desmenuzar, señalar el mal, buscar su origen, anatematizar lo vulgar, lo prosaico, lo falso. Sí; comencemos un trabajo grato y útil: analicemos[29].

Teatralmente, en estos años siente inclinación por la tradición española y por los dramaturgos contemporáneos que la continúan[30]; de éstos, destaca a Ventura de la Vega, de quien elogia su labor de traductor de Víctor Hugo y Scribe,

> pero con tal perfección, con tan profundo conocimiento de la escena a que adaptaba costumbres extranjeras, que la obra traducida parecía original y todo el mundo se congratulaba de un traslado que no desvirtuaba la escena ni parecía exótico en la nuestra[31].

También sus obras teatrales, en las que se conjugan la tradición calderoniana y la moratiniana, le atraen:

> El hombre de mundo satisface todas las exigencias de las reglas *moratianas* (sic), sin concretarse al estrecho círculo en que se agitaba la imaginación de Inarco Celenio. Reúne a la solidez del plan, a la sensatez de la lección moral, un estilo castizo y brillante, un diálogo animado y una versificación fácil y correcta. En una palabra, *El Hombre de Mundo* es una obra maestra[32].

Al referirse a Ayala, insiste en lo mismo, valora de sus obras especialmente *El tanto por ciento*, que, para él, "es indudablemente la obra más trascendental de nuestro teatro moderno"[33].

A Bretón, le pone más reparos; así, escribe comentando *El abogado de los pobres*:

(28) Pérez Galdós, *La Nación* (2-II-1868); *edic. cit.*, pp. 404-405.

(29) *Revista del Mov...*, *edic. cit.*, p. 84.

(30) Elogios de Calderón, Moreto y Lope pueden verse en sus artículos de *La Nación*, ed. cit., pp. 160 y ss. Aniversario de Lope (26-XI-1865); aniversario de Calderón, lamentando el vergonzoso olvido con que ha pasado (17-I-1868); en la *Revista del Movimiento Intelectual de Europa*, ed. cit., p. 135, escribe: "(Calderón) penetró en el corazón humano y analizó la pasión con acierto admirable; dilató el carácter de los personajes, hasta comprender en uno de ellos la humanidad entera."

(31) *La Nación*, ed. cit., p. 240.

(32) *La Nación* (4-III-1866), ed. cit., p. 290; *Revista del Mov...*, ed. cit., pp. 92 y ss.

(33) *La Nación* (9-II-1868), ed. cit., p. 415.

El autor de *Marcela* es siempre el mismo: en su última comedia se observan todas sus cualidades y todos sus defectos. Versificación fácil, maravillosa; diálogo interesantísimo y lleno de gracia, tipos bien delineados y al mismo tiempo ligereza, falta de trama ingeniosa, plan escesivamente (sic) sencillo, y poquísima intención[34].

Pasada la fiebre revolucionaria de la Gloriosa y malograda la Primera República, la atonía vuelve a la vida nacional y se reanudan las lamentaciones por la situación del teatro. Galdós, consolidado su nombre de escritor, avalado por las primeras series de *Episodios Nacionales*, en plena elaboración de sus novelas de costumbres contemporáneas y maestro para los jóvenes naturalistas desde la publicación de *La Desheredada* (1881), reanuda sus reflexiones teóricas sobre el teatro español y su situación, elaborando unas propuestas para su regeneración. Ya ha quedado apuntada la importancia que tuvo la insistente invitación de la crítica y su propia vocación teatral en ello. Puntos que antes apenas quedaban abocetados, alcanzan entonces amplio desarrollo, a la par que continúa su crítica de los estrenos teatrales. La fuente fundamental para conocer sus opiniones son los artículos periodísticos enviados como cartas a *La Prensa* de Buenos Aires[35]. ⁻

Dedica varios de estos artículos a la decadencia teatral: "La escuela romántica y su pontífice"[36], "El derrumbe"[37], "El teatro español"[38] y, ya posterior al estreno de *Realidad*, "Viejos y nuevos moldes"[39].

Escribe el primero de ellos en pleno auge de Echegaray, cuando apenas nadie se enfrentaba a él. Sin embargo, Galdós denuncia sus debilidades; cierto que tiene fuerza, dirá, pero debe abandonar lo exagerado; además, en el público empieza a haber un cambio de gusto, apetece, en ese momento, "la naturalidad de las representaciones sencillas y verdaderas de la vida humana".

Anticipaba así, en varios años, uno de los pilares de la dramaturgia de Benavente. Habrá, en consecuencia, que romper viejas formas,

> Atender más a la verdadera expresión de los sentimientos humanos que a los efectos obtenidos por conflictos excepcionales y por combinaciones de parentescos y lugares.

(34) *Revista del Mov...*, *ed. cit.*, p. 131.

(35) William H. Shoemaker, *Las cartas desconocidas de Galdós en La Prensa, de Buenos Aires*, Madrid, Ediciones de Cultura Hispánica, 1973. Como es sabido, parte de estos artículos fueron recopilados por Alberto Ghiraldo en *Obras Inéditas* a la muerte de Galdós; lo referente al teatro en el T. V., *Nuestro teatro*, Madrid, Renacimiento, 1923. Utilizo ambas ediciones, citando en cada caso cual. *Nuestro teatro* recoge textos de otras procedencias.

(36) En *Shoemaker*, "Echegaray", enviado el 1-III-1885, fecha de publicación 4-II-1885; en 1905 hablará muy elogiosamente de él en su homenaje, pero curiosamente lo hará de las obras que menos caracterizan su teatro y que supusieron un intento de salir de su dramaturgia neorromántica: *Un crítico incipiente* y *Sic vos non vobis*. Véase el resumen en *I* (20-III-1905).

(37) En *Nuestro teatro*, fechado 9-II-1886; no corresponde a ninguno de *La Prensa*.

(38) En *Shoemaker*, envío (3-XII-1887), publicación (3-I-1888); *Nuestro teatro*, pp. 9-17.

(39) En *Shoemaker*, envío (21-VII-1893), publicación (28-VIII-1893); en *Nuestro teatro*, pp. 151-165.

Habrá que insistir en

el engranaje de los caracteres, (que) es la clave del drama entero que llamamos sociedad[40].

En otros artículos vuelve sobre lo mismo. En "Espíritu de imitación", dirá que el teatro debe

presentar los elementos, las luchas, los tipos de nuestra sociedad, y que todo lo extraño ha de aparecer aquí sin atractivo, sin carácter y sin interés que le presta el país que representa. [...] Estudien (los dramaturgos) nuestra sociedad y no a Scribe[41].

En "El derrumbe", lamenta el olvido de la propia tradición teatral:

Lloremos hoy sobre los despojos del teatro más brillante de las literaturas modernas; lloremos sobre esas cenizas ilustres, en las cuales están escritos tantos preclaros nombres, desde los de Lopez (sic) y Calderón hasta los de Ayala y Hartzenbusch. Porque nuestro glorioso Teatro no existe ya[42].

El estado ruinoso del Teatro Español es un signo más de esta desoladora situación, es "¡Emblema elocuente del estado de la Literatura dramática, a la cual hay que levantar desde los cimientos!"[43].

Como colofón a su conciencia de la situación, nada mejor que unas palabras suyas, dados sus primeros pasos en las tablas:

Que el teatro está en decadencia es cosa que huele a puchero de enfermo; tanto se ha hablado y escrito de esto. El público se cansa de las viejas formas dramáticas.
[...] El público burgués y casero dominante en la generación última, no ha tenido poca parte en la decadencia del teatro.
A él ese debe el predominio de esa moral escénica, que informa las obras contemporáneas, una moral exclusivamente destinada a aderezar la literatura dramática, moral, enteramente artificiosa y circunstancial, como de una sociedad que vive de ficciones y convencionalismos. La restricción que esta moral impone al desarrollo de la idea dramática, es causa de que los caracteres se hayan reducido a una tanda de tres o cuatro figuras que se repiten siempre. Su acción también restringida, y analizando bien todo el teatro contemporáneo se verá que en todo él no hay más que media docena de asuntos, repetidos hasta la saciedad y aderezados con distinta salsa. El lenguaje, por influencia de esta moral postiza, también se ha restringido, y el vocabulario de teatro es de los más pobres[44].

(40) *Nuestro Teatro*, pp. 140 y 142.

(41) *Ibíd.*, p. 182.

(42) *Ibíd.*, p. 191.

(43) *Shoemaker*, p. 296.

Al hablar de la necesidad de un teatro de costumbres contemporáneas, Galdós, como al referirse a la novela, tenía presente el drama contemporáneo nacido en Francia respondiendo a la nueva sociedad, con diálogo en prosa corriente, pasiones y asuntos nuevos, un teatro que plantease conflictos que eran los del espectador.

Galdós reflexionó sobre este teatro a la vez que elaboraba sus ideas sobre la novela, por lo que su concepción va íntimamente unida a la de ésta. En ambos casos las ideas fueron continuamente reelaboradas y enriquecidas, cuestionándose siempre la propia obra y la misión del escritor en la sociedad. Gonzalo Sobejano advierte cómo esta evolución de los géneros corre paralela a la nueva situación social:

> En los siglos XVIII y XIX el profundo cambio de ideas y estructuras que se verifica, dilata los cauces analíticos de la novela, en los que tan propiamente se logra la aprehensión del mundo por la conciencia, preparando la quiebra de la homogeneidad del drama y éste, a fines del XIX, entra en una crisis de la que Galdós tiene clarividente intuición. Como Ibsen, Chejov o Hauptmann busca Galdós la regeneración del drama por la novela, género más conforme al estado y a la problemática de la sociedad burguesa[45].

El teatro, en opinión de Galdós, debe fundamentarse en la *observación* atenta y continuada de la realidad social del momento. Salva pocas obras históricas a la antigua usanza, que para él ha quedado cerrada con *La Venganza Catalana* de García Gutiérrez. Atisba la posibilidad de un nuevo tipo de drama histórico, en la línea de *Juan Lorenzo* del propio García Gutiérrez, que defiende contra la censura y en el que ve una obra válida para la educación popular:

> García Gutiérrez habrá hecho un drama popular y no un chascarrillo de campamento; habrá herido la susceptibilidad vicalvarista; pero de seguro no habrá escrito una página grosera que haga ruborizar a las jóvenes y reir a los cómicos[46].

Da un nuevo paso al comentar *Herir en la sombra*, de los señores Hurtado y Núñez de Arce, donde la crítica le sirve para exponer sus ideas sobre el drama histórico:

> Para la concepción acertada del drama histórico debe ir unido al genio y a la inventiva el juicioso examen y la *observación profunda de épocas y costumbres*. Calderón y el padre del arte dramático Shakespeare, desconocían casi por completo este elemento de poesía.
> Schiller debe a él la mitad de su mérito[47].

(44) *Nuestro teatro*, pp. 151, 154-155.

(45) G. Sobejano, "Razón y suceso...", *art. cit.*, p. 39.

(46) Pérez Galdós, *La Nación* (5-XI-1865); *ed. cit.*, p. 197. También el artículo que le dedica en *La Nación* (5-IV-1868), donde leemos: "Será *Juan Lorenzo* el primer drama histórico de esta nueva serie? Leído encanta, representado es frío. ¿Le falta poesía? No. No le falta poesía, ni caracteres, ni situaciones, ni estilo. Le falta fe. ¿Será el escepticismo el elemento poético del drama histórico del porvenir?" (p. 486).

(47) Pérez Galdós, *La Nación* (25-III-1866); *ed. cit.*, pp. 309-310. El subrayado es mío.

Está anticipando ideas que sistematiza en 1870 en "Observaciones sobre la novela contemporánea en España"[48]; ideológicamente, sin embargo, aparece mucho menos decidido aún y rechaza el que temas como el adulterio o la disolución de la familia se traten al desnudo. En su artículo sobre el arreglo de la obra francesa *El suplicio de una mujer*, le parece excesivo mostrar "la sociedad mediante un procedimiento fotográfico"; se debería haber puesto un personaje virtuoso como contrapunto; más aún, sus reparos los extiende a los traductores, a quienes acusa de complicidad:

> El haberla arreglado a la sociedad española es lo peor; si la hubieran dejado en la sociedad para la que fue escrita, los autores del arrreglo (literariamente hablando es digno de elogio) hubieran disculpado así su infructuosa colaboración, mejor dicho, su colaboración[49].

En 1870-1871 publica en la *Revista de España* su trabajo sobre "Don Ramón de la Cruz y su época"[50]. Es un ejemplo práctico, en el campo de la crítica, de la importancia y necesidad de documentarse adecuadamente acerca de la época, para poder juzgar las obras teatrales que produjo. El resultado es un ensayo válido todavía hoy para el estudio de Ramón de la Cruz. A Galdós, que ya había comenzado a publicar sus *Episodios Nacionales*, le interesaba el estudio de la historia española próxima para entender el presente. Comprendía que el siglo XVIII es el punto de arranque de la formación de la clase media, protagonista indiscutible de la historia en la mayor parte del siglo XIX, junto con el pueblo que empezaba a despertar de su letargo de siglos. Del teatro de Ramón de la Cruz destacará, por ello, los nuevos tipos de aquella sociedad: petimetres, abates, cortejadores, majas y manolos. Ramón de la Cruz llegó a *retratar* la sociedad de su época con su frivolidad y su incapacidad para una reforma a fondo de la sociedad española.

Cuando en distintas ocasiones se refiera a Leandro Fernández de Moratín, tendrá para él igualmente palabras de elogio, viendo en la reposición de sus obras y en el estudio de éstas uno de los caminos de regeneración del teatro; un buen ejemplo es el comentario que dedica a la reposición de *El Café*, por Emilio Mario, en el Teatro de la Princesa, en 1886[51].

En pleno naturalismo, cuando, como vimos ya, reseñaba *Las Vengadoras* de Sellés, vuelve a insistir en la necesidad de un teatro ligado a la realidad, con su problemática y sus aspiraciones; pero en España

> el arte y la sociedad no van muy bien emparejados todavía. Esta es como es, y aquél como debiera ser ésta. La alegoría del espejo es una gran mentira, y el arte, con sus alardes de honradez de catecismo, se engaña a sí mismo y nos engaña a todos[52].

(48) Apareció en la *Revista de España*, XV (1870), pp. 162-172.

(49) Pérez Galdós, *La Nación* (3-XII-1885), *ed. cit.*, p. 229.

(50) Pérez Galdós, "Don Ramón de la Cruz y su época", *Revista de España*, XVII, n.º 66 (1870), pp. 200-227 y XVIII, n.º 69 (1871), pp. 27-52; recogido en *O. C., VI*, pp. 1453-1479; cito por esta edición.

(51) Pérez Galdós, *Nuestro teatro*, pp. 21-38, el artículo "Moratín y su época"; este artículo fue publicado en *La Prensa* (10-XII-1886).

(52) Pérez Galdós, *La Prensa* (25-IV-1884); *ed. cit.*, p. 77.

En esta crítica Galdós se percata de las limitaciones del espacio escénico, de sus convencionalismos y su utilización de resortes que simplifican la complejidad de la vida, para hacerse con el auditorio. Acaso estos fueran los obstáculos que le retenían aún para escribir teatro; Galdós estaba acostumbrado a escribir a la manera cervantina, con total libertad. En los años siguientes, con todo, esta misma libertad le irá llevando a hacer más dramáticas sus novelas y, a la larga, a decidirse a arreglarlas para la escena, para que la ficción se presente sola al espectador de boca de los personajes-actores como "novela hablada".

DE LA "NOVELA HABLADA" A LA ESCENA

La tendencia "dramática" de novelas como *Doña Perfecta* o *Gloria* culmina en las sucesivas transformaciones que experimenta el tratamiento de un mismo tema —la influencia de la opinión y sus consecuencias— en tres obras sucesivas: *La Incógnita* (novela epistolar, de 1889), *Realidad* (novela en cinco jornadas, de 1889), y *Realidad* (drama en cinco actos, de 1892). Gonzalo Sobejano ha hecho un fino y minucioso análisis del proceso, que nos ahorra entrar en detalles[53].

En *La Incógnita*, el cruce de cartas entre Manuel Infante y Equis, aunque la novela nos da sólo las de Infante, permite a Galdós montar un complejo juego narrativo. Además, hace que el tiempo comprendido por las cartas sea idéntico al de la redacción de la novela: de noviembre de 1888 a febrero de 1889. Por parte del narrador hay una consciente renuncia a la omnisciencia:

> Sustituyendo la omnisciencia del autor que todo lo penetra por la perplejidad del testigo que sólo da cuenta de lo que oye y ve y de lo que sobre esto opina, *La Incógnita* nos refiere en vez de una acción, unos hechos; en vez de un diálogo revelador, un conversar sintomático; en vez de un panorama de tres dimensiones, un muestrario de instantáneas planas[54].

El receptor de las cartas, Equis, mejor conocedor de Madrid y sus ambientes que

---

(53) G. Sobejano, "Forma literaria y sensibilidad social en *La Incógnita* y *Realidad*, de Galdós", en *Forma literaria y sensibilidad social*, Madrid, Gredos, 1967, pp. 67-104; debe completarse con el ya citado artículo suyo, "Razón y suceso de la dramática galdosiana" y con "Efectos de *Realidad*", *Estudios Escénicos*, 18 (septiembre 1974), pp. 41-62. En las páginas que siguen utilizo con frecuencia sus opiniones que, en general, comparto.
Véase también, Roberto Sánchez, *El teatro en la novela*, ob. cit., el cap. "Artificio y perspectiva en *La Incógnita* y *Realidad*", pp. 125-148.
Defensor de similares ideas es también Ricardo Gullón en *Galdós, novelista moderno*, ob. cit. y en el interesante prólogo a su edición de *Realidad* —novela dialogada—, Madrid, Taurus, 1978.
Para otros críticos como Eoff o Berkowitz, el procedimiento de Galdós no es adecuado. Un análisis de la cuestión puede verse en la tesis de Isaac Rubio, ya citada, pp. 145 y ss., quien insiste en las limitaciones del concepto de "realismo" galdosiano empeñado en verlo como un realismo chato y decimonónico, no un "realismo cervantino" que es a mi modo de ver el que caracteriza cada vez más la obra de Galdós.

(54) G. Sobejano, "Forma literaria...", *ob. cit.*, pp. 77-78.

Infante, va depurando la información que recibe, hilando cabos, de manera que, al final, "El montón de informes de las cartas se le convierte en *Realidad*, la novela hablada", "novela en cinco jornadas", que Equis envía a Infante. Galdós, utilizando la realidad como le place, hace que, junto con el manuscrito, Equis le envíe a Infante la única carta en la que, para confusión de éste, le dice que *Realidad* se ha producido por metamorfosis de las cartas recibidas y guardadas en un arca; literalmente, le dice "en novela dramática".

Lo de menos ahora es enfrascarnos en la discusión de la verosimilitud o no de la metamorfosis; el hecho es que Galdós pone en nuestras manos *Realidad*, su primera novela hablada. Después de todo, su originalidad hay que situarla dentro del contexto más amplio, una vez más, de la confusión genérica de la época que propiciaba desde la mitad de siglo la confusión en las denominaciones novelescas y teatrales. Por otra parte, sólo empeñándose en ver en Galdós un novelista anclado totalmente en los presupuestos del realismo decimonónico, se puede hablar en éste y otros casos de inverosimilitud.

Como indica Sobejano, es difícil saber si para escribirla "se sintió estimulado por precedentes franceses, por la tradición vernácula de *La Celestina*, por un propósito de adaptación teatral o por otro motivo emocional. No debe olvidarse, a este respecto, el modelo tan admirado por Galdós: Shakesperare. Las sombras o imágenes subjetivas que intervienen en *Realidad* proceden seguramente de los *ghots* en *Ricardo III* o en *Hamlet*"[55].

Son todas ellas posibilidades que no excluyen, sino que se complementan, a las que hay que añadir la propia evolución de Galdós hacia una valoración cada vez mayor del diálogo. Es descabellada la suposición de algunos críticos de que haya sido influido por Ibsen. Como he mostrado en su lugar, el conocimiento de Ibsen en España es posterior; en el supuesto caso de que Galdós utilizara para sus lecturas ediciones francesas, como parece, también éstas son de fechas posteriores[56]. Sólo un conocimiento poco detallado de la situación puede justificar tales opiniones.

Si corto era el tiempo en que transcurría *La Incógnita*, aún más reducido resulta en *Realidad*. Sintetiza Sobejano:

> La acción aparece en *Realidad* cronológicamente reducida: todo sucede entre los límites temporales que abarcan lo comentado por las cartas XXIV a XXXI de *La Incógnita*, entre una noche poco antes del 23 de enero y la noche del 3 de febrero; diez días aproximadamente, en vez de los casi cuatro meses de *La Incógnita*.
> Los emplazamientos son treinta y seis; demasiados para un drama representable; pocos para una novela hablada, sobre todo si se tiene en cuenta que sólo en doce

(55) *Ibíd.*, p. 82.

(56) Ch. Berkowitz, *La biblioteca de Pérez Galdós*, ob. cit., detalla estas ediciones de Ibsen: *Le canard sauvage. Romersholm* (traducción de Prózor, París, 1891, 2.ª ed.); *La dame de la mer*; *Un enemi du peuple* (París, 1892); *Les revenants. La maison de poupée* (traducción de Prózor, París, 1892); *Solness el constructor* (traducción de Prózor, París, 1893); *Emperador y Galileo* (traducción de E. Heras, Valencia, s. f.).
Completo así la argumentación de Casalduero y Sobejano sobre la inexactitud de la supuesta influencia de Ibsen en Galdós en aquel momento. Como ellos, creo que hay que insistir en la de Shakespeare y *La Celestina* como modelos que sigue, ambas ratificadas, además, en el prólogo del propio Galdós a *Los Condenados*.

(57) G. Sobejano, *art. cit.*, p. 84.

de estos emplazamientos se dice y hace lo necesario para la integridad de la trama.

Esta concentración espacio-temporal tiene su correlato en la prominencia y profundidad que adquieren tres personajes: Tomás, Augusta y Federico[57].

Diálogo y caracteres serán las bases fundamentales del teatro galdosiano en sus obras más logradas, en las que la anécdota interesa menos. En aquellas otras en que predomina lo melodramático, la anécdota tiene mayor complicación. La coherencia interna de la obra de Galdós aparece una vez más. Cobran nueva luz sus primeras reseñas teatrales en las que insistía con frecuencia en estos aspectos, ya refiriéndose a autores clásicos, ya a contemporáneos. Citaré algunos ejemplos: de Moreto le gustaba el diálogo, porque era "natural, chispeante, lleno de gracia, soltura y expontaneidad (sic)"[58]; de *El mejor alcalde el rey*, de Lope, le atrae "la viveza del diálogo"[59]; de Moratín, cuando Emilio Mario estrena *El Café* en 1886, elogia el diálogo como "quizá lo mejor de la obra"[60]; y la misma atención presta al diálogo en sus reseñas al teatro de Ventura de la Vega, Bretón, Retes, etc.

Por lo que respecta a los caracteres, la dificultad de desarrollarlos extensamente era uno de los obstáculos que más le frenaban a la hora de escribir para el teatro y será siempre una de las mayores objeciones que le pondrá la crítica, sorprendida por la poca *teatralidad* de sus obras. No hacía mucho que había escrito: "el engranaje de los caracteres es la clave del drama entero que llamamos sociedad"[61], "la gran mayoría de los caracteres de nuestra época no caben en el teatro"[62].

No parece que en la mente de Galdós circulara aún la idea de escribir para el teatro; trata fundamentalmente de hacer sus personajes más directos a los lectores:

> No pensé entonces llevar la obra a la escena, y hubieron de pasar bastantes años para que *Realidad* apareciera ante las candilejas y entre los lienzos pintados[63].

Galdós no escribe ya sólo una novela de *costumbres contemporáneas*, sino que se adentra en las almas de los personajes, su novela se hace introspectiva. En *Realidad*, novela, asistimos al desvelamiento progresivo de la "verdad" de

> Tomás, Augusta y Federico (que) conversan, dialogan y monologan. Son éstas las tres almas que encarnan las incógnitas decisivas: ¿locura o santidad? ¿infidelidad u honradez? ¿honor o deslealtad, suicidio o crimen?. Pero aquí ya no hay propiamente incógnitas.
> El lector asiste desde el principio a la perpleja opinión de los otros en sus conversaciones y a la compleja verdad de aquellas tres conciencias en sus diálogos y en sus monólogos[64].

(58) Pèrez Galdós, *La Nación, ed. cit.,* p. 162.

(59) Pèrez Galdós, *Revista del Mov...,* *ed. cit.,* p. 121.

(60) Pérez Galdós, *La Prensa* (10-XII-1886); *Nuestro teatro,* p. 23.

(61) Pérez Galdós, *La Prensa* (1-III-1885); *Nuestro teatro,* p. 142.

(62) Pérez Galdós, *Nuestro teatro,* artículo "El derrumbe", fechado 9-II-1886, p. 198.

(63) Pérez Galdós, *Memorias,* p. 1667.

En los prólogos a *El Abuelo* y *Casandra*, años más tarde, Galdós explica la utilización de "lo dialogal", contrayendo a proporciones mínimas la forma descriptiva y narrativa:

> El sistema dialogal, adoptado ya en *Realidad*, nos da la forja expedita y concreta de los caracteres. Estos se hacen, se componen, imitan más fácilmente, digámoslo así, a los seres vivos, cuando manifiestan su contextura moral con su propia palabra y con ella, como en la vida, nos dan relieve más o menos hondo y firme de sus acciones[65].

Hay que sacrificarlo todo en aras de conseguir la máxima aproximación al complejo fluir de la vida, sacrificar la retórica:

> Aunque por su estructura y por la división en jornadas y escenas parece *El Abuelo* obra teatral, no he vacilado en llamarla novela, sin dar a las denominaciones un valor absoluto, que en esto, como en todo lo que pertenece al reino infinito del Arte, lo más prudente es huir de los encasillados y de las clasificaciones catalogales de géneros y formas. En toda novela en que los personajes hablan late una obra dramática. El teatro no es más que la condensación de todo aquello que en la novela moderna constituye acciones y caracteres[66].

El teatro de aquel momento está tan "convencionalizado" que las grandes creaciones del pasado parecen "novelas habladas", *Ricardo III* de Shakespeare o *La Celestina*, tal como están las cosas,

> pertenecen al teatro ideal, leído sin ejecución; arte que por la muchedumbre y variedad de sus inflexiones, por su intensidad pasional, en un grado que no resiste lo que llamamos público (mil señoras y caballeros sentaditos en una sala), difícilmente admite intermediarios entre el ingenio creador y el ingenio leyente, que ambos creo que han de ser ingenios para que resulte la emoción y el gusto fino de la belleza.

(64) G. Sobejano, *art. cit.*, pp. 84-85; en las páginas siguientes analiza la utilización de estos procedimientos y cómo Clarín advirtió y analizó en su día la obra con gran lucidez: "Los soliloquios de Augusta, de Tomás, de Federico, traspasan los límites en que el arte dramático más libre y atrevido, más convencional, en beneficio de la transparencia espiritual de los personajes, tiene que encerrar sus monólogos. En el monólogo hay siempre el *lirismo* de lo que se dice a sí propio el personaje... para que le oiga el público, para que se entere éste de cómo va aquél pensando, sintiendo y queriendo. En el soliloquio de *Realidad*... hay mucho más que esto en el fondo, y la forma no es adecuada, pues siempre se ofrece también con esa apariencia retórica, para que el público se entere. A veces el autor llega a poner en *boca* de sus personajes la expresión literaria, clara, perfectamente lógica y ordenada de sus nociones, juicios y raciocinios, de lo que, en rigor, en su inteligencia aparece oscuro, confuso, vago, hasta en los límites de lo inconsciente; de otro modo, el novelista haría hablar a sus criaturas de lo que ellas mismas no observan en sí, a lo menos distintamente, de lo que observa el escritor, que es en la novela, como reflejo completo de la realidad ideada." (citado por *EM*, XVI (1890), p. 215). Evidentemente, aún no se había difundido el "monólogo interior". Sobejano hace una matización entre conversar y dialogar, que es importante: "Llamo aquí *conversación* a la relación oral de varios interlocutores, y *diálogo* a la comunicación verbal entre dos personas, aunque es obvio que su conversación puede tener momentos dialogales y el diálogo momentos conversacionales." (p. 88, nota 9).

(65) Pérez Galdós, *El Abuelo*, prólogo, O. C., VI, p. 11; sobre *El Abuelo* "novela hablada", véase G. Sobejano, "Razón y suceso...", *art. cit.*, pp. 43-44.

(66) *Ibíd.*, p. 11.

Y aún añade líneas más abajo, en este continuo intercambiar denominaciones, que *La Celestina* "*drama de lectura* es, realmente, y sin duda, la más grande y bella de las novelas habladas"[67].

El Galdós que escribe esto es un Galdós escarmentado por el éxito desigual de sus primeras obras en el teatro; es el Galdós de 1897, cansado del público y de las compañías, que no mucho después, en un texto prácticamente desconocido[68] y que transcribo íntegro por su interés, se ratifica en la misma posición:

**** (1)

. . . .
. . . .
... teatro *libre*, sin trabas, sin cómicos, sin estrenos y sin abonados, pensado y escrito con amplitud, dando a los caracteres su desarrollo lógico y presentando los hechos con la extensión y fases que tienen en la vida.
Este creo yo que es el verdadero teatro. El que ahora tenemos, reducido a moldes cada día más estrechos, no es más que una engañifa, un arte secundario y de bazar.
. . . .
. . . .
... conviene hacer teatro *libre*, es decir, teatro leído.
No hay otro recurso . . . .
. . . .

B. PEREZ GALDOS

(1) Esta página del admirable autor de tantas maravillas, no ha sido escrita para el público. Es de muy elevado interés, porque revela francamente una opinión importantísima.

Chamberlain, apoyándose en la nota —"esta página [...] no ha sido escrita para el público"— y que aparece junto a una entrega de *Pródigo*, "poema escénico en cuatro jornadas, imaginado y escrito por Luis Ruiz Contreras", sugiere que debe ser parte de una carta de Galdós a Ruiz Contreras, lo cual es perfectamente posible; menos aceptable es que sea un comentario a *Pródigo* solamente.

Creo que es necesario subrayar la afinidad de denominación que utiliza Ruiz Contreras y las de Galdós en sus novelas habladas: "poema escénico en cuatro jornadas"[69]. Idén-

(67) *Ibíd.*, p. 11.

(68) Este texto ha sido estudiado por Vernon A. Chamberlain, "A Galdosian Statement in 1899 concerning Dramatic Theory", *Symposium*, 40 (Summer 1970), pp. 101-110; artículo no exento de interés; comenta frase a frase todo el texto, relacionándolo con otros anteriores y posteriores; para nada, sin embargo, se refiere a la publicación y su insignificación ideológica, sus colaboradores y la estrecha relación de Galdós con ellos; tenidas en cuenta todas estas cosas, se convierte en un texto de una gran importancia a mi modo de ver. Apareció en *RN*, 14 (25-VI-1899), p. 638. Mal citado aparece en Manuel Hernández Suárez, *Bibliografía de Galdós, I*, Cabildo Insular de Gran Canaria, 1972, p. 507: "Sobre Pródigo. Acto I" en Revista Nueva (Madrid), I, núm. 14; 25 de julio de 1899, p. 638". Rectifico: no julio sino junio, y debiera ser citado como artículo aparte: "****(1)", como hace Sánchez Granjel en *Biografía de Revista Nueva (1899)*, Salamanca, *Filosofía y Letras*, XV, n.º 3, 1962.

(69) En *Semiteatro*, Madrid, 1930, donde recoge Ruiz Contreras esta pieza, la llama, sin embargo, "drama escénico". Con todo, en la introducción dice que fue pensada más para lectura que para las tablas. ¿En qué quedamos?.

ticas denominaciones aparecen como subtítulos en obras de otros escritores en aquellos años.

Me interesa señalar cómo en aquellos años el ejemplo galdosiano cundía entre los escritores más jóvenes y tenía razón cuando en *Casandra* (novela en cinco jornadas), de 1905, sostenía que:

> Al cuidado de sus hermanos mayores *Realidad* y *El Abuelo*, sale al mundo esta *Casandra*, como aquella *novela intensa* o drama extenso, que ambos motes pueden aplicársele. No debo ocultar que he tomado cariño a este subgénero, producto del cruzamiento de la novela y el teatro, dos hermanos que han recorrido el campo literario y social, buscando y acometiendo sus respectivas aventuras, y que ahora, fatigados de andar solos en esquiva independencia, parece que quieren entrar en relaciones más íntimas y fecundas que las fraternales.
>
> Los tiempos piden que el teatro no abomine absolutamente del procedimiento analítico, y a la novela, que sea menos perezosa en sus desarrollos y se deje llevar a la concisión activa con que presenta los hechos humanos el arte escénico. [...] Casemos, pues, a los hermanos Teatro y Novela, por la Iglesia o por lo civil, detrás o delante de los desvencijados altares de la Retórica, como se pueda en fin, y aguardemos de este feliz entronque lozana y masculina sucesión.
>
> Claro es que la perfecta hechura que conviene a esta híbrida familia no existe aún en nuestros talleres.
>
> Sin duda, será menester atajar el torrente dialogal, reduciéndolo a lo preciso y ligándolo con arte nuevo y sutil a las más bellas formas narrativas... Pero no faltarán ingenios que hagan esto y mucho más. Los obreros jóvenes que tengan aliento, entusiasmo y larga vida por delante, levantarán la casa matrimonial de la Novela y el Teatro[70].

"Obreros jóvenes" con "aliento, entusiamo y larga vida por delante" que trabajaron en ese intento fueron Pío Baroja en *La Casa de Aizgorri*[71], Valle Inclán en sus *Comedias Bárbaras* y esperpentos como *Luces de Bohemia* y, en grado menor, Unamuno en novelas como *Niebla*, *La Tía Tula* o *Abel Sánchez*, donde relato y descripción se hallan reducidos a lo mínimo y, por el contrario, el diálogo ocupa mucha mayor extensión[72].

(70) Pérez Galdós, *Casandra, novela en cinco jornadas*, "Prólogo al lector", O. C., VI, pp. 116-117.

(71) *La Casa de Aizgorri* fue pensada primero por Baroja como drama; lo recuerda en sus *Memorias*: "En Marañón terminé yo el libro *La casa de Aizgorri*. De este libro pensé primero hacer un drama, y no sé quién me dio el consejo de que fuera a ver a Ceferino Palencia, que era entonces empresario del Teatro de la Princesa y marido de la cómica María Tubau. Como nunca creí que fueran a representar nada mío, hice la prueba de pegar ligeramente en el manuscrito dos o tres páginas del comienzo y otras dos o tres del final.
Palencia me dijo todas esas vulgaridades que se dicen a los principiantes. [...] A los cuatro o cinco meses vi que el empresario no hacía nada; le pedí el manuscrito, me lo devolvieron, y, al llegar a casa, noté que las dos o tres páginas pegadas al principio y al final seguían pegadas; no las había abierto." Tomo la cita de J. Monleón, *El teatro del 98 frente a la sociedad española*, Madrid, Cátedra, 1975, p. 188. En sus *Memorias*, *O.C.*, VI, Madrid, Biblioteca Nueva, 1946-1952, p. 449, indica que le interesa más el teatro leído que representado.

(72) Es la opinión también de Sobejano, "Razón y suceso...", *art. cit.*, p. 42; a mi modo de ver exagera, sin embargo, cuando afirma: "Los movimientos expresionistas pondrían fin a estas fluctuaciones entre la novela y el drama, ansiando devolver al teatro su primitiva forma gestual, su elementalidad trágica o grotesca, y Valle-Inclán, Unamuno y Lorca, entre 1910 y 1935, vendrían a ser los regeneradores del drama puro, por los mismos tiempos en que tan encarecidamente se persiguió la poesía pura." (p. 43).
La ruptura de las formas dramáticas seguirá vigente y aún se intensificará.

Galdós, que había partido de una concepción decimonónica del teatro, basada en el concepto aristotélico del arte como imitación de la naturaleza, es decir, de un teatro cuya acción debe ser presentada de manera verosímil y lógica, se veía encaminado, por su propia evolución, en los años finales de siglo, a otros derroteros. Al no acertar a romper los convencionalismos del espacio escénico a la italiana, incapaz de acoger materialmente sus obras, buscaba una salida en un teatro paradójicamente irrepresentable. Sólo a partir de su viaje a París, en 1901, toma conciencia de la importancia de los accesorios escénicos, como demuestra su obra *Alma y Vida*, único drama suyo en el que, en lugar de buscar un público amplio, pretendió el aplauso de la minoría culta.

El diálogo, una de las bases de su dramaturgia como hemos visto, no logra, sin embargo, desprenderse de técnicas más propias de la narrativa y que hacen con frecuencia que en sus obras el dramatismo pierda: se hace narrativo en exceso en los comienzos, recurriendo a la técnica del retrato o del autorretrato en la presentación de los personajes; se hace enfático en los finales de acto, donde Galdós abusa a veces de los recursos melodramáticos, tratando de provocar a los espectadores al aplauso.

DE "REALIDAD", NOVELA HABLADA, A "REALIDAD", DRAMA

En sus *Memorias*, Galdós hace confluir la insinuación de su "musa", retórica sin duda, y la invitación de Emilio Mario para decidirse a convertir *Realidad*, novela hablada, en drama, con el punto también común de que el arreglo no era difícil.

Por entonces no frecuentaba mucho el teatro, pero cuando iba, lo hacía a la *Comedia*, regentado por Emilio Mario, interesado en la introducción de las renovaciones teatrales europeas en el teatro español, ya en el repertorio, ya en la escenografía y en el trabajo de los actores[73].
En su compañía figuran entonces dos de los actores jóvenes que van a determinar después el rumbo del teatro español: Emilio Thuillier y María Guerrero. Para ambos tendrá siempre elogios don Benito y serán quienes estrenen buena parte de sus obras. A Galdós debió de incitarle también a probar fortuna en el teatro su situación económica, nunca muy boyante, junto a su deseo de buscar siempre cauces de comunicación con los españoles de su tiempo, para lo que el teatro era un medio inmejorable[74].

(73) Pérez Galdós, *Memorias*, pp. 1683-1684, escribe: "En aquel tiempo yo no frecuentaba el teatro, de noche no iba nunca; de tarde, alguna vez, prefiriendo la Comedia, por ser muy de mi gusto la Compañía de Emilio Mario." La gran labor renovadora de este actor y director está a la espera de un trabajo monográfico que la aclare suficientemente.
Galdós repite sus elogios a su labor en la biografía de Olmet y Carraffa. *Galdós*, Madrid, 1912, p. 70.

(74) Ch. Berkowitz, *La biblioteca de Pérez Galdós*, ob. cit., p. 15, señala cómo sus libros aparecen siempre llenos de sus cuentas domésticas; también p. 242. Sólo *Electra* le dio realmente dinero y casi más como libro: véase, Olmet y Carraffa, *Galdós*, ob. cit., p. 95. Nunca, sin embargo, se debe olvidar su deseo de hallar nuevos cauces de comunicación. En el mismo libro que acabo de citar, p. 93, les confiesa: "Creo que la literatura debe ser enseñanza, ejemplo. Yo escribí siempre, excepto en algunos momentos de lirismo, con el propósito de marcar huella. *Doña Perfecta, Electra, La loca de la casa*, son buena prueba de ello."
Para I. Rubio, *tesis citada*, pp. 8-9: "La motivación más intensa que lo llevó al teatro fue el deseo de comunicación con los españoles de su tiempo. El teatro galdosiano es sencillamente didáctico, un vehículo para la comunicación de ideas."

La conversión de la novela en drama, en la que Galdós puso todo su empeño, podemos seguirla a través de la correspondencia con sus amigos, en especial la mantenida con el doctor Manuel Tolosa Latour, quien tuvo siempre tanto, si no más interés, que el propio Galdós en su teatro. Su preocupación va desde hacerle leer a Emilio Thuillier *Realidad*, novela, "para *empaparse* bien del asunto"[75], a llevar amigos suyos al teatro que apoyen al dramaturgo en el estreno[76] o proporcionar a Galdós cuantas noticias recibe del éxito de la obra en las otras provincias[77].

También Emilio Mario, cuidadoso en todos los detalles, sigue de cerca la escritura del drama:

> He leído el acto 3° de *Realidad*, es muy hermoso, pero creo que puede aligerarse algo la escena de Viera y Orozco porque el público conoce ya al trapisondista, y aunque es un dolor quitar de boca de Viera nada de cuanto dice, porque retrata el carácter, y esta (sic) hecho de mano maestra; como estamos en el acto 3° debemos caminar a la acción cuanto sea posible: En fin estas cosas se ven mejor en los ensayos y pª (sic) cortar siempre hay tiempo[78].

El resultado del trabajo de Galdós sobre la novela hizo que en el drama los 36 emplazamientos se redujeran a 6. Las escenas, de 57, pasan a 42. Con cuatro decorados y una sola mutación en el segundo acto queda resuelta la escenografía.

La alteración más sensible es que Federico Viera se suicide en su casa tras las visitas apresuradas —para dar paso a los personajes siguientes— de Leonor, Tomás, Infante y Augusta, con lo que, como indica Sobejano, "desaparece así el misterio o ambiente de intimidad y lejanía que la escena del suicidio encerraba en la novela"[79].

(75) *Cartas del Archivo de Galdós*, ob. cit., p. 296, fechada 8-I-1892. Para sus relaciones, véase Ruth Schmidt, *Cartas entre dos amigos del teatro: Manuel Tolosa Latour y Benito Pérez Galdós*, Ediciones del Excmo. Cabildo Insular de Gran Canaria, 1969.

(76) *Ibíd.*, p. 295; carta fechada 8-I-1892.

(77) *Cartas entre dos amigos...*, ob. cit., las cartas 32 (éxito en Valencia) y 34 (en Bilbao).

(78) *Cartas a Galdós*, ob. cit., p. 357; Emilio Mario animó con insistencia a Galdós aún en los momentos de mayor desánimo de éste; lo demuestran todas las cartas publicadas por Soledad Ortega, pp. 357-401; algunas tendremos ocasión de verlas más adelante; referente a *Realidad* le va comunicando el éxito y diversos avatares en provincias: p. 358 (Zaragoza); 359 (Valencia); 359-360, preparativos para Barcelona; 360-362, éxito en esta ciudad.
Galdós tenía especial preocupación por el resultado de su drama en Barcelona; preparó su estreno con todo detalle como puede verse en la correspondencia que mantuvo con Narciso Oller. Véase, William Shoemaker, "Una amistad literaria: la correspondencia epistolar entre Galdós y Narciso Oller", *Estudios sobre Galdós*, Madrid, Castalia, 1970; curiosamente, la crítica de la representación de Oller es dura para los actores, incluída la Guerrero; opina que con el suicidio de Viera la obra debía haber terminado.
Algún crítico despistado ha tratado de ver en *Realidad* una imitación de Ibsen; como he indicado más arriba, por aquellas fechas Galdós desconoce a Ibsen. Más adelante sí que se preocupa de leerlo, así en carta a Tolosa Latour, fechada el 23-V-1894, le escribe: "Hazme el favor de decirle a Ruiz que me mande el tomo de Ibsen *Los pretendientes a la corona*". Recogida en *Cartas entre dos amigos...*, ob. cit., p. 76.

(79) G. Sobejano, "Forma literaria y sensibilidad...", *art. cit.*, p. 100. Una relación de los cambios en el artículo citado de M. Alvar, pp. 187-191; I. Rubio, *tesis citada*, pp. 168 y ss. hace algunas precisiones, pero se excede al insistir en la *melodramatización* del tema al pasar de la novela al drama. Sería necesario estudiar los mss. conservados. Véase, L. Finkenthal, *El teatro de Galdós*, Madrid, Fundamentos, 1980, pp. 110 y ss.

Fueron suprimidos los personajes menos importantes: Marqués de Cícero, Conde de Montes Cármenes, Sr. de Pez, Carlos Cisneros, Santanita, etc. Bárbara, hermana de Federico, pasa a ser su sirviente; en lugar de las dos criadas de la novela hay sólo una y, además, los servidores de Orozco no aparecen en el drama. Los 25 personajes de la novela quedan así reducidos a 13.

Algunos diálogos y soliloquios se acortan, si bien no siempre desaparecen, sino que pasan iguales a otra escena e incluso a otro personaje.

En otras ocasiones, la reestructuración del texto de la novela origina diálogos nuevos (II, 1, 3 y 9; III, 6).

Mediante estas abreviaciones, Galdós trató de lograr el necesario movimiento, con los riesgos de brusquedad en el diálogo que supone y con una tenue "melodramatización" de algunos personajes: Infante es convertido en *más bueno* y Malibrán en *más malo*, siendo éste además castigado por su maldad.

Se utilizan recursos que facilitan los efectos teatrales, sobre todo en los finales de acto, como es la introducción de una carta (I, 10), que Orozco ve que lleva su mujer y que, lógicamente, suscita la curiosidad del público por conocer su contenido. Galdós colocó esta escena al final del primer acto para dejar interesado al espectador. Se pierde, en cambio, información sobre las ideas de Orozco y Augusta.

Para mantener la tensión dramática modificó también el final del segundo acto respecto a la novela. Si allí Augusta y Federico quedaban como amigos, en el drama terminan enfrentados. Todo el acto tercero fue muy reelaborado con abundante introducción de elementos melodramáticos, como la huida de Clotilde de su casa, los problemas de honor familiar que originan distanciamientos y los oportunos reencuentros y perdones al terminar el acto. Mayor aún es, en fin, la modificación de la cuarta jornada, ya apuntada, haciéndola culminar en el suicidio de Federico Viera.

Sin embargo, lejos de conducirnos a un final melodramático como culminación de unas crecientes tensiones, Galdós dio a su obra un final totalmente anticlimático, que desorientó al público y a la mayor parte de la crítica, pues, en lugar de acabar el drama trágicamente con la muerte de la adúltera, acaba con el perdón de ésta en el acto quinto[80].

Son finales melodramáticos los de los otros actos y lo sería el de la obra si, por ejemplo, acabara en el momento del suicidio de Viera. Nos haría pensar entonces en los finales de los dramas románticos, desquiciados sus protagonistas por la fatalidad de sus destinos. Por el contrario, asistimos a cómo los otros personajes, no sólo los protagonistas, asumen el suicidio y su responsabilidad en lo acontecido.

Ruptura formal y ruptura ideológica actúan conjuntamente en el drama complementándose. La dilatación de la parte expositiva, que sin caer en la conversación intrascendente es muy poco retórica, y la recuperación del monólogo vienen exigidas por el desarrollo de los conflictos de los personajes que no se nos dan completamente hechos desde el principio, sino que los vemos conformarse a medida que avanza la obra; los tres protagonistas son tres complejos personajes que buscan afirmarse y entenderse.

---

(80) No es radicalmente nuevo este final; hay una anticipación al menos en dos dramas de aquellos años: *Los hombres de bien* (1870), de Tamayo y Baus, y *Un libro viejo*, de Felíu y Codina, mucho más próxima. En ambas obras se da como solución al adulterio el perdón.

Drama de poca acción externa, los conflictos aparecen interiorizados en estos personajes. En este sentido, puede hablarse de "ibsenismo", no tanto como influencia exterior y concreta, cuanto de coincidencia en el trazado de unos personajes insatisfechos de sí mismos, que se sienten superiores a su entorno social mediocre y conformista.

La dimensión de crítica social que Galdós daba a su novela, mediante la presentación de distintos personajes representativos de ésta, sólo aparentemente queda reducida al desaparecer algunos de ellos; los que quedan forman como una especie de coro que se hace eco de las vivencias del trío protagonista, que se debate contra los convencionalismos sociales y, en sus comentarios, manifiestan cuál es su postura al respecto.

Realidad es el primer drama español en el que la *verdad*, la búsqueda de la autenticidad en la propia conducta, conduce a los personajes a un enfrentamiento con una sociedad no veraz, aunque trate de mostrarse como tal, con una moral de apariencias. Ponía Galdós así en entredicho el "ethos" de la Restauración, como venía haciendo con sus novelas contemporáneas[81].

Los conflictos de los personajes "(son) causados por la resistencia de la verdad a instalarse en la atmósfera de la mentira: Tomás Orozco lucha entre lo que pasa por ser entre la gente (filántropo o egoísta, santo o hipócrita) y lo que es en su conciencia (creador de su propia moral), lucha entre su amistad con Federico y la sospecha, luego certidumbre, de su traición, y lucha entre su amor a Augusta, a quien desea elevar moralmente, y la comprobación final de haberla perdido como mujer y como criatura moral. Por su parte, Augusta lucha entre lo que pasa por ser ante la mayoría (una dama virtuosa) y lo que es en sí (autora de adulterio) y entre su admiración al santo (su esposo) sin amor, y la pasión que siente por Federico, sin admiración. Finalmente, Federico lucha entre los principios sociales y prejuicios familiares que teóricamente sostiene (honor, aristocracia, desprecio del trabajo y del dinero) y su práctico incumplimiento de aquellos principios y de las normas morales superiores que pasivamente admira (laboriosidad, gratitud, dignidad); lucha entre su deber de correspondencia al amigo y la deslealtad de que está haciéndole objeto, y entre su amor a Augusta sin confianza y su confianza en Leonor sin amor.

[...] Los tres se encuentran escindidos en sí, pareciendo lo que no son y siendo lo que no parecen"[82].

Galdós ponía en entredicho la familia, base de la sociedad burguesa, preocupada más por el honor público y social, que por la tranquilidad de la propia conciencia. Fueron pocos los críticos que se percataron de la trascendencia de la obra y la crítica se polarizó en cuestiones mucho más baladíes como la capacidad o no de Galdós para el teatro o detalles de la puesta en escena.

---

(81) Sobejano, "Forma literaria y sensibilidad...", *art. cit.*, muestra cómo Galdós ha atenuado en el drama algunas afirmaciones de índole moral y religiosa. Partiendo de Sobejano, Willa Sack Elton ha escrito un sugestivo artículo, "Autocensura en el drama galdosiano", *Estudios Escénicos*, 18 (septiembre 1974), pp. 139-154, donde estudia *Realidad, La loca de la casa, El Abuelo, Doña Perfecta* y *Casandra*, concluyendo que lo que motiva estos cambios y supresiones es el deseo de ganarse al público, básicamente católico y conservador; las reducciones y cambios no tienen, pues, solo una explicación formal sino también ideológica. De autocensura habla también *I. Rubio*, p. 177.

(82) G. Sobejano, "Efectos de Realidad", *art. cit.*, p. 45; conviene ver todo el artículo que, más que resumir, tendría que transcribir.

La misma escisión existente hoy entre los críticos al referirse al teatro de Galdós —de un lado quienes elogian sus tentativas, de otro los que las consideran una intromisión en terrenos ajenos—, caracterizó la acogida de *Realidad* en 1892. Contamos con un detallado artículo de William S. Shoemaker que recoge exhaustivamente reseñas y comentarios del estreno, que me ahorra entrar en detalles. Lo cierto es que el intento de Galdós desbordaba las frases hechas a que estaban acostumbrados los gacetilleros en su rutinario quehacer crítico y ni "la crítica liberal, o sea, la más libre de trabas conceptuales e históricas, podía ver los moldes nuevos de forma y de contenido en la índole del drama —psicológica, sociológica y filosófica. Pero ni siquiera estos críticos convenían en si *Realidad* pronosticaba el teatro del futuro, llenos de esperanzas algunos y bastante inciertos y recelosos otros"[83].

El ejemplo de Galdós, sin embargo, fue pronto fructífero y animó a otros novelistas a probar fortuna. Es el caso de Clarín, cuya postura, con todo, sorprende en su artículo "Revista Literaria" que le dedica en *El Imparcial* (18-IV-1892), pues la sitúa a la misma altura que *El hijo de Don Juan*, de Echegaray, calificando a ambos dramas de "ensayos de renovación dramática".
Al año siguiente, de nuevo en *Los lunes de El Imparcial* (20-III-93), en "El teatro... de lejos", sigue sosteniendo la necesidad de reformar el teatro, pero "sin nada de novelas". Sólo las crisis y vaivenes de Clarín en aquellos años y sus contradictorias ideas explican el contraste entre esta afirmación y sus ideas de aproximar el teatro a la novela.

Pasado un tiempo, Yxart evalúa la significación de la obra en el panorama teatral español, viendo en ella un claro intento de "ensanchar los límites de la acción y soltar sus comunes ataduras", un tipo nuevo de estructura dramática:

> Todo el drama más que el proceso de una intriga, parece un cañamazo para bordar encima algunas escenas de la vida madrileña[84].

Según él, no sólo hay novedades en la estructura, sino una profundización en los caracteres, "aptitud propia del novelista" y de dramaturgias como la de Shakespeare.

Gran capacidad de comprensión de sus innovaciones demostró también Rafael Altamira que insiste en la interiorización del conflicto, la importancia del elemento psicológico en la relación de los personajes, que hacía pasar a segundo plano el hecho del adulterio y ponía por el contrario de relieve "la separación real que existe entre Augusta y Federico, meros amantes de cuerpo pero no de alma", "el drama entre Augusta y Orozco, drama de pura psicología" y la complejidad del personaje Federico[85].

A los jóvenes escritores también les interesó el drama, como puede verse por el testimonio de Martínez Ruiz en *Anarquistas literarios*[86] o en las cartas de Navarro Ledes-

(83) William S. Shoemaker, "La acogida pública y crítica de *Realidad* en su estreno", *Estudios Escénicos*, 18 (septiembre de 1974), pp. 25-41.

(84) J. Yxart, *El arte escénico, I*, p. 320; es el tipo de crítica que han defendido después Pérez de Ayala en *Las máscaras*, y "Jordé" en *Galdós y el teatro contemporáneo*, Las Palmas, 1943.

(85) Rafael Altamira, *De historia y arte. Ensayos críticos*, Madrid, Librería de Victoriano Suárez, 1898, pp. 291-293.

(86) Escribe: "hay algo (en *Realidad*) que no es sólo de España: palpitan en ella ideas universales, sentimientos que laten en el corazón del hombre moderno, sin distinción de nacionalidades."

ma y Unamuno; éste, sobre todo, interesado por el personaje de Orozco[87].

"LA LOCA DE LA CASA"

Animado por el resultado de *Realidad*, Galdós escribió esta nueva obra a instancias de Emilio Mario y María Guerrero, según sus *Memorias*. Se estrenó el 16 de enero de 1893 en el teatro de la Comedia. Fue directamente escrita para la escena, aunque se suele incluir entre las novelas dialogadas la versión más amplia. En diciembre de 1892, ya estaba terminado el manuscrito, que resultó excesivamente largo y hubo de ser recortado:

> La experiencia de *Realidad* no me enseñó a calcular las dimensiones de la obra dramática. *La loca* resultó tan desafortunadamente larga, que tardamos dos días en leerla. Desde los primeros días empezamos a dar tajos y mandobles para que quedara en razonables proporciones[88].

Echegaray asistía a los ensayos, sugiriendo cambios; alguno tan fundamental que Galdós escribió otro final para la obra por indicación suya. No es fácil precisar hasta qué punto pudo influir su presencia en la redacción última del texto. Hal Carney y Willa S. Elton han estudiado cómo la versión que se incluye en sus *Obras Completas* en "Teatro", no es sino el resultado de cortes y leves modificaciones de la primera versión durante los ensayos[89]. La obra no fue reescrita. Mantiene los mismos actos y sus correspondientes lugares de la acción. No se han suprimido tampoco personajes, que son 13 en ambas, si bien la intervención de los personajes secundarios ha sido disminuida[90], recortando sus parlamentos y suprimiendo a veces escenas enteras (II, 13 a 16; III, 4 a 7).

Por el contrario, los parlamentos de Victoria y Cruz apenas fueron podados y en algún caso han sido replanteados, sobre todo en lo que respecta a la decisión de Victoria de casarse con Cruz y las escenas últimas de la comedia. Algunas otras pequeñas supresiones, como las de Cruz que hablaba de "beatas asquerosas y frailes imbéciles" (II, 6) y de que "azotaré a las Hermanas" (IV, 15), obedecen a la *autocensura* expresiva de Galdós, a que ya me he referido en *Realidad*. En conjunto, todas estas simplificaciones arrancan de agilizar la intriga, haciéndola girar sobre los dos personajes principales.

Al derivar Galdós hacia el teatro de tesis, demostrada mediante contrastes netos, se pierde gran parte de riqueza de observación. Sacrifica la experimentación artística a su propósito ideológico[91].

(87) *Cartas a Galdós*, ob. cit., p. 307; *Cartas del Archivo de Galdós*, ob. cit., pp. 52-56.

(88) Pérez Galdós, *Memorias*, p. 1685; los ensayos fueron seguidos por la prensa: véase, *La Epoca* (11-I-1892), donde se dice que sorprenderá por su novedad.

(89) Hal Carney, "The two Versions of *La loca de la casa*", *Hispania*, 44 (1961), pp. 438-440. Willa S. Elton, "Sobre el género de *La loca de la casa*", *CHA*, 250-252 (1970-1971), pp. 586-607.

(90) W. S. Elton, *art. cit.*, pp. 596-598.

(91) Angel del Río, "La significación de *La loca de la casa*", en *Estudios galdosianos*, Nueva York, Las Américas, 1969, pp. 31-57.
Muy confuso y a veces erróneo es el estudio de L. Finkenthal, *ob. cit.*, pp. 75 y ss.

La loca de la casa supone en este sentido un retroceso respecto a *Realidad*. La interiorización de los conflictos es menor, con lo que apenas es utilizada la técnica del monólogo, salvo en lo referente a la decisión de Victoria de casarse con Cruz, para mostrar el proceso que le lleva a tomar esta decisión (II, escenas finales). Aún en este caso, cabe hablar más de apartes que de monólogos.

Recordaré brevemente el argumento de la comedia para situar los personajes. La acción transcurre en Cataluña; los dos primeros actos en la casa de los Moncada, comerciantes de abolengo que, al levantarse el telón, están al borde de la ruina. La familia consta, además de los padres, de dos hijas y una tía solterona. De las hijas, Gabriela está prometida con el hijo de la marquesa de Malavella y Victoria es novicia en el convento del Socorro.

Aparece pronto en escena José Cruz, hijo de un antiguo criado de la casa, que emigró a América y ha vuelto enriquecido. Pepet, que es el nombre con que le conocen familiarmente, aspira a casarse con Gabriela, pero es rechazado por ésta.
La estancia de unos días en casa de Victoria cambia las cosas. Ante la situación familiar ella opta por casarse con Cruz.

En los actos tercero y cuarto, realizada ya la boda, se establace una lucha entre Cruz, positivista y brusco, y Victoria, movida por una especie de misticismo no exento de energía. Al final, la "victoria" será de ella, que logra "humanizar" a Pepet y que éste favorezca a gentes menos pudientes.

La trama argumental no tiene mayor importancia en sí y está supeditada al aleccionamiento que busca Galdós. Lo fundamental es la puja entre los dos protagonistas, entre los valores opuestos que representan y que alcanzan una síntesis armónica en el hijo que nacerá de su unión[92]. En un plano más desdibujado, propone Galdós una tesis secundaria: la posibilidad de regeneración de los hijos de la marquesa de Malavella por el trabajo.

Galdós presenta gradualmente los estados por los que pasa la relación afectiva de Victoria y Cruz. Pasarán de un trato distanciado, alimentado por el recuerdo de la niñez en que jugaban juntos, pero él como hijo de criado, a una relación cada vez más íntima que se transforma en amor. Para Victoria, el "Sr. Cruz" pasa a ser "Pepet", de ser "un animal" a tener "alma". No desaparece con todo nunca el planteamiento monetario de su relación. En la reconciliación final el dinero pesa tanto como los sentimientos.

Cruz encarna la fuerza natural, indomable, hasta el punto de que Yxart llegó a llamarlo "spenceriano" por su poderosa fuerza de voluntad: "no cree en otra virtud que en el trabajo, ni en otros milagros que los de la constancia en el mismo. Su única honradez, cumplir lo pactado; mirar su palabra como el Evangelio. Tal es el hombre aparecido

(92) Es una constante galdosiana. Aparecía ya en *El Audaz* de forma imprecisa en las relaciones entre el revolucionario y hombre del pueblo Muriel y la aristócrata Susana. Acaso la mejor formulación teórica la hace al encabezar *Alma y Vida*, explicando su tema: "Moviome una ambición desmedida... vaciar en los moldes dramáticos una abstracción, más bien vago sentimiento que idea precisa, la melancolía que invade y deprime el alma española de algún tiempo acá, posada sobre ella como una opaca pesadumbre... Pensando en esto... veía yo como capital si no para expresar tal sentimiento el solemne acabar de la España heráldica, llevándose su gloriosa leyenda y el histórico brillo de sus luces declinantes. Veía también el pueblo, vivo aún y con resistencia bastante para perpetuarse, por conservar fuerza y virtudes macizas; pero lo veía desconcertado y vacilante, sin conocimiento de los fines de su existencia ulterior."

en la casa de Moncada en quiebra, como un nuevo ser en medio de nuestra sociedad caduca, en quiebra también"[93].

Victoria, por el contrario, representa la imaginación y el sentimiento, "es el espíritu ante la naturaleza: es la educación, la instrucción, la elevación intelectual de siglos enteros de trabajo, refinando la especie hasta la mayor espiritualidad, enfrente de la aspereza bárbara del hombre que empieza a vivir..."[94].

La esencia de la comedia está pues en el enfrentamiento de ambos. La argumentación galdosiana es muy simple; echa mano de recursos de melodrama, de sus manidas imágenes. Su relación es la de "la bella y la bestia":

> Victoria.— (*Cariñosamente, pasándole la mano por los hombros*) Mi *monstruo*..., sí... sí, aunque no quieras, mío has de ser por los siglos de los siglos.
>
> . . . .
>
> Sosiégate..., por Dios... *Monstruo* querido... *dragoncito* mío...
>
> . . . .
>
> Déjame a mí. Soy tu *ángel* bueno. (IV, 6)

Los últimos actos de la comedia remiten en interés desde el momento en que Cruz pierde terreno ante el *fervor* de Victoria. Pone Galdós en boca de ésta palabras que provocaron comentarios desfavorables entre los espectadores más conservadores, haciendo explícita su tesis:

> Arrastróme hacia ti una vaga aspiración religiosa... *socialista*... así se dice...; la idea de apoderarme de ti invadiendo cautelosamente tu confianza, para repartir tus riquezas, dando lo que te sobra a los que nada tienen..., para ordenar las cosas mejor de lo que están; nivelando, ¿sabes?, nivelando. (II, 17).

A lo que Cruz contesta: "Cállate; no me provoques... Si eso fuera verdad, tendría que exterminarte".

No se trata de un enfrentamiento capitalismo-socialismo; tal vez sea defendible la idea de Cruz como capitalista, pero de ninguna manera Victoria como socialista. La palabra "socialismo" en sus labios no tiene más sentido que buscar un término que exprese bien su deseo de ejercer una caridad intensa. Su *socialismo nivelador* no tiene ninguna realidad en las acciones.

La propuesta de Galdós va encaminada a crear un clima de reforma en el que se resuelvan los problemas sin violencia, armónicamente, a la manera que desde hacía años sostenían los krausistas. Galdós insiste en el valor moderador de la caridad. Es decir, es el nuevo Moncada quien en un rasgo de generosidad construye un hospital o

(93) J. Yxart, *El arte escénico, I*, pp. 334-335. Acto I, escena 7, se define así: "... hállome amasado con la sangre del egoísmo, de aquel que echó los cimientos de la riqueza y de la civilización."
Otros lo han considerado personaje nietzscheano, como Pérez de Ayala, *ob. cit.*, p. 79; Sobejano, *Nietzsche en España*, ob. cit., p. 154, niega la influencia de Nietzsche en Galdós; Ortega Munilla, *I* (23-I-1893), resaltó ya estos contrasentidos del personaje.

(94) J. Yxart, *ob. cit.*, p. 335.

un convento, más como halago de sí mismo que otra cosa. Galdós convierte así el vigoroso personaje de los dos primeros actos en un ridículo burgués. Victoria no convence a Cruz, lo doma. Y ya domado, le dirá como broche final: "Tú eres el mal". La caridad de Victoria no sirve a la postre más que para pagar las deudas de la marquesa arruinada y mantener unos conventos y un hospital.

Victoria es mediadora entre Cruz y el contexto social. Es éste un papel que realizan muchos personajes femeninos galdosianos tanto en sus dramas como en sus novelas[95]. En aquellos años, la llamada *cuestión social* iba ocupando cada vez más espacio en la vida nacional española. *La loca de la casa* fue la primera respuesta galdosiana, tan moderada y conciliatoria que falsea el problema.

La comedia obtuvo un éxito mediano, no de los que marcan época como escribía años más tarde Francos Rodríguez en su fervor galdosiano[96].
Aparte de quienes siguieron insistiendo en su falta de dotes dramáticas[97], otros, como la Pardo Bazán, empezaron a apreciar su teatro[98].
Clarín, con menos pasión que otras veces, sopesó los pros y los contras del intento galdosiano:

> Pérez Galdós se empeña en hacer lo que Zola hacía... para olvidarlo después, a lo que parece. [...] inventa un teatro en parte porque no conoce el que ya había. [...] Se empeña en sobornar al tiempo, y el tiempo se burla de Galdós y se le convierte en hielo. Sí, cuando el poeta cree oprimir entre sus dedos la arenilla del reloj, para que se deslice más deprisa, la arenilla se le convierte en un carámbano. [...] La *obra muerta* ahoga muchas veces la acción[99].

De los jóvenes escritores entusiasmó esta obra a Martínez Ruiz cuando la vio en Valencia; la recuerda todavía en *Anarquistas literarios*, resaltando la fuerza combativa de Victoria[100].

Después de esta comedia, Galdós estrenó *La de San Quintín*, que estudió más adelante; *Los Condenados*, cuyo rotundo fracaso provocó una reacción inusitada en el pacífico escritor; *Voluntad*[101] que trata del tema de la decadencia del espíritu nacional

(95) Véase, J. C. Mainer, "El teatro de Galdós: símbolo y utopía", en *La crisis de fin de siglo...*, ob. cit., pp. 294-310.

(96) Francos Rodríguez, *Contar vejeces*, Madrid, s. f., 2.ª edición, p. 24.

(97) Melchor de Palau, *La Ilustración Ibérica*, XI (1893), p. 86; Alfonso Brusi, "Sección de espectáculos", *La Ilustración Nacional* (26-I-1893); *La Correspondencia de España* (17-I-1893), la considera "ramillete de fuegos artificiales".

(98) E. Pardo Bazán, "La loca de la casa", *Nuevo Teatro Crítico*, 25 (enero 1893); también, *El Imparcial* (17-I-1893).

(99) Clarín (L. Alas), *Galdós*, Madrid, Renacimiento, 1912, pp. 233 y 237.

(100) J. M.ª Valverde, *Azorín*, Barcelona, Planeta, 1971, p. 28. J. Martínez Ruiz, *Anarquistas literarios*, ob. cit., pp. 188-190; escribe: "Galdós es un dramaturgo genial, inspirado; su teatro se aparta por completo de los moldes clásicos o de los moldes románticos. ¡No más clasificaciones gramaticales! Hay en él mucho de universal."

(101) Véase, Gilberto Paolini, "*Voluntad* y el ideario galdosiano', *Estudios Escénicos*, 18 (septiembre 1974), pp. 63-72.

y, ya en 1896, el arreglo de *Doña Perfecta*[102] y *La Fiera*, que nada verdaderamente sustancial aportan a su dramaturgia. En todas ellas, el desarrollo dramático está muy condicionado por las ideas que el autor quiere inculcar; el vehículo elegido es siempre el melodrama más o menos disimulado.

UNA SIGNIFICATIVA ENCUESTA SOBRE EL "TEATRO LIBRE"

El tema del *teatro libre*, o denominaciones similares que significaran una alternativa al modo de producción teatral dominante, empezó a debatirse en los años noventa. Forma parte, a veces, incluso de razonamientos reaccionarios, movidos por el desánimo ante la situación del teatro español. Con las iniciales R.S. se publica, por ejemplo, un artículo, "Teatro Libre", de este talante; se trata de una retahila de elogios del teatro pasado y de lamentos por la situación del teatro de aquel momento, por su convencionalismo y porque se alimenta de "fiambres extranjeros"; aplaude la iniciativa de un grupo que quiere crear un "teatro libre" para reponer los clásicos[103]. Resulta sorprendente la utilización de la expresión "teatro libre" para referirse al teatro clásico español. Además, no es un caso aislado. Es una curiosa deformación del sentido originario de tal denominación referida, como sabemos, a un grupo y a una dramaturgia muy concretos. En ocasiones, la desinformación de los gacetilleros teatrales les llevará también a identificarlo con teatro pornográfico.

J. M. Lavaud, comentando la situación teatral de aquel momento, indica que Clarín por estas fechas había intentado lanzar una revista titulada *Teatro de ensayo* y formar una sociedad para promover el teatro libre, en el sentido, como es obvio, que tenía el término en Europa. No sé que hay de cierto en su afirmación, pero sin duda era el crítico más informado del acontecer teatral europeo, una vez fallecido Yxart[104].
No dejaba de escribir artículos al respecto con motivo de la polémica suscitada por la cuestión de los viejos y nuevos "moldes" teatrales, mostrándose partidario de un teatro libre de trabas, y enfrentándose a críticos que sostenían posturas más tímidas. En un "Palique", publicado en 1893 en *La Ilustración Ibérica*, defiende claramente una reforma evolutiva del teatro y se muestra partidario de la posibilidad de *otro* teatro que rompiera los moldes tradicionales:

> Cabe drama, sin duda alguna, sin condiciones teatrales. Para este drama serán mucho más amplios los cánones relativos a la *perspectiva artística*. Pero aún en el teatro se puede ensanchar no poco lo presente, y, sin tocar las condiciones

---

(102) El estudio más completo que se ha realizado sobre la obra es el de Isaac Rubio, *tesis citada*, pp. 74-143; también, Luciano García Lorenzo, "Sobre la técnica dramática de Galdós: 'Doña Perfecta'. De la novela a la obra teatral", *CHA*, 250-252 (1970-1971), pp. 445-472; Henri Lyonnet, *Le théâtre en Espagne*, París, Ollendorf, 1897, pp. 83-95, recoge comentarios que suscitó la obra entonces.

(103) R.S., "Teatro Libre", *Revista Crítica de Historia y Literatura*, I (diciembre 1895).

(104) J. M. Lavaud, "Ibsen et le théâtre d'idées à Madrid à la fin du XIXè", en *Théâtre et Societé*, Université de Pau, ob. cit., p. 65.
En el *Heraldo de Madrid* había ironizado poco antes en algunos "paliques" lo "nacional escénico".

ineludibles que trae consigo la representación escénica, se puede hacer que ésta sea muy diferente de como ha venido siendo.

El público es el mayor escollo a cualquier tipo de innovación, pero es preciso violentarlo:

> No cabe duda que mientras el público *grande*, la masa, no varíe, no mejore como espectador, los *moldes rotos* serán para él otros tantos quebraderos de cabeza, y los reformistas pueden resignarse a no gustar a los señores.
> Pero justamente es la crítica la que debe ayudar a quitarle al público su falsa idea y sus pretensiones de *soberanía estética*, enseñándole que debe saber más, atender más, sentir más, penetrar más, pues es evidente que en muchas situaciones teatrales en que el vulgo se aburre no falta quien ve primores y goza, y medita y aprende[105].

Así las cosas, *El Imparcial* realizó una encuesta acerca de la posibilidad de crear en la capital española un *teatro libre* a imitación del parisino[106]. La gran actividad escénica de los modernistas catalanes se dejaba sentir en Madrid, convirtiéndose en un acicate más para los escritores madrileños con inquietudes renovadoras; la alusión que el primer artículo de la convocatoria hace a que en Barcelona se ha creado un teatro cuya finalidad no es mercantilista, confirma este supuesto.

La polémica se inició el 6 de julio de 1896, en la *Tribuna literaria* de *Los Lunes de El Imparcial*, bajo el epígrafe: "Teatro ¿libre?". Transcribo el enunciado de las preguntas básicas:

> "¿Cree usted conveniente la fundación de ese teatro para los fines del arte? ¿Entiende usted que cabe en el género dramático más amplitud de la que hoy existe y que es posible admitir en nuestro tiempo la libertad de fondo y forma propia del Teatro Clásico Español?".

La alusión al teatro clásico seguramente responde al interés creado por los montajes del teatro tradicional español, realizados por María Guerrero en los llamados "lunes clásicos". Ese mismo día, el periódico incluye las respuestas de Echegaray, Pereda, Eusebio Blasco y Leopoldo Alas. Contesta Echegaray:

> He sido y soy amigo de la libertad, que todo lo que me suena a libertad me suena bien.
> Inconvenientes no veo más que uno, y es que se arruinen los que acometan la empresa.
> Amplitud cabe en el teatro cuanta se quiera, pero dudo que ciertas amplitudes las acepte el público.
> A todas estas preguntas se puede contestar con una sola ¿Cuál va a ser la compañía?.

(105) Clarín, "Palique", *La Ilustración Ibérica* (15-VII-1893). Contestaba a dos artículos sobre el tema de A. Sánchez Pérez en *IEA* y F. Urrecha en *Los Lunes del Imparcial*. También Galdós sostuvo entonces ideas parecidas a Clarín en su artículo "Viejos y nuevos moldes", *La Prensa*, de Buenos Aires (28-VIII-1893).

(106) Fue recordada por Gregersen, y lo han hecho más recientemente Luis López Jiménez y José Carlos Mainer en sus ya citados trabajos.

Pereda, por su parte, escribe entre otras cosas:

> Creo conveniente la fundación de ese teatro para los fines del arte, pero del arte *honrado* y *decente*. (Hay que ofrecer al público) la belleza del arte verdadero, del arte noble y desinteresado, que es manjar de todos los tiempos y grato siempre a todos los paladares.

También Eusebio Blasco lo cree conveniente, sobre todo para los autores jóvenes de forma que se pueden dar a conocer, sin que ello sea un obstáculo para poner obras clásicas.

Más interesante y rica es la respuesta de Alas, quien, de entrada, propone otros nombres para este posible teatro: *teatro particular, teatro de ensayo o teatro de invitación*:

> El teatro libre que yo defiendo no va por el camino de la *reforma moral*, no se trata de romper moldes éticos, de buenas costumbres.
> El arte verdadero, para decir toda la verdad que le hace falta, no necesita salir de las leyes de la decencia. Se trata de un teatro que hoy es de ensayo y que aspira a ser mañana público, para todos; y por consiguiente, no ha de ser menos moral y compatible con las leyes que sirvan de garantía al pudor, que el teatro más digno de la luz meridiana de las lámparas eléctricas.
> Se llama libre... por estarlo de preocupaciones estéticas; se llama de ensayo porque procura cultivar en paz y sin luchas con las impurezas de la realidad, las reformas racionales, las tentativas de cambio indicadas por el progreso de la vida moderna. Y se puede llamar de invitación refiriéndose a un aspecto formal externo, que, sin embargo, importa mucho para su principal carácter.
> Es de invitación porque no es público, porque, aun suponiendo que las *incidencias de la contribución* necesaria para su vida económica vayan a dar al bolsillo del espectador, esto será siempre mediante rodeos y ficciones de que resulte que el que presencia una de estas representaciones nunca deja de ser un invitado; no es el público que trata al poeta y al actor con el imperio de un señor despótico.

El día 13 continúa el propio Alas, quien, además de repetir un párrafo de la anterior contestación, toca puntos importantes: la necesidad de prescindir de subvenciones estatales y, en cierto modo, la creación de un público no clasista al suprimir en el teatro todo tipo de numeración de asientos.

En el mismo número, contesta Fernández Villegas a la encuesta que le parece irrealizable el proyecto, pero caso de hacerse podría inaugurarse —sugiere— con algunas escenas de *La Celestina*.

El día 27 copa todo el espacio Valera. De su farragosa respuesta se deduce un increíble conformismo con la situación del teatro, que no sólo ve como boyante, sino que —según él— no tiene porqué envidiar la de otros países. Lo único que hace falta, a su entender, es que las empresas paguen sin tacañería[107]. Ningún interés tiene la continua-

---

(107) Valera envía, además, una carta para *El Correo de España*, de Buenos Aires, fechada en Madrid el 28 de agosto de 1896; en otras cartas suyas ataca este teatro. Véase, Luis López Jiménez, *El naturalismo en España*, ob. cit., p. 258. Conservó estas mismas ideas hasta su muerte; pueden verse: "Sobre la representación de la tragedia *Cleopatra*", *IEA* (22-I-1899); "Tres recientes representaciones teatrales", *IEA* (8-II-1898); "La Duda", *IEA* (15-II-1898).

ción de su respuesta inserta el día 3 de agosto, mucho más farragosa y dispersa, como él mismo acaba por reconocer.

El día 10 de agosto contestan Pardo Bazán y Antonio Vico. Doña Emilia vota en contra de este teatro, adoptando un tono doblemente moralista, no sólo contra la representación de obras clásicas, porque éstas contienen escenas escabrosas y versos difíciles (aprovecha para criticar el montaje de *El castigo sin venganza*, de Lope, hecho por la Guerrero), sino también contra los autores jóvenes que ya encuentran empresas que no rechazan sus obras, que Doña Emilia considera crudas:

> ... reciente está el triunfo de un drama crudamente popular, tachado de socialista y acogido y estrenado y representado innumerables noches en un teatro correctísimo, por el más tildado de nuestros actores.

El drama a que se refiere es *Juan José*. Nótese el tono de defensa de algo que se cree propio de su clase en lo de "teatro correctísimo". El actor es Vico, de cuyo regreso de provincias daba la noticia el mismo periódico unos días antes y que iba a representar precisamente *Juan José*.

La respuesta de Antonio Vico puso el dedo en otra llaga del teatro español de la época, al objetar que los actores importantes nunca se avendrían a representar ese tipo de teatro y, en consecuencia, al tener que hacerlo con actores secundarios, no daría resultado. El servilismo al primer actor seguía todavía completamente inatacado.

El 17 de agosto, Valera volvió a la carga, al parecer después de haber mediatado la propuesta de Clarín de hacer un teatro sencillo; por el contrario, él sostiene que nada de pobreza de medios, sino un lujoso edificio como el de Viena, una gran compañía sometida a su director; actores muy guapos, en especial las mujeres. Sus razones eran que

> La educación estética de un pueblo no se forma ni se mejora, sino se corrompe y se vicia, manifestándole lo feo, lo inelegante, lo canijo, lo estropeado, lo ruin y lo plebeyo de la figura humana.

Valera estaba desenterrando parte de los argumentos que en su día había esgrimido contra el naturalismo en la novela, para hacerlos extensibles al teatro. Parece ignorar completamente la renovación teatral europea y no le preocupaba mucho irse a las antípodas de la finalidad de la encuesta.

Como si Valera no quedara conforme aún, continuó el 24 de agosto sacando a relucir la dificultad de crear una junta para la elección de las obras, que no se cegara con lo extranjero, menospreciando lo propio:

> Yo aspiro a la perfecta conciliación de nuestra sociedad elegante y de nuestra literatura castiza.
> Conviene para ello que sea elegante el teatro cuando represente elegancias y que no se extralimite, ni propagando doctrinas antisociales, ni con sátiras personales y rudas, ni con demasiadas verduras y escabrosidades.

La solución es para él, que presida la junta una discreta dama; que, de cada cinco funciones, una sea de beneficencia; que los vocales tentan sueldo; que se renueve la junta cada dos años; que haya intermedios con bailes y jácaras; esmero en la indumentaria;

que no se distinga entre el género chico y otros tipos de teatro...

A don Juan Valera le importaba poco que en el mismo número hubiera no sólo información, sino incluso fotografías de la guerra cubana, si bien aún triunfalistas y patrioteras. Con esta colaboración quedó interrumpida la encuesta.

No fue publicada la contestación a la encuesta que envió Rafael Altamira; la recoge por ello, en 1898, al publicar su libro *De Historia y de Arte*, en el que recopila artículos y ensayos de los años anteriores[108]. Su respuesta no difiere sustancialmente de las ya comentadas. Cree conveniente la tentativa de un teatro *moderno o libre*, por varias razones: el arte, en su opinión, vive de la iniciativa individual y, en consecuencia, es necesario favorecer ésta. La representación de obras antiguas ayudará a deshacer errores. No todas las obras son para todos los públicos; lo experimental no interesa a la mayoría, pero sí a "minorías artísticas".
Altamira tiene en sus planteamientos las mismas limitaciones que otros encuestados, siendo tal vez lo más destacable su elitismo y su poca atención al arte moderno que supedita al magisterio del teatro clásico.

Conocemos la opinión de Galdós por una entrevista que publicó *Nuevo Mundo*. Para él, "Fundar un teatro libre en España parece impracticable... ilusorio".
Su respuesta no es mucho más lúcida que las de sus coétaneos; en aquellas fechas consideraba aún Galdós que

> tiene el teatro toda la libertad que necesita. Prescindiendo de que haya o no haya autor que necesite más libertades de las que hoy se le conceden, lo cual es posible que fuera pernicioso para el buen gusto y la moral, porque todo lo que no traspasa estos límites, por atrevido que sea, cabe perfectamente en el teatro de hoy.

Y un poco más adelante dice que la "primera condición que debe tener toda obra artística... (es) la belleza"[109].

La repercusión de la encuesta en otras publicaciones fue escasa y desalentadora. Orera y Alonso, mediada la encuesta, se muestra escéptico de que pueda cuajar el proyecto, debido al "provincianismo" madrileño; faltan instrucción y energía: "no olviden los patrocinadores del teatro libre que es prematuro en España el intento literario que rebase la esfera imaginaria"[110]. Gómez de Baquero insiste en el viejo argumento de que es necesario que no choque con la moralidad; no lo ve viable más que en círculos muy reducidos e insiste en la necesidad de comenzar reformando al público[111]. Para A. Sánchez Pérez, en fin, todo quedará en humo de pajas: "poco antes de empezar las campañas teatrales parecía en los años anteriores *aquello* del *teatro nacional*, el tema obligado de los críticos más conspícuos y autorizados. Esta vez han creído sin duda más conveniente y saludable dar un saltito del *teatro nacional* al *teatro libre*, institución ya envejecida y casi desacreditada en el extranjero, que nada práctico y provechoso traería al teatro

(108) Rafael Altamira, *De Historia y de Arte*, ob. cit., "Teatro Libre ", pp. 315-318.

(109) E. Contreras Camargo, "Pérez Galdós", *Nuevo Mundo* (6-VIII-1896).

(110) Alonso y Orera, "El teatro libre", *La Ilustración Ibérica* (8-VIII-1896).

(111) Gómez de Baquero, "Crónica literaria", *EM*, XCII (agosto 1896), pp. 113-118.

español, y sí acaso aumentos del desbarajuste anárquico que hoy le aflije[112].

Como lejana respuesta, si bien muy elaborada, "Palmerín de la Oliva" (Ruiz Contreras) publicó dos años más tarde en la *Revista Contemporánea* y con el mismo título con que se iniciara la encuesta de *El Imparcial*, un extenso artículo que es una excelente respuesta, sobre todo, al triunfalismo de Valera:

> Dice bien don Juan Valera: todos los teatros de España son *Libres*. Muy libres: no tienen atadero.
> Cada uno dispone lo que le place, y no hay leyes ni justicia que valgan. El telón es la puerta de otro mundo[113].

Para demostrarlo, nada mejor que presentar al lector una cuidada estadística de la producción escénica de la temporada 1897-98, en los dos teatros principales de Madrid, el *Español* y la *Princesa*. Los resultados son desoladores: en toda la temporada sólo se han estrenado siete obras nuevas originales. Rechaza tanto a quienes proponen como remedio el teatro nacional oficial que "reducen sus propósitos a establecer algunas canonjías para cómicos y dramaturgos viejos, y de las cuales se aprovecharían muchos que no son viejos, ni dramaturgos, ni cómicos como a los que hablan del *teatro libre* (que) descuidan el verdadero *teatro* para ocuparse de imaginaciones tan inverosímiles como estériles".

Sus sugerencias acerca de lo que debía hacerse, sin embargo, acaban en un sistema más, proponiendo una comisión formada por diez críticos o representantes de los principales diarios y revistas, que formarían el programa con obras extranjeras, españolas clásicas y nuevas, a partes iguales.

Acaso lo más nuevo es que esta comisión deberá presentar una memoria dando cuenta de todos los manuscritos presentados y "los motivos que determinaron sus preferencias", como forma de evitar arbitrariedades.

Volvió a resucitar el tema del *teatro libre* la revista *Vida Nueva*, en 1899, con voluntad expresa de enlazar con la encuesta de *El Imparcial*. El *teatro libre* que defiende es el proyecto de *Teatro Artístico* que alentaban Benavente y Valle-Inclán, que estudio con detalle más adelante. En esta ocasión la información es mayor y comienza por la reproducción de un artículo del propio Antoine[114]. Sin embargo, tampoco esta vez la encuesta tuvo una continuidad suficiente; solamente en el número anterior aparece el "manifiesto" benaventino de su grupo[115]. Baste por el momento con su mención. Se trataba de hacer un teatro similar al de los modernistas catalanes.

La compañía de Antoine dio dos funciones en el teatro de la *Zarzuela* a su paso hacia Lisboa, donde iban a embarcarse para América en 1904.

(112) A. Sánchez Pérez, "Teatros", *IEA* (15-X-1896).

(113) Palmerín de la Oliva (Ruiz Contreras), "Teatro ¿libre?", *RC*, CX (junio 1898), pp. 532-542; lo publica también en *Revista Artística*, 79 (7-VIII-1898).

(114) "Teatro Libre", *VN* (15-I-1899).

(115) Jacinto Benavente, "Teatro Artístico", *VN* (8-I-1899); en el número 72 (15-X-1899), reproducen una carta de Vicente Colorado, aparecida en *La España Artística*, donde se defiende que la culpa del atraso la tienen "la inmoralidad y el caciquismo literarios" ejercidos por los directores de escena, que, además, son actores y empresarios, y por los críticos.

En su libro *Pasados por agua*, Luis Morote incluye una detallada relación de su actuación, de la que deducimos que ni aun para esas fechas se había logrado aclarar que *Teatro Libre* no era sinónimo de teatro pornográfico. De hecho, el primer día acudió al teatro el "todo Madrid", protestando al final, decepcionado y confundido por el falso reclamo. Morote acusa a estos espectadores de ineptos por su insensibilidad. La segunda noche hubo en el teatro grandes claros[116]. La cuestión de *teatro libre* ocupó entonces otra vez las páginas de los periódicos, a raíz de algunos artículos de Dicenta, pero sin mayores resultados que en las ocasiones anteriores[117].

En definitiva, pues, parecía que cualquier intento teatral de renovación artística en Madrid estaba abocado al fracaso. Ni siquiera la crítica teatral era capaz de entenderlo suficientemente. Todavía por entonces, incluso los críticos más informados eran incapaces de entender la experimentación teatral desde la perspectiva solamente estética y basaban su apoyo o sus objeciones en argumentos relacionados con la moral. Nada tenía pues de extraño que el público, obviamente menos informado, acudiera a estas representaciones pensando que se trataba de un teatro pornográfico.

El acercamiento de los novelistas al teatro supuso, con todo, la ruptura de algunos de sus convencionalsmos y la toma de conciencia de la necesidad de un cambio estético[118].

(116) Luis Morote, *Pasados por agua*, Valencia, Sempere, s. f.; prólogo de Blasco Ibáñez firmado en junio de 1904; pp. 121-134.

(117) A. Sánchez Pérez, "El teatro libre", *Los Cómicos*, 17 (31-III-1904), vuelve a ironizar: "eso del *Teatro Libre* debía entenderse como un a modo de establecimiento de lactancia de autores primerizos, en el cual se admitiese todo, absolutamente todo, cuanto a los muchachos que fuesen para genios se les antojase dar a luz."

(118) Urbano González Serrano, "El teatro y la novela. Echegaray y Galdós", en *La Literatura del día (1900-1903)*, Barcelona, Imprenta de Heinrich y Compañía, 1903, juzga adecuadamente el valor resulsivo de esta presencia de los novelistas en el teatro, llevando a éste su gran deseo de abarcar la sociedad en su total extensión.

V

SOCIALISTAS Y ANARQUISTAS ANTE EL TEATRO

I. ANARQUISMO Y TEATRO

Las teorías anarquistas parten de una creencia total en el racionalismo para comprender la realidad, y en el poder de la acción humana, movida por un ideal, para transformarla. Se inserta así el anarquismo en la fase final del proceso de racionalización y secularización, que, iniciado en la Edad Media, culmina en la Ilustración.

Para ellos, la razón humana, se expresa a través de la ciencia y la cultura, únicas vías adecuadas para un conocimiento verdadero y cuyos avances llevan a una progresiva perfección del hombre[1].
Esta concepción unitaria explica el carácter globalizador de sus publicaciones, claramente expresado en sus subtítulos y en la abundancia de artículos dedicados a traducciones y vulgarización de todo tipo de temas. Como escribe Alvarez Junco:

> La fe en el poder revolucionario de la ciencia, la razón y la cultura, unida a la creencia en la maleabilidad de la naturaleza humana, explica el inmenso esfuerzo del anarquismo español por difundir en el país las innovaciones intelectuales y científicas de la Europa de fines del XIX. La preocupación por la instrucción popular era, por otra parte, una vieja tradición socialista, heredada a su vez del radicalismo democrático-liberal, y, en un sentido más amplio, de toda una tradición intelectual de Occidente que, iniciada remotamente en Sócrates, ha identificado la ignorancia con el mal y el saber con la virtud y la liberación[...]
> Paralelamente, los anarquistas suelen constatar el monopolio que las clases dominantes ejercen sobre la cultura en la sociedad actual y sus esfuerzos por conservarlo —como uno de los instrumentos fundamentales del privilegio— frente a las pretensiones de elevación cultural del proletariado[2].

(1) José Alvarez Junco, *La ideología política del anarquismo español (1868-1910)*, Madrid, S. XXI, 1976. Interesa especialmente el cap. III de la primera parte, "La fe en la razón, la ciencia y la cultura", pp. 65-92; cap. VI, "Armonía, espontaneísmo y solidaridad frente a las concepciones pesimistas", pp. 139-170. Resumo en buena parte sus conclusiones, derivadas de un exhaustivo análisis de documentos.

(2) *Ibíd.*, p. 72.

Es lo que hace que, más que para ningún otro grupo, la cultura haya tenido un valor fundamental, originando siempre una intensa actividad en este sentido y siendo uno de los móviles más importantes, que llevarán a muchos *intelectuales* a simpatizar con estos movimientos. No debe confundirse nunca, con todo, el "anarquismo literario" con el "anarquismo militante"[3]. En lo literario —aspecto que nos interesa ahora—, su labor fue enorme; eran conscientes del valor de la pluma como arma:

> Cualquier autor que de algún modo propagase una visión racionalista del mundo, pusiese en la picota algún "prejuicio" o contribuyese a elevar el nivel cultural de la masa trabajadora, merecía ser difundido, pues, en definitiva, acabaría por servir a la causa de la toma de conciencia popular acerca de la maldad e irracionalidad de las instituciones existentes.
>
> En la amplitud de la selección de autores e incluso de campos, los anarquistas se alejaron así radicalmente de la rigidez doctrinaria marxista, que limitó la actividad editorial a autores políticos y, dentro de éstos, a los de más estricta ortodoxia. Sólo se requería que fuesen radicales y fácilmente asimilables[4].

El "cóctel ideológico" —por utilizar la expresión de Alvarez Junco— abarca desde teóricos, como H. George, Bakunin, Grave, Marx y Kropotkin —éste sobre todo—, a científicos como Reclús, Büchner, Haekel, Darwin o literatos: Ibsen, Tolstoi, Zola, Mirbeau, Gorki... El conocimiento que de todos ellos se tuvo en España aparece lleno de lagunas, si no tenemos en cuenta la actividad editorial anarquista en estos años.

De forma sumaria, los caracteres fundamentales del concepto de arte revolucionario[5] que ellos manejaban eran los siguientes:

1.— El arte ha de tener un *ideal*, lo cual implica un rechazo del concepto burgués de "el arte por el arte", que hace del artista un ser aparte que no se mezcla con lo prosaico y vulgar de la vida cotidiana[6].

(3) Sobre el afán pedagógico ya en el comienzo del movimiento anarquista, véase, Clara E. Lida, "Educación anarquista en la España del Ochocientos", *ROcc.*, 97 (abril 1977); los testimonios son innumerables; podemos sintetizar este afán en unas frases citadas por la autora a que remito: "Dadme un punto de apoyo, la instrucción y la asociación, y con la palanca de la solidaridad transformaremos el edificio social." Texto citado en p. 41.
Sobre la implantación del término "intelectual", E. Inman Fox, "El año de 1898 y el origen de los intelectuales", en *La crisis intelectual del 98*, Madrid, Edicusa, 1976, pp. 9-16.
Clara E. Lida ha perfilado adecuadamente la distinción entre "literatura obrerista" y "anarquismo literario" en "Literatura anarquista y anarquistas literarios", *NRFH*, XIX (1970), pp. 260-281.
De los escritores jóvenes tuvo devaneos anarquistas sobre todo Martínez Ruiz; véanse, C. Blanco Aguinaga, "Los primeros libros de Azorín", en *Juventud del 98*, Barcelona, Grijalbo, 1979; E. Inman Fox, "José Martínez Ruiz (estudio sobre el anarquismo del futuro Azorín)", en el libro ya citado, pp. 31-49; R. Pérez de la Dehesa, "Azorín y Pi y Margall", *ROcc.*, 78 (septiembre 1968), pp. 353-362. Les interesó cada vez más lo individualista, autores como Nietzsche o Stirner, pronto refutados por los anarquistas militantes. Véanse, R. Pérez de la Dehesa, "Nietzsche y el anarquismo español", en su edición de *La evolución de la filosofía en España*, ob. cit., pp. 37-40. Gonzalo Sobejano, *Nietzsche en España*, Madrid, Gredos, 1968.

(4) Clara E. Lida, *art. cit.*, p. 77.

(5) Véanse con más detalle estos rasgos en Alvarez Junco, *ob. cit.*, pp. 79 y ss.

(6) Para los anarquistas existía compatibilidad entre "realismo" e "ideal"; su "realismo" se basa en que la literatura debe tratar temas de la vida cotidiana; en cuanto al "ideal" se refieren a la voluntad de transformar y mejorar esta realidad que debe mover al escritor al coger la pluma; de otro modo el literato no será nunca más que literato, nunca *artista* según entienden ellos.
Hay que insertarlo en la polémica mucho más amplia que llena todo el siglo XIX del realismo/idealismo.

2.– El arte es un fenómeno más social que individual y, por consiguiente, el *arte nuevo* ha de expresar las tendencias y aspiraciones de la sociedad contemporánea.

3.– El arte ha de ser expresión de la "vida". Frente al arte antiguo y al arte oficial actual, mecánico y sumiso, será la expresión de la vida fuerte, exuberante[7].

4.– El arte es la expresión de la libertad y de la rebeldía, no sólo por el ideal revolucionario de que pueda ser portador, sino por su esencia misma, por su modo de producirse y el impulso que lo empuja, ya que la libertad es uno de los corolarios de la vida.

5.– El arte ha de ser, por último, "realista"; que esté conectado en sus temas con la realidad social de la que surge, que sus temas sean populares, vividos por todos y no llenos de personajes nobles; que el tratamiento sea *real, auténtico, científico*. Bajo el prisma de este último adjetivo se comprende su tendencia a utilizar técnicas naturalistas, dándole –o intentándolo al menos– un aire de documento.

Varios de estos puntos entraban en conflicto con otras concepciones del arte existentes. Cuando el racionalismo estaba siendo puesto en entredicho, el anarquismo hacía profesión de fe del mismo. Pero, de otro lado, otros escritores se sentían atraídos por su rebeldía, su individualismo y su populismo.
Supeditaron su consideración del teatro a estas ideas más generales, quedándose en un elemental "realismo" que sacrificaba todo otro planteamiento a este carácter utilitario y pedagógico del arte.

LAS PUBLICACIONES ANARQUISTAS ANTE EL HECHO TEATRAL

Las primeras publicaciones anarquistas no dedican espacio –o muy poco– a cuestiones teatrales. Preocupados más por difundir textos teóricos y organizativos, la función social del arte aún no se plantea. Después, paulatinamente, irá cobrando más importancia.

Un primer artículo de interés es el que inserta la *Revista Social* con el título de "La cuestión social en el teatro"[8]. En él, con la elasticidad de criterios que caracteriza a estas publicaciones, se defiende la dimensión ideológica de crítica social de los dramaturgos Ayala y Echegaray:

La poesía dramática, humanizándose con Ayala en *El tanto por ciento*, y muy

---

(7) Unamuno, en una de sus colaboraciones en *RB*, 1 (1898), escribe: "el fin último e ideal, y como tal inasequible, es la identificación de lo natural y lo artístico [...]; por mediación del hombre, la naturaleza camina al arte y éste a aquélla; el arte se hace naturaleza humana, nuestra, interior, médula de nuestro espíritu, naturaleza en nosotros, espontaneizándose lo reflejo; y a la vez la naturaleza se hace por nosotros arte, lo espontáneo se refleja en ella. La suprema obra artística del hombre es el mundo mismo; su vida debe ser la suprema realización de la belleza".

(8) *Revista Social (eco del proletariado)*, 141 (14-II-1884).

especialmente con Echegaray en *O locura o santidad*, ha dado gran resonancia a la cuestión social en el teatro, y puesto de manifiesto llagas y podedumbres horribles que corroen las entrañas de los actuales organismos.

Ayala, diciendo

> Una cosa es la amistad
> y el negocio es otra cosa,

significa del modo más naturalista posible que hoy no hay otro móvil en la clase media, que tan gráficamente retrata en el citado drama, que la utilidad, el tanto por ciento, el negocio.

[...] Los sentimientos de honor, de religión, de moral, de amistad, de familia, de amor, de que se hace tanto alarde, son letra muerta ante la posibilidad del lucro.

Todo cede ante el interés individual. El cálculo y la codicia son los únicos resortes morales que mueven esta socidad egoísta y miserable.

No sólo la prensa burguesa progresista, pues, veía en el teatro de Echegaray e incluso en el de Ayala, una dimensión de ruptura ideológica, sino también estos nuevos grupos sociales. Sellés en *El nudo gordiano*, Cano en *La Pasionaria*, Pleguezuelo en *Mártires o delincuentes*, le merecen los mejores plácemes al anónimo articulista por la crítica que hacen de la familia burguesa y sus falsedades.

Es una crítica tan moralizante —desde su concepto de moral racional— como eran las críticas de los gacetilleros conservadores; se utiliza la equívoca imagen del arte como espejo de la sociedad:

> El teatro ha sido considerado siempre como el espejo de las costumbres y de la moral de los pueblos, y en ello convenimos; pero nunca lo será con más exactitud que cuando del mundo real tome, como los autores citados, sus personajes, las pasiones que los mueven, los medios de que se valen para conseguir sus fines, que evidencien de un modo tangible la moralidad o inmoralidad de estos.

Los dramaturgos que denuncien las lacras sociales son los hombres del porvenir, como lo son los anarquistas, dice. Estas publicaciones tienen la misma orientación de denuncia social que las naturalistas; hay una coincidencia en sus planteamientos positivistas y cientifistas[9].

No se encuentran apenas referencias a actividad teatral obrera; tan sólo la noticia de que como conmemoración de la Comuna se ha celebrado una velada artístico-literaria" en el Teatro *Ribas*, de Barcelona, representándose el drama en un acto de D. Pedro Marquina, *El Arcediano de San Gil*; figura también, entre los diversos actos del programa,

---

(9) Es habitual encontrar, en el escaso espacio dedicado a la literatura, abundantes elogios de Zola: *Acracia*, 8 (agosto 1886), Hope, "Excursiones literarias", se deleita con Zola y Daudet por su realismo al pintar las costumbres; sigue en 9 y 10, comentando en éste su novela *El vientre de París*. Ya en el número 1 (enero 1886), recomendaba la lectura de *Germinal*; 15 (marzo 1887) reseña la fortuna de *Los Rougon Macquart*...
En *IL*, 43 (23-II-1895), de Emilio Zola se publica "La sociedad del porvenir"; *RB*, 2 (15-VII-1898), del mismo Zola, "Naturalismo"; n.º 9 (1-XI-1898), un artículo con grabado donde se sostiene que Zola representa una aspiración altamente humanitaria; encarna el espíritu nuevo, un espíritu que no ha reinado aún, que se sacrifica por un ideal de justicia como el que se sacrificaba por la patria y por la honra (p. 254).

la recitación del poema *La revolució* cuyo texto reproduce[10].

En conjunto, la producción de creación literaria es muy escasa; se reduce a la celebración de algunos certámenes[11], la publicación esporádica de relatos[12], algún que otro poema o himno[13] y los primeros libros socialistas-anarquistas; destaca *A los hijos del pueblo (versos socialistas)*, de F. Salazar y T. Camacho, con prólogo de Ernesto Alvarez y epílogo de Alejandro Sawa[14].

De este libro, aparece una reseña en *Bandera Social*, que para nosotros tiene interés al situarlo en el mismo nivel de crítica social que los dramas de Cano, Sellés y Echegaray:

> Cano, en *La Pasionaria*, Sellés, en *El nudo gordiano*, Echegaray, en *Locura y Santidad* (sic), habían dibujado los primeros esbozos de esta poesía innovadora; pero los amigos Camacho y Salazar han iniciado la era nueva de una poesía que, hay que decirlo con franqueza y llamarla por su nombre, es decididamente revolucionaria[15].

La carta-epílogo de Sawa les parece una "joya literaria y revolucionaria". Antes, pues, de 1890 existe una relación entre el anarquismo y la después llamada "gente nueva", entre anarquismo y naturalismo social. La novela *Crimen legal*, de Alejandro Sawa, "serie de fotografías perfectamente delineadas", es reseñada elogiosamente en *Bandera Social* por su dimensión revolucionaria:

> ¡Quién sabe! El naturalismo, si es verdadero, puede ser para la Revolución que viene, eminentemente social, lo que la Enciclopedia fue para aquella revolución política que pasó y, por tanto, ya pertenece a las cosas que en el mundo han sido[16].

Hay que laborar mucho para moralizar la sociedad, como dice López Bago en el epílogo. El columnista les anima a seguir en ese camino, antes de pasar a resumir el argumento y aconsejar la lectura de la novela como muy provechosa[17].

---

(10) *Acracia*, suplemento n.º 5 (mayo 1886?).

(11) *Bandera Social*, números 62-65, publica las obras premiadas en uno de ellos; *Revista Social*, 26 (9-VII-1885), noticias de la celebración del certamen socialista celebrado en Reus.

(12) Destacable: "Esbozos sociales: Ellos", diálogo de crítica social, *Revista Social*, 1 (11-VI-1881); o el folletín de Serrano y Oteiza, "El pecado de Caín", en esta misma revista y a partir de este número.

(13) *Revista Social*, 100, himno obrero; *Bandera Social*, 61 (1886), "Las revoluciones", del Sr. Ruiz Martínez.

(14) Francisco Salazar y Tomás Camacho, *A los hijos del pueblo. Versos socialistas*, Madrid, 1885; Alejandor Sawa, "Una carta", pp. 90-95.

(15) *Bandera Social*, 75 (27-VIII-1886).

(16) *Bandera Social*, 67 (24-VI-1886).

(17) En las páginas referentes a la "gente nueva" trato con detenimiento todo esto; sobre Sawa debe verse la puntual biografía de Allen Phillips, *Alejandro Sawa, mito y realidad*, Madrid, Turner, 1976; para estos años, pp. 40-60.
López Bago colabora años más tarde en publicaciones anarquistas. Así, un fragmento de *Carne de nobles* en *IL*, 50 (11-IV-1895). A Alejandro Sawa se le guarda afecto todavía años después; Francisco

En la década de 1890 a 1900 alcanzaron un desarrollo mucho mayor las publicaciones anarquistas y también su labor teatral, que analizo en las páginas que siguen en dos apartados: de un lado, la crítica del teatro burgués, de otro, sus propuestas teóricas y sus dramas.

CRITICA DEL TEATRO BURGUES

El conocimiento de los nuevos cauces por los que discurría la dramaturgia europea en aquellos años y la elaboración de unos principios ideológicos, cada vez más coherentes y de clase, hizo que pronto apareciera una crítica mucho más certera del teatro burgués.

Ya no será suficiente que el dramaturgo encartado haga una crítica de la sociedad que muestra en sus obras, de su "moral"[18], sino que se le exige que proponga unas nuevas formas de conducta más justas, que lleve a la escena personajes portadores de las ideas que deben estructurar la sociedad del futuro y que sean rebeldes contra los convencionalismos de la sociedad presente, aspectos todos ellos que he aclarado al estudiar la llegada de Ibsen y los dramaturgos nórdicos a España[19].

Los artistas han de tener fe en el arte, luchar por el ideal sin aceptar imposiciones ajenas a ellos[20]. En este contexto hay que leer las colaboraciones de escritores como Unamuno, "La juventud intelectual española", en que defiende que nuestra juventud debe ser "metarritmizada"; necesita

> una sacudida de las más íntimas y entrañables palpitaciones de su ser. Ni reforma ni revolución bastan. Necesita la conciencia colectiva de nuestro pueblo una crisis que produzca lo que en psicología patológica se llama cambio de personalidad; un derrumbarse el viejo "yo" para que se alce sobre las ruinas y nutrido de ellas el "yo" nuevo sobre la base de continuidad de las funciones sociales puramente fisiológicas[21].

Maceín le dedica un artículo, "Bohemios españoles: Alejandro Sawa", RB, 14 (febrero 1899), donde escribe: "Pocos hay aquí, entre la gente nueva, que igualen al autor de Noche, ni mucho menos que le superen. Clarín, Dicenta, Verdes Montenegro, Blasco Ibáñez, Benavente y Bark, son los que rivalizan con él, entre el elemento joven. Su extraña susceptibilidad le impide compenetrarse con el vulgo. De ahí que no goce de la popularidad de Dicenta, Blasco Ibáñez y Clarín." (p. 399) "Fustiga con dureza cruel los vicios sociales y tiene por eso cerradas las columnas de los diarios; satírico como Larra, le falta ambiente, no sabe donde volver los ojos, para la realización de sus ideales." (p. 400)

(18) Así, el teatro de Dumas es criticado porque su moralidad fue más la de un malabarista que la de un verdadero crítico de la sociedad: "Revista de revistas", por J. B. (Jaime Brossa?), Ciencia Social, 7 (abril 1896).

(19) Baste recordar artículos ya citados como "El anarquismo en el teatro", IL, 107 (15-V-1896) y "Teatro revolucionario", IL, 108 (22-V-1896).

(20) E. V., "La inmoralidad del arte", Ciencia Social, 2 (noviembre 1895); J. Verdes Montenegro, "El anarquismo en el arte", Ciencia Social, 8 (mayo 1896); Pí y Margall, "El Arte", IL, 35 (9-XII-1894), sostiene que debe hacerse eco de las desgracias de los oprimidos y mostrarles el camino de la liberación; Soledad Gustavo, "La influencia del arte en la moral", RB, 2 (15-VII-1898); "Artista hombre", RB, 9 (1-XI-1898).

(21) Unamuno, "La juventud intelectual española", Ciencia Social, 7 (abril 1896), p. 209; también, "La crisis del patriotismo", Ciencia Social, 6 (marzo 1896). O las colaboraciones de Martínez Ruiz o Burell en La Idea Libre...

Les llevará esto a rechazar todo tipo de producción literaria que huela a decadentismo:

> muchos jóvenes mantienen dentro de su alma el estado enfermizo y la predisposición a lo maravilloso que fue la distintiva del grupo enamorado de exotismos geográficos y morales. (Pero) lo que hoy nos mueve es un gran deseo de verdad, de justicia, de arte supremo. Desdeñamos las pacotillas de la literatura de superficie; las palabrerías brillantes, los huecos párrafos y los "preciosismos" de los que hicieron aristocracia con las letras y creyeron ser exquisitos porque fueron indescifrables.
>
> Producto de una *juventud joven*, la reciente literatura tiende a ser clara, substanciosa, serena, atrevida en las concepciones e inspirada en grandes ideales de generosidad.
>
> [...] El modernismo que consiste en resucitar lo viejo y la revolución que predican el individualismo y la indiferencia social, son simples flores de incongruencia[22].

Cultivar esta literatura es engañar al público en lugar de educarlo; el arte en general, no debe ser un producto que se base en la especulación:

> Explotar al público no es guiarlo; satisfacer sus pasiones o sancionar sus ideas, no es mejorarlas; y nosotros entendemos que se ha de enseñar con el periódico, con el libro, con el drama y con todas las obras que interesan al corazón del pueblo y a sus ideas[23].

Mientras el teatro no se oriente en este sentido, se haga pedagógico, no se librará de su decadencia. El teatro español peca de comidillas y sus temas no son los de la vida moderna, no son verdaderos, con lo cual no pueden ser bellos[24].

En general, no se siguen al día los estrenos, sino que se hacen críticas sólo de las obras más salientes. Unicamente en la *Revista Blanca* aparecen críticas con cierta continuidad. Se ataca en ellas obras tradicionales como *Don Juan Tenorio*, de la que se dice que si se le quita la melodía del verso no queda nada y que el que guste tal obra va en perjuicio de la inteligencia y de los sentimientos[25].
Son duras las críticas de obras teatrales como *La Vida bohemia, El amigo de las mujeres*[26], *La enamorada*, de Marco Praga[27], *Quo Vadis?*[28] o *La Maya*, de Leopoldo Cano[29]. Federico

(22) Manuel Ugarte, "Literatura de droguería", *Natura*, 48 (15-IX-1905); se rechaza, pues, completamente todo arte evasivo; es un nada velado ataque a todos los movimientos culturales de este tipo. Véanse también, Unamuno, "Literatismo", *RB*, 1 (1-VII-1898), y más duro aún, Julio Camba, "Crítica literaria", *RB*, 120 (1903), pp. 748-750.

(23) *RB*, 1 (1-VII-1898), p. 1.

(24) Federico Urales, "Algo de arte", *RB*, 7 (1-X-1898); también, F. Urales, "De la belleza", *RB*, 22 (25-V-1899); F. Urales, "¿Qué es el arte?", *RB*, 40 (15-II-1899).

(25) F. Urales, "Don Juan Tenorio", *RB*, 10 (15-XI-1898); su anatema alcanza también a *El Burlador de Sevilla*, que, para él, está "muy por debajo de nuestros bandidos andaluces" y es "inmoral".

(26) *RB*, 32 (15-X-1898), pp. 219-221.

(27) *RB*, 33 (1-XI-1898).

Urales hace una crítica muy negativa de *El leoncillo*, de Cavestany, que, en lugar de hacer llorar, hace reir[30]; ingenua y poco teatral le parece *El pastor*, de Eduardo Marquina[31]. Angel Cunillera no ve en el teatro de Echegaray ya ninguna posibilidad; refiriéndose a *Malas herencias*, dice:

> El último drama del Sr. Echegaray, es pobre, triste, muy pobre, muy triste; no por su fin trágico; sino porque en él no hay nobles sentimientos, ni rayos de luz, ni caracteres generosos[32].

Ya no cabe la confusión al juzgar las obras de Sellés, cuya obra *La mujer de Loth* es criticada acremente por su idea "débil" y "vieja", "parece haber sido escrita para hacer epigramas y espetar pensamientos", todo se supedita a este propósito, resultando la construcción de la obra "defectuosísima", con un final efectista e irreal[33].

Otros dramaturgos "burgueses" les merecen más consideración, como es el caso de Dicenta, de quien generalmente sólo emiten elogios[34]; en sus obras se ve el camino hacia el drama social, aunque se le ponen reparos:

> Decididamente el mundo marcha. *Aurora*, observada desde el punto de vista de mis ideas socialistas, es superior a *Juan José*; dramática y artísticamente juzgada, le es bastante inferior. Sin embargo, la crítica que podríamos llamar burguesa, celebra con menos rodeos el estreno de *Aurora* que antaño celebró el de *Juan José*.
> [...] Como obra literaria, *Aurora* es brava, ruda, vibrante, naturalista. Como obra revolucionaria, es de lo más valiente y atrevido que se ha escrito para el teatro español. Como obra dramática, su construcción es anticuada, según demuestran las siguientes señas particulares: monólogos, discursos, intervención de cartas, visitas de amigos, medios artísticos y dramáticos en desuso entre los dramaturgos extranjeros que buscan la realidad y la imitan lo más que pueden. Los caracteres está bastante mal definidos; la obra parece escrita deprisa...[35].

Las obras teatrales de Galdós no son unánimemente aceptadas; depende del radicalismo de la publicación. Para los que escriben el número único de *Teatro Social*, Ignasi Iglesias y Brossa entre ellos, es uno más de los autores burgueses que escribe obras de teatro social por moda:

> Hace algún tiempo que aumentan los autores españoles que escriben para el teatro tratando de los problemas sociales; pero la generalidad de estos señores, sea que les venga muy ancho tener nociones de justicia y de lógica, que sea

(28) *RB*, 51 (1-VIII-1900), critica su falta de ideales.

(29) "El arte dramático", *RB*, 83, p. 339.

(30) *RB*, 84.

(31) *RB*, 90.

(32) *RB*, 107; número 111, referida a *Caridad*, igualmente muy negativa.

(33) *RB*, 109.

(34) Para lo referente a *Juan José*, véase el apartado sobre la cuestión social en el teatro.

(35) *RB*, 106.

sólo intenten probar fortuna explotando ideas ajenas que, por lo visto, jamás comprenderán, sea que les atemorice la idea de que el pueblo un día pueda asegurarse y hacerse respetar sus derechos a todo, convencido de que eso es incumbencia suya y no de un dios y representantes de éste; sea en fin, lo que fuera, lo cierto es que sus obras dramáticas, más que el producto de inteligencias firmes y equilibradas, parecen la incoherente expresión de un grupo de degenerados. Véanse si no, *El mundo que nace*, de Itúrbide; *Teresa*, de Clarín; *Los Condenados*, de Galdós; *La festa del blat*, de Guimerà, y léase el argumento de *Los domadores*, de Sellés[36].

La *Revista Blanca* es más condescendiente, pero no por ello menos crítica. El artículo dedicado a *Alma y Vida* considera que los dos primeros actos son "una maravilla", pero los otros dos muy malos[37]; con *Mariucha* es mucho más severo el gacetillero: no acepta el planteamiento galdosiano, la califica como "detestable", "artísticamente un adefesio", porque

> El contenido social de *Mariucha* no puede ocurrir, y además de no poder ocurrir, no interesa, porque está antiartísticamente presentado.
> [...] Nadie se regenera convirtiéndose de parásito de la sociedad en explotador de la misma. Galdós asienta la tesis de que los nobles son a manera de parásitos del cuerpo social; pero presenta como tipo del hombre moral y regenerado a dos ridículos comerciantes que negocian con el sudor ajeno[38].

Las críticas dedicadas a Benavente son acaso el mejor ejemplo para mostrar el paso de la creencia en una dramaturgia, por su crítica social, a un rechazo por desencanto al descubrir que la crítica efectuada es más aparente que real. En Galdós ocurría algo parecido. Puede depender, en parte, del crítico. En ocasiones, se compara a los dos dramaturgos:

> Benavente, con Galdós, son los dos temperamentos machos del arte escénico[39].

Le defienden contra otros críticos, resaltando el avance que supone respecto a Echegaray. La crítica de *Sacrificios* es muy positiva:

> Como estudio psicológico, *Sacrificios*, es de lo mejor que se ha escrito en España. Benavente, para hacer representable su creación, ha tenido que sujetar lo natural a los convencionalismos de la clase media, a pesar de que, privadamente, esta clase deja en pañales a las escenas más reales del arte dramático[40].

Si no alcanza más éxito, la culpa es del público. Tiempo más tarde, cuando se estre-

(36) "Nuevas", *Teatro Social*, 1 (23-V-1896), p. 4.

(37) Uno del público, "Alma y Vida", *RB*, 93 (1902), pp. 662-664.

(38) Angel Cunillera, "Crónicas teatrales", *RB*, 130; no he podido ver la crítica que hicieron de *Electra* pues apareció en *Tierra y Libertad: Suplemento a la R. B.*, 91, que falta en la colección que he manejado de la revista.

(39) Luis de Lara, "Teatros", *RB*, 10.

(40) *RB*, 89 (1-III-1902); véase también la reseña a *Libertad*, de Rusiñol, traducida por Benavente, en *RB*, 91 (1-IV-1902). De *Alma triunfante, RB*, 108.

nen obras como *La noche del sábado*, se mostrarán en total desacuerdo:

> Al hombre que por amor macho rompe toda la Ley moral y social, se le puede dispensar de su exuberancia de vida, y el amor ni la belleza nada pierde en ello; pero no puede tolerarse, sin grave daño del arte y del público, que el arte teatral sirva para exhibir confusamente aberraciones sexuales que mañana pueden presentarse con mayor claridad para mal del género humano. Repito que la crítica debía a ver (sic) dado la voz de alerta o de alarma para pasar a tiempo las debilidades que se dibujan en la mayor parte de las obras de Benavente, y que en *La noche del sábado* llegan a un extremo vergonzoso[41].

Benavente pasa a ser así considerado como un decadente "modernista" y se le equipara al "crapuloso" Wilde; se critica su frialdad, su falta de sentimiento.

TEORIA DRAMATICA

La reflexión teórica más completa es el artículo anónimo "El teatro y su fin", incluido en *Teatro Social*. Parte de la clásica premisa de que el teatro debe "enseñar y hacer gozar a la vez". Repasando la historia del teatro español se encuentran con que esto no se ha llevado a cabo sino en ocasiones:

> Estúdiese el teatro antiguo español y se reconocerán los propios rasgos característicos del de la mayor parte de los autores de nuestros días: el honor conyugal; amores inocentes sostenidos entre colegialas y amantes de esos que igual cautivan el corazón de una joven, como pelean bizarrramente en defensa de su patria; las cartas extraviadas, los muertos resucitados y los criados ingeniosos, o, por el contrario necios y comprometedores, son entre otros a cual más gastados, los recursos de que, a falta de originalidad propia, se han servido las *eminencias* que han cultivado nuestro teatro[42].

Han faltado y faltan dramaturgos que rompan con esas convenciones, apoyados por la inercia del público que sólo busca diversión. Habrá que educar al público logrando que tome conciencia de la finalidad del teatro:

> Sépase de una vez: lo que nos encamine al teatro ha de ser este sublime objetivo: "aprender gozando".
> O sea, fácil y ligero esfuerzo intelectual para percibir, para saborear ciencia y estética a un tiempo.
> Si somos tan entusiastas del teatro es porque, además de ser general la afición al mismo en todas partes, en muchos casos supera al libro; en este podemos estudiar una idea, no verla encarnada; podremos leer un hecho cualquiera, no presenciarle.
> [...] Además , el teatro, entre otras cosas, enseña historia y saca provechosas

(41) *RB*, 115 (1-IV-1903), p. 605.

(42) "El teatro y su fin", *Teatro Social*, 1 (23-V-1896).

enseñanzas de ella; el teatro puede ser filosófico, científico, sociológico, pasional, de costumbres antiguas y contemporáneas, etc. Todo cabe en el teatro[43].

Ellos defienden un teatro sociológico,

> convencidos de que la sociología es la única ciencia que se preocupa seria y concienzudamente de reintegrar al individuo todos sus derechos naturales usurpados, y de dejarle en condiciones de darse cuenta de que sólo él debe gobernarse y obedecer, en uso de su libérrima voluntad, ante el resto de los humanos[44].

Este grupo estaba encabezado por Iglesias, Cortiella y Brossa. Escenificaron aparte de sus obras, algunas de Ibsen y Hauptmann. Tenían fe ciega en la capacidad del teatro y veían en el dramaturgo propagandista una especie de profeta[45]. Su labor fue muy elogiada y puesta como modelo. Escribe R. Costa, refiréndose al teatro de Iglesias:

> Hallo yo la perfección artística en las obras que saben hacer sentir y pensar a la vez, cualidad que sólo he visto en las producciones de Ignacio Iglesias. Este [...] ha venido a realizar de modo vigoroso la excelsa conjunción de la idea y el sentimiento en el teatro. Autor naturalista y gran observador de la vida, Iglesias examina lo más íntimo del corazón de los desheredados y lo ensalza con moralísimas ideas; matiza sus obras de pensamientos profundos, frases gráficas e imágenes de gran inspiración.
> [...] Animarse a la lucha es lo conveniente, pues. No debe dejarse tampoco el campo libre a los que explotan el sentimiento de las gentes sencillas.
> ¡Artistas pensadores!: Hundíos en las entrañas del pueblo para hacerlo *sentir* la necesidad de la verdad en esta vida[46].

Las ideas teatrales de Urales tienen un alcance aún más limitado; lo "sociológico" se atenúa, convirtiéndose el teatro en un medio de disfrute de la belleza:

> ... el autor dramático, como el actor, ha de procurar que el público olvide que está en el teatro, poniendo delante de sus ojos hechos que son o pueden ser reales, pero de la realidad excepcional en sentido elevado, bello, armónico. Es decir, el artista debe establecer una especie de relación moral dentro de las dos realidades en que se divide la vida, para tomar el partido de la bella, genial, optimista y simpática, a lo que le conduce su propia inclinación hacia lo heróico y bello y su superior estado intelectual[47].

(43) *Ibíd.*, p. 4.

(44) *Ibíd.*, p. 4.

(45) Felip Cortiella, *El teatro y el arte dramático*, obra que he citado extensamente al referirme a Ibsen en España.

(46) R. Costa, "Del arte dramático", *RB*, 12 (15-XII-1898), pp. 348-352. También, Felip Cortiella, sobre *El dique*, estreno de Iglesias; lo considera drama sociológico, *RB*, 28 (1899), pp. 101-104; la reseña al libro de Saint-Auban, *La idea social en el teatro*, enviada por Pérez Jorba desde París y en la que se destaca el valor educativo del teatro, en *RB*, 78; Angel Cunillera, "El arte del pueblo", *RB*, 158.

(47) Federico Urales, "La realidad en el teatro", *RB*, 104 (15-X-1902), pp. 234-236; texto citado, p. 235. También, "El arte de hacer comedias", *RB*, 114 (15-III-1903), pp. 545-547.

Puede completarse esto con las ideas expuestas en uno de sus artículos publicados en *El Progreso*, cuando fue colaborador de este periódico durante su estancia en Madrid, haciendo una campaña para la revisión del proceso de los anarquistas de Montjuich:

> Creo que ya escribimos o deberíamos escribir para embellecer la vida; de otro modo, la misión de la pluma sería igual a la de la lanza.
>
> [...] Yo no sé a que escuela pertenezco, ni si reúno las condiciones para pertenecer a alguna; pero declaro que si por modernismo se entiende llevar a las tablas nuestras pasiones, nuestros infortunios y nuestros *problemas*, soy modernista.
>
> [...] No somos modernistas porque queremos. Lo somos porque el alma nuestra no se satisface con el manjar artístico que priva hoy. Nuestros gustos han de obedecer a una evolución del gusto, de ninguna manera a un capricho del escritor ni a una extravagancia del neurótico[48].

Todavía, en este momento, el término modernista tenía un sentido de oposición a lo establecido. Entre él y el Benavente de estos años, del que ya he indicado se hacían elogios en la *Revista Blanca*, no hay demasiada distancia. En ambos late la creencia en el arte, un *arte verdadero*, pues responde a una situación real. El artista en su obra conjunta verdad y belleza. Urales se especializó de hecho en un tipo de literatura que cabría bajo el adjetivo "rosa"[49], donde vertía sus ideas; se trata de relatos, primero publicados en la *Revista Blanca* y luego en distintas colecciones de novelas, y algunos dramas, que cito en el siguiente apartado.

PRODUCCION TEATRAL

Al referirme a la llegada de Ibsen y otros dramaturgos nórdicos a España, he señalado la importancia que en su difusión tuvieron las publicaciones anarquistas. Por ello, no voy a repetir las ediciones que de ellos hicieron. Es necesario, sin embargo, mencionar las traducciones y ediciones que hicieron de otros autores, no necesariamente anarquistas, pero con los que se identificaron, siendo estrenadas unas y simplemente leídas otras[50].

La producción autóctona no es abundante. Como contribución a un posible catálogo, incluyo las referencias que he encontrado, prestando especial atención a las aparecidas en publicaciones periódicas. Será en nuestro siglo, cuyos primeros años tengo en cuenta,

(48) Federico Urales, "Del arte dramático", *PR* (11-I-1898).

(49) En *RB* publica durante mucho tiempo una sección de cuentos titulada "Cuentos de amor"; son difícilmente discernibles de muchos a los que se ha colgado la etiqueta de *modernistas*.

(50) La *RB* se distingue en esta labor difusora; llega a ser una lectura muy apetecida; así, en el n.º 72, leemos la siguiente nota: "Con este número termina el tercer tomo de la Revista Blanca y con él el hermoso drama de Octavio Mirbeau; en el próximo número comenzaremos una nueva numeración y una obra teatral *Se volvieron las tornas*, debida a la pluma del insigne poeta inglés William Morris. Habiendo observado que los dramas sociales y psicológicos son del gusto de nuestros lectores, preparamos una serie de obras de autores españoles y extranjeros, de los que no se hayan representado o se hayan representado poco en España". Más referencias en el libro de Lily Litvak, *Musa libertaria*, ob. cit., pp. 213 y ss.

cuando el teatro anarquista alcance mayor producción, pero partiendo de estos primeros intentos.

Terreno más movedizo son toda una serie de textos dialogados, que solo con criterios muy amplios se pueden considerar teatrales. Menciono tan solo de éstos tres colaboraciones "burguesas" en revistas anarquistas, como botón de muestra.

Autores extranjeros:

Becque, Henri: *Los cuervos*; *La parisina* (representadas en Barcelona en 1904).

Brieux: *La toga roja* (representada en Barcelona en 1904).

Descaves, Lucien y Donnay, Maurice: *La luz* (*RB*, números 78 y ss.).

Descaves, Lucien: *La jaula* (trad. de Angel Saver, anunciada en *El Rebelde* (21-IV-1904), y publicada por L'Avenir, Ediciones Económicas).

Grave: *Responsabilidades* (*RB*, 152 (15-X-1904).

Hervieu, Pablo: *Las tenazas* (anunciada en *El Rebelde*, (5-VI-1904).

Mirbeau, Octavio: *Los malos pastores* (*RB*, números 63-72, en 1901; tuvo además, traducciones al catalán)[51]. *En el camino* (diálogo teatral, publicado en *El Rebelde* (19-V-1904). *La epidemia* (trad. de José Chassignet, publicada por L'Avenir, 1904).

Morris, William: *Se volvieron las tornas* (*RB*, 73 y ss., en 1901).

Rizot: *Las hormigas rojas* (*RB*, 89, noticia de su estreno).

Tolstoi, León: *Resurrección* (*RB*, 131, en 1903).

Producción española:

Brossa, Juan: *Los sepulcros blancos* (*RB*, 38 y ss., 1900).

Cases, Pablo: *La huelga* (estrenada con éxito en el teatro Martín; reseña, *RB*, 83).

Claramunt, Teresa: *El mundo que muere y el mundo que nace* (estrenada por la Compañía Libre de Declamación, en 1896).

Cortiella, Felip e Iglesias, Ignasi[52].

---

(51) O. Mirbeau interesó bastante a distintos sectores sociales españoles en aquellos años. Alvarez Junco, *ob. cit.*, p. 645, da referencias de artículos en publicaciones anarquistas. Añado algunas otras de distintas publicaciones: O. Mirbeau, "El Calvario (recuerdos de la Guerra)", *G*, 29 (19-XI-1897); idem, "Ensueño", *G*, 31 (3-XII-1897), relato socializante de una prostituta; Catulo Mendes: "Los malos pastores", *G*, 34 (24-XII-1897).
Eduardo Zamacois, "El socialismo en el teatro, I y II", *España Artística*, 55-56 (1 y 14-II-1898), lo estudia en relación con Dicenta. J. Martínez Ruiz, "Literatura anarquista", *PR*, 50, sobre *Los malos pastores*. Ya sobrepasado 1900, en *Los cómicos*, aparecen algunas reseñas de sus obras, atacándolo.

(52) Sobre estos autores: X. Fábregas, *Teatre català d'agitació política*, Barcelona, 1968; *Aproximació a la historia del Teatre Català Modern*, Barcelona, 1972; *Historia del teatre català*, Barcelona, 1978.
Algunos datos nuevos, sobre todo de Cortiella, Lily Litvak, *Musa Libertaria*, ob. cit., que ha utilizado sus manuscritos depositados en la Biblioteca de Cataluña.

Martínez, M.: *Un día de elecciones* (Valencia, Biblioteca Popular de Cultura, 1905).

Rodríguez Flórez, R.: *El anarquista* (estrenada en Valencia, teatro Pizarro (6-V-1893); reseña en *La Anarquía*, 143 (junio de 1893).

Serrano Oteiza, Juan: en *La Anarquía*, 16 (10-XI-1890) una semblanza suya en que menciona que fue autor de varias obras teatrales: *Dos mujeres*, estrenada en el Teatro de Ubeda; *Miserias de la riqueza*, estuvo anunciada en teatro Novedades de Madrid; *Odios políticos*, inédita.

Urales, Federico: *Honor, alma y vida*, Madrid, 1898. *Ley de herencia* (*RB* (n.º 32 y ss.) Edición aparte, Madrid, 1900. *El castillo maldito*, "Tragedia basada en el proceso de Montjuich"; consta de 3 cuadros y 7 actos (*RB*, n.º 121 y ss.).

Vázquez, Remigio: *La mancha de yeso*, s. f.

Colaboraciones burguesas:

Martínez Ruiz, José: "La muerte de un Dios" (fragamento); diálogo teatral, publicado en *La Idea Libre*, n.º 45 (9-III-1895); lo cita Inmann Fox en su índice asépticamente. Se trata de un diálogo entre María y César; éste muere *mientras amanece*, agotado por las injusticias padecidas, pero concluye: "¡Me mamata (sic)... la luz!".

Benavente, Jacinto: "Paternidad"; brevísima piececilla teatral, publicada en la *Revista Blanca*, n.º 8 (15-X-1898).
La acción transcurre en un despacho elegante; los personajes —Ricardo (padre), Amalia (madre) y Rodolfo (hijo)— sostienen un breve diálogo. Madre e hijo vienen de misa; el padre critica a Amalia la educación que le está dando, ésta llora; Ricardo concluye: "¡Sí, llora, llora!... con vuestras lágrimas y vuestros besos gobernáis el mundo... ¡Así anda ello!".

Baroja, Pío: "Nihil", (¿diálogo teatral?), publicado en *El Rebelde*, 49 (24-XI-1904). Dialogan un Viejo, un Joven y Uno.

II. SOCIALISMO Y TEATRO

La dependencia ideológica de las publicaciones del Partido Socialista, en sus primeros años, respecto a los teóricos franceses ha sido puesta de relieve en los trabajos de los historiadores sobe el tema[53]. Resaltan la abundancia de textos traducidos de Guesde, Lafargue y Deville, amén de fragmentos de los escritos de Marx y Engels, existentes

(53) Santiago Castillo, "De *El Socialista* a *El Capital* (las publicaciones socialistas de 1886-1900", *Negaciones*, 5 (primavera 1978), pp. 41-66; Santiago Castillo, "La prensa política de Madrid: 1873-1887", en *Prensa y sociedad en España*, Madrid, Edicusa, 1975; *Estudios de historia social*, números 8-9 (1979), contiene varios trabajos sobre este mismo tema; destacable el de Santiago Castillo, "La labor editorial de PSOE en el S. XIX"; Pedro Ribas, *La introducción del marxismo en España*. Madrid, Ediciones de la Torre, 1981.

en castellano por entonces.

A partir de 1891, cuando en el Congreso de Milán se votó ampliar la base para incluir a "trabajadores intelectuales", se inicia un enriquecimiento de textos teóricos al ser considerados también otros autores. En España, se va a seguir con atención el desarrollo del socialismo italiano, aprovechando textos de Edmundo D'Amicis, convertido al socialismo, y de Enrique Ferri que se adhiere también a éste. Contribuye todo ello a dar una mayor elasticidad ideológica a la actuación del partido, que hay que encuadrar dentro del contexto de colaboracionismo y revisionismo que por aquellos años se está llevando a cabo en distintos países, buscando fórmulas que les permitieran participar en el sistema parlamentario, sin negar sus principios revolucionarios. El Congreso de Zurich es muy significativo al respecto[54]. El desarrollo de esta aproximación, sin embargo, es distinto en cada país: Italia y España son tal vez los más reacios a entrar en este juego, insistiendo en que se comprometía no ya la independencia, sino sus principios llevando a cabo estas alianzas. Los españoles, dada la juventud del partido, parecen movidos por su fe de neófitos[55].

No ha lugar en estos años más que para textos de fundamentación ideológica y, aún cuando en 1889 El Socialista comienza a publicar paralelamente la "Biblioteca Socialista", son escasos en ella los títulos dedicados a creación literaria. Salvo error, hasta 1895 no aparece más que el libro de poemas de Alvaro Ortíz, Ecos revolucionarios.

A medida que nos acercamos a finales de siglo hay, con todo, una incipiente apertura, a la vez que van apareciendo nuevas publicaciones: en 1897 nace y muere La Ilustración del Pueblo[56]. En Bilbao se publica la muy importante revista La lucha de clases, que sólo mencionaré indirectamente.

Todo ello lleva a Santiago Castillo a concluir que

> La existencia de revistas de partido y el contenido contingente y programático de la mayoría de los escasos folletos de autores españoles, muestra cómo el planteamiento y discusión de las teorías socialistas estuvo prácticamente ausente en nuestro país. Se polemizó coyunturalmente con los contrarios. De ahí los diversos folletos de controversia. Pero no se profundizó en el estudio de las teorías ni en su aplicación concreta[57].

En los años siguientes a 1900 se publican otras revistas de más rango, que tendré en cuenta: La Nueva Era (1901-1902) y Revista Socialista (1902-1906).

Las primeras referencias a cuestiones artísticas en El Socialista son fundamentalmente negativas; así, en "El tiempo y el arte", se critica al arte pictórico por no estar a la altura de los tiempos, por su temática clasista y evasiva[58]; y en "El arte dramático",

(54) R. Pérez de la Dehesa, El grupo Germinal..., ob. cit., pp. 9-15.

(55) S. Castillo, "De El Socialista...", art. cit., pp. 49-50, reproduce textos de El Socialista, adhiriéndose a la postura de los italianos de no formar alianzas.

(56) La Ilustración del pueblo, 1-9 (10-I al 31-III-1897); prosigue con el nombre de Ilustración popular, 1-16 (10-IV al 10-IX-1897); la "redactaba, componía y administraba", Alvaro Ortíz. Tiene interés para nosotros por el abundante espacio que dedica a lo literario.

(57) S. Castillo, art. cit. (Negaciones), p. 65.

(58) S, 65 (1887).

que analizo luego, se critica la situación del teatro[59].

Como ocurría en las publicaciones anarquistas, del arte, en estos primeros años, interesa su dimensión docente, su misión educadora[60].

Firmado por B.C., en 1888, *El Socialista* incluye el artículo "Arte y Socialismo", donde se censura que el proletariado ha dejado de lado esta importante cuestión, cuando es una baza fundamental como demuestran algunos libros que cita: *Le droit à la paresse*, de Paul Lafargue, *Art under Plutocracy*, de William Morris, y *Art und Revolution*, de Ricardo Wagner[61]. El articulista insiste en que de la deformación orgánica que sufre el proletariado por el exceso de trabajo viene una deformación intelectual. No se trata de imitar el arte de la burguesía, moribundo como ella misma. Instaurado el estado comunista, el trabajo mismo se convertirá en arte, será por y para el pueblo. Sus ideas hoy nos parecen tan utópicas como ingenuas.

Hacia 1893 ya se insertan con cierta continuidad textos de creación literaria de intención social. No sorprende encontrar el poema de Heine *Los tejedores de Silesia*, sobre la miseria de éstos[62] o poemas socilizantes de autores como Sinesio Delgado, escritor que siempre gozará de las simpatías de los socialistas; su primer poema es el titulado *El tren gallego*, sobre la emigración forzosa, que había aparecido poco antes en *Madrid Cómico*[63].

Rechazan "el arte por el arte" y piden a los artistas en general que contribuyan a una sociedad mejor:

> ¡Poetas, pintores, oradores, escritores, músicos, vuestro deber es enseñar lo que el Arte puede hacer por el triunfo de la Justicia[64].

(59) *S*, 87 (1887).

(60) Véase, "Instrucción y revolución", *S*, 84 (14-X-1887). Esta orientación no desaparece en los años siguientes. Inspira la creación de otras revistas como *La Ilustración del pueblo* (véase nota 56 de este apartado), en cuyo programa leemos: "Es nuestra vieja España uno de los países en que menos se lee. La clase trabajadora sobre todo, a causa de su deficientísima instrucción que ha recibido en las escuelas y de la escasez de medios con que cuenta para su desarrollo intelectual." En el mismo número el artículo de Unamuno, "Algunas observaciones sueltas sobre la actual cultura española", que concluye que el pueblo: " ¡Carne y ciencia! Es lo que necesita".
J. José Morato, "Educación de las masas", *La Ilustración popular*, 9 (30-VI-1897), escribe: "La punzada cerebral, la fe socialista, despierta el deseo, la necesidad de saber más para comprender mejor y ser más útil a la idea. El obrero que apenas si sabe deletrear se afana por comprender lo que se expone en el periódico y en el libro" (p. 114).
En *La Nueva Era*, artículos similares. Véanse, del tomo de 1901, los artículos de José Ingegnieros, "Educación integral" (pp. 677-688); de "Desengaño Completo", "Educación" (pp. 728 y ss.); de Pablo Robin, "La escuela popular", etc.

(61) *S*, 128 (17-VIII-1888).

(62) *S*, 373 (1-V-1893), traducción de J. J. Herrero; el repaso de los números correspondientes al primero de mayo proporciona interesantes resultados.

(63) *S*, 387 (1893); otros: números 474, 486, 501...

(64) E. Picard, "El Arte", *S*, 565 (1-V-1897); también, J. Leken, "El lujo y el arte", *S* (17-VI-1898); Juan Jaurès, "El Arte y el socialismo", *La Nueva Era*, 1901, pp. 89-92; Leonard D. Abbott, "Arte y socialismo", *La Nueva Era*, 1902, pp. 289-293, donde sostiene que no existe contradicción entre arte y socialismo; Francisco Doménech, "El arte en la sociedad futura", *La Revista Socialista*, 54-55 (16-III y 1-IV-1905).

Con el tiempo, empieza a preocuparles si el tipo de literatura que se consume es alienante o liberador:

Hay que arrancar a los obreros de las lecturas criminales que les sirven *El Imparcial* y otros periódicos no menos corruptores, de las lecturas de las *Aventuras de Candelas* o de cualquier otra de las bestialidades en que tan pródiga se muestra la Prensa, y hacerles regocijarse o conmoverse con nuestras buenas novelas, con los sonoros versos de nuestros poetas, y con las buenas traducciones de las literaturas extranjeras.

Hay que desterrar los gustos soeces del cante, no el fresco y espontáneo del pueblo, sino el que al pasar por cafés, escenarios, tabernas y lupanares se encanalló y se trocó en erótico, nauseabundo y grosero sobre toda ponderación[65].

En la futura sociedad socialista no existirá esta literatura:

La literatura, en general, experimentará un cambio radical y saludable. Por ejemplo, las obras de tanto y tanto escritor frívolo e insustancial de robos, violaciones, saqueos, asesinatos, traiciones e inmoralidades no verán la luz pública en aquella sociedad, y he aquí cómo al ganar la literatura ganará la Moral[66].

La literatura será vista como vehículo de las ideas liberadoras del hombre y, de manera muy especial, el teatro por su poder de convocatoria.

(65) Anónimo, "Los obreros y el arte", *S* (5-I-1900).

(66) Francisco Doménech, "El arte en la sociedad futura", *La Revista Socialista*, 55 (1-IV-1905), p. 218.

Se buscó la colaboración de los intelectuales a partir de 1890. Artículos significativos: "Blusas y levitas", *S*, 397 (octubre 1893); R. Oyuelos, "El socialismo y los obreros intelectuales", *S*, 425 (1-V-1894). La militancia de Unamuno es bien conocida después de los trabajos de Blanco Aguinaga y Pérez de la Dehesa entre otros.

Hacia 1897, se crea una sección, "Colaboraciones burguesas", en *El Socialista*, que publicó: Vital Aza, "El Cristo del Castañar" (4-VI-1897); J. Benavente, "Maternidad" (17-XII-1897); J. O. Picón, "Cosas de ángeles" (7-I-1898); N. Rey Díaz, "En el antro" (22-VII-1898); J. Perujo, "El Huertín de la Herrera" (2-IX-1898); Kasabal, "La buena ropa" (7-X-1898); Julio Claretie, "Un jefe de familia" (20-X-1899); Joaquín Dicenta, " ¡Pobres criaturas!" (18-X-1901); Angel Guerra, "Frío de almas" (9-XII-1901), etc. Algunos otros artículos significativos: Pablo Iglesias, "El partido socialista en España", *EM*, CI (mayo de 1897), lamentaba que eran pocos los "proletarios de levita", "los obreros intelectuales". Anónimo, "Los proletarios intelectuales", *S* (15-IV-1898). Reseña de la conferencia de Pablo Iglesias, "El partido socialista y los intelectuales", *S* (13-XII-1901). Unamuno, "Los intelectuales y el pueblo", *S* (1-V-1903); Unamuno, "La verdadera revolución", *S* (1-V-1904).

No faltaron roces con la "gente nueva", a quienes se acusó de superficiales. Comentan la aparición de sus revistas: *La Democracia Social*, en *S* (12-IV-1895); *Germinal*, en el artículo de Luis Aguirre, "Germinal", *La Ilustración popular*. 12 (31-VII-1897); los de José Rozas, "¿Qué hacen los jóvenes?", *La Ilustración del pueblo*, 12 (20-I-1897); y Juan Leal, " ¡Ojo con ellos!", *S* (27-XII-1901); "Para la gente nueva", *S* (24-I-1898), etc.

Concluyente es "Revolucionarios y adormideras", *S* (31-VII-1900), en que acusa de ineficaces a todos los grupos bohemios.

Juan José Morato resumió la cuestión en *El Partido Socialista*, Madrid, 1918.

Visto el talante de intransigencia de los socialistas españoles en aquellos años, no sorprende la dureza de las críticas a que someten al teatro burgués. La primera de ellas aparece en 1887 en *El Socialista*; no tratan tanto de hacer crítica teatral cuanto de denunciar a la sociedad burguesa, cuyo teatro sostienen que refleja –de nuevo la imagen del espejo– su situación de crisis y descomposición interna:

> Es una verdad, por nadie puesta en duda, que la literatura en general y la escénica principalmente es reflejo fiel del estado de la sociedad y barómetro de la cultura del público de una época o país determinado.
> [...] La sociedad actual ha cumplido su misión y carece de ideales: sin ideales no hay arte.
> [...] Argumento, caracteres, pasiones, tienen poca miga, apenas nutren; pero la pimienta y la mostaza (de ínfima calidad pues hay mucho consumo y los proveedores lo entienden) abundan en sus salsas. Los aperitivos han sustituido a los platos fuertes. A *El Alcalde de Zalamea*, *Pepa la frescachona*, a *La vida es sueño*, *La Gran Vía*. Quien así se alimenta ¿puede durar mucho?.
> A la corrupción del estómago o del espíritu de la generación que al presente goza, responde el género averiado de los artículos. A los gusanos, que ya hemos indicado viven en él, y por él, sólo placen materias putrefactas. Busquemos, pues, lo más hediondo de la sociedad: gomosos, ratas, políticos, flamencos, rameras sin cartilla, aristócratas, banqueros, caseros, tenderos, curvas... pantorrillas, posturas lascivas, canciones indecorosas, juergas, toros, timos, escenas de taberna o café, costumbres de entre bastidores, aventuras amorosas sin amor, gracias sin ingenio (aparte de lo que tengan de sucios), provincianismos de lenguaje en imitaciones sin otro mérito que la exageración, eclipse de lo serio, triunfo de lo grotesco, sustitución del actor por el payaso, ausencia completa de pensamientos elevados, nobles y morales; la guasa, la broma elevada a la categoría de ser supremo de la vida... todo eso gusta al público que aplaude estúpidamente su propia caricatura. Ideas de importancia, conflictos de transcendencia, estudios hondos de la vida, con relegación de lo superficial al puesto ínfimo que le correspondía... tales cosas brillan por su ausencia, así en la escena como en el alma de los espectadores.
> [...] Resumiendo: en el teatro moderno no hay ideales, porque la clase que lo sostiene carece de ellos.
> Agotado el jugo de su vida, debilitada y corrompida, viéndose próxima a su fin, abandona toda aspiración, olvida todo problema y, llena de egoísmo, se apresura a gozar cómo y cuánto puede, encenegándose en los vicios y propinándose estimulantes que desentumezcan pasajeramente sus impotentes sentidos hasta que llegue la hora de la muerte...
> [...] De la podredumbre del arte burgués, brotará hermosa y perfumada la flor del arte socialista[67].

En estas revistas, no aparecen críticas con regularidad; sólo los acontecimientos teatrales de excepción son reflejados en ellas, si aportan algo nuevo a la creación de un teatro obrero. Tan sólo hallo una crítica a una obra burguesa: *El loco Dios* ya en 1901;

(67) V. S., "El arte dramático", *S*, 86 (20-X-1887); se considera el gusto de la burguesía estragado; también: Ferruccio Mosconi, "Las aficiones artísticas de la burguesía", *S* (1-IX-1899).

no es sino una serie de improperios contra ella[68].

De los autores "burgueses", hay una manifiesta inclinación por Galdós, de cuyas obras teatrales de cariz social se hacen eco. Le dedican extensos artículos; cuando estrena *La de San Quintín*, en *El Socialista* comentan su orientación:

> El pensamiento capital de la obra, desarrollado en una fábula sencilla y en un simbolismo al alcance de las más obtusas inteligencias, es de tendencia demoledora de la sociedad burguesa; tanto, que más que el producto del cerebro de un antiguo diputado de la mayoría sagastina, parece labor propia de un escritor devoto de las teorías socialistas.
>
> [...] ha encerrado en el estrecho marco de una comedia el presente y el porvenir de la sociedad: la burguesía en la odiosa y decrépita familia de los Buendía, el proletariado o el socialismo en la generosa y simpática figura del inteligente Víctor, el "hijo de nadie", el "nieto de Adán"[69].

En los años siguientes, desarrollan una lenta pero continua labor de captación del novelista. Los socialistas querrían gloriarse de que se reconociera socialista; critican alguna de sus novelas, cuando se ocupa de la cuestión social[70].

Cuando en 1901 estrene *Electra*, *El Socialista* le dedicará un extenso y contundente artículo, no tanto para analizar la obra cuanto para manifestar la opinión de los socialistas con respecto a la cuestión religiosa y atacar a los que utilizan el drama como pretexto para lanzar invectivas contra la Iglesia. Para *El Socialista* hay que ir más lejos de la algarada y el artículo anticlerical; hay que llegar a una transformación de la sociedad:

> Hay que ir más hondo; hay que ir a las raíces. Hay que hacer laica la enseñanza, separar la Iglesia del Estado, confiscarla los bienes.
> Hay que educar, educar, educar. Dar ciencia y temple a los individuos para que sean menos los que chillen y más los que concuerden sus actos con sus voces.
> Quemar y matar es fácil; lo difícil es tener siempre y en todo trance el valor de las propias convicciones y sujetar a ellas la conducta.
> Y hay que confesar que podrán ser muchos los enemigos del clericalismo, muchos los que habrán visto en *Electra* un nuevo faro; pero en el cementerio civil de Madrid se abren pocas tumbas, las escuelas laicas no llevan vida próspera. Menos voces y más actos; menos gritar y más hacer, menos timideces, menos términos medios, menos *radicalismos* en la frase y más en la acción[71].

También para otros dramaturgos, que intentan llevar la cuestión social a la escena, utilizan el mismo trato de preferencia; es el caso de Francos Rodríguez y Llanas, por su arreglo de *Los Tejedores de Silesia* con el título de *El pan del pobre*, o Dicenta, a quien se intenta

---

(68) D. Pérez, "El loco Dios", *La Nueva Era*, 8 (20-VI-1897).

(69) Anónimo, "La de San Quintín", *S*, 417 (2-III-1894).

(70) Luis Aguirre, "Misericordia", *La Ilustración popular*, 8 (20-VI-1897). Conocido es cómo hacia 1909 se produjo un acercamiento más real y declarado por el propio novelista hacia el socialismo. Véanse las declaraciones del propio Galdós a Carraffa, *Galdós*, Madrid, 1912.

(71) "Electra", *S* (8-II-1901). Sobre la postura del Partido Socialista y el problema religioso Pérez de la Dehesa, *Política y sociedad...*, ob. cit., pp. 41-43.

salvar por su *Juan José*[72]. Novedosa es la atención prestada a la condición de los trabajadores del teatro. En diciembre de 1900, con motivo de la celebración de un festival de los Coristas, se hace eco y reproduce el discurso que pronunció Sinesio Delgado. La revolución, dice, acabará con la explotación de la gente del teatro[73].

TEORIA DRAMATICA

El punto de arranque es la creencia en la capacidad del teatro para arrastrar al espectador:

> Puede asegurarse que entre los medios idóneos para difundir rápidamente ideas o doctrinas cualesquiera no hay ninguno tan eficaz y positivo como las Bellas Artes, y especialmente el arte escénico[74].

El peligro es la manipulación a que puede ser sometido:

> Cuando la acción desarrollada en escena interesa con intensidad a los espectadores, desaparece de la mente de éstos toda idea de ficción, respiran el mismo ambiente moral que los protagonistas de la obra, se identifican con ellos y llegan a experimentar de una manera real las emociones que ficticiamente quiso el autor sufrieran los personajes por él creados[75].

Un logro más importante de los artículos teóricos teatrales es que tienen perspectiva histórica, consideran la evolución del teatro hasta la situación presente. Son artículos salidos de la pluma de escritores no militantes en el Partido Socialista, pero simpatizantes. En ellos se hace un recorrido histórico para mostrar cómo el *pueblo* ha llegado a tener un protagonismo teatral, lo mismo que lo tiene ya históricamente.

El primero de ellos es el artículo de Jacinto Octavio Picón, "Precursores", que, publicado primero en *Los Lunes de El Imparcial*, es reproducido por *El Socialista* por coincidir con sus ideas. Picón destaca el valor de *El matrimonio de Fígaro* de Beaumarchais, como obra teatral precursora de la Revolución Francesa y cómo los literatos posteriores, más o menos conscientemente, son "precursores" de otra revolución "lentamente elaborada". En lo que se refiere al teatro, observa que

---

(72) M. G., "El pan del pobre", *S* (21-XII-1894). Anónimo, "Juan José", *S*, 585 (8-XI-1895); de Dicenta aparece alguna muy esporádica colaboración.

(73) "El festival de los coristas", *S* (14-XII-1900), continúa (21-XII-1900); la sociedad de coristas organiza una función a beneficio de los obreros de Gijón un tiempo más tarde, *S* (15-II-1901). En todos estos trabajos participaba generalmente Sinesio Delgado, no socialista militante, pero escritor muy estimado por éstos por su tono socializante en algunos poemas y preocupado por la situación del escritor en la sociedad. Fue uno de los inspiradores de la Sociedad de Autores. La formación de ésta la explicó él mismo en su libro *Mi teatro*.

(74) Alberto Molinelli, "El arte y la propaganda", *La Nueva Era* (1901), p. 153.

(75) *Ibíd.*, p. 153.

128

Los principales géneros teatrales fundados en el análisis de las pasiones y el desarrollo de los caracteres, como la tragedia y el drama propiamente dichos, se van transformando, de suerte que lo que palpita en ellos con más fuerza es la pintura del medio social, su influencia decisiva sobre los espíritus vulgares, y la lucha que con él tienen que sostener las almas superiores de los justos o las inteligencias descarriadas de los visionarios[76].

El teatro contribuye así a la creación de una conciencia de necesidad de que la sociedad se transforme en más justa.

Los restantes trabajos, más tardíos, son del historiador Rafael Altamira, colaborador de estas publicaciones y uno de los creadores del *Servicio de Extensión Universitaria*. En el primero de ellos, "El teatro obrero en España", tras hacer el pertinente repaso histórico de cómo el espíritu popular ha ido penetrando con sus problemas y sus ideas en el teatro a lo largo del siglo XIX, pasa a analizar la importancia de los dramas obreros catalanes, ejemplificando con Guimerà, "desigual" y "vario", que intentó hacer este tipo de teatro en *María Rosa* y *La fiesta del trigo*, y sobre todo, con Ignacio Iglesias y Juan Torrendell, cuyas obras comenta[77].

En la misma revista, publica también "El teatro popular", dando cuenta de cómo en algunos países europeos es ya un hecho:

Se dirige a depurar el gusto de las clases obreras para cooperar, despertando la inteligencia en lo referente al arte en todas sus manifestaciones, al progreso de la humanidad y a ennoblecer, alegrar y hacer agradable la vida[78].

Altamira no pone en entredicho el sistema de producción teatral; toda la reforma que pretende es que el teatro sea barato y en horas que no coincidan con las de jornada laboral; en cuanto al repertorio, que excluya los melodramas que desmoralizan, dando cabida no sólo a obras "socialistas" sino a todas las grandes obras teatrales de la historia.

Finalmente hay que citar el curioso libro de "Véritas", *El teatro ante las sociedades obreras. Bosquejo histórico-crítico*, que apareció primero en entregas en *La Nueva Era*[79]. También "Véritas" hace un rápido recorrido por la historia del teatro, valorando las sucesivas aportaciones desde la antigüedad hasta el presente más próximo, en el que se ha desarrollado un teatro que llama de "tendencia socialista" cuyas obras analiza una tras otra. Incluye también un apartado sobre el teatro catalán. Sostiene que el motivo del libro es el de que en las Casas del Pueblo se creen teatros que eduquen al pueblo a la vez que lo divierten.

(76) J. O. Picón, "Los precursores", *S* (14-X-1898). Ya antes comentado con agrado por X., "Un artículo de Picón", *La Ilustración del pueblo*, 5 (20-II-1897). Considera precursores a Campoamor, Galdós, Clarín, E. Gaspar, Dicenta y Unamuno.

(77) Rafael Altamira, "El teatro obrero en España, I y II", *La Revista Socialista*, 4 y 5 (15-II y 1-III-1903).

(78) Rafael Altamira, "El teatro popular", *La Revista Socialista*, 36 (1-V-1904), p. 285.

(79) Véritas, *El teatro ante las sociedades obreras. Bosquejo histórico crítico*, Alicante, 1907. En p. 52, da una relación de obras: *Juan José, El Señor Feudal, Aurora*, de Dicenta; *El pan del pobre*, de Llana y Francos; *Los Viejos*, de Iglesias; *Teresa*, de Clarín; *La de San Quintín y Mariucha*, de Galdós; *Lucha*, de J. A. Melià; *El Cristo moderno y Zola*, de Fola; *La fea*, de Rusiñol; *Vida legal*, de P. Ordeix; *El ocaso de los odios*, de Carral...

La reciente fundación del Partido Socialista y su preocupación por dotarlo de base ideológica hicieron que en aquellos años las obras de creación teatral fueran escasas.

No existe apenas interés, antes de 1900, en las publicaciones socialistas, por difundir la obra de autores extranjeros con los que simpatizaban. Incluso he podido comprobar que de 1900 a 1905 las publicaciones de estos autores extranjeros son pocas. Apenas hallo más referencia que la alusión a una traducción de *El rey* de Bjornson y, ya en 1906, a la de *Albergue de noche* de Máximo Gorki[80].

En sus primeras veladas artísticas teatrales utilizaban obras de autores "burgueses". Aparte de *Juan José*, que se convierte en obra casi obligatoria en cualquier programa, se montó para una velada socialista, celebrada el 18 de enero de 1901, *Rienzi el Tribuno*, de Rosario de Acuña.

En el drama, cuya acción sitúa en Roma en el siglo XIV, se exalta al personaje de este nombre que, a pesar de su humilde origen, ha llegado a ocupar el cargo de tribuno y defiende los intereses del pueblo contra los señores feudales. Se inserta así esta obra en la tradición del melodrama político de procedencia romántica, en el que se defiende la libertad del pueblo[81].

Completó la velada la representación de *Registro Civil*, comedia en un acto de Sánchez Pastor; el *Orfeón Socialista* cantó himnos obreros —*La Internacional, La Marsellesa*...— y hubo algunas representaciones menores[82].

Una de las primeras obras de autor socialista militante es *Lucha y miseria*, de J. Martínez Andreu, estrenada en Valencia el 24 de Marzo de 1894, cuando la "cuestión social" empezaba a llegar a los escenarios, como estudio con detalle más adelante.

De nuevo, por el resumen que publica *El Socialista*, deducimos que se trata de un melodrama social de costumbres contemporáneas: presenta las peripecias de una familia obrera formada por la madre, viuda y enferma, y tres hijos y una hija; el propietario de la humilde casa en que viven les amenaza con arrojarlos a la calle por falta de pago; además, corteja a Juanita, la hija, a la que intenta seducir, prometiéndole que a cambio

(80) Ambas en *La Revista Socialista*, 19 (1-X-1903) y 73 (1-I-1903).

(81) El final del segundo acto es esclarecedor; habla Rienzi "con entusiasmo y tono profético" de la lucha del pueblo frente a los señores feudales:

Y acaso en los anales de mi historia
se levante el fulgor de la victoria.
Aún castillos tenéis; pero el cimiento
por el peso del tiempo socabado (sic),
puede que se derrumbe en el momento
en que Rienzi se siente en el senado.
¡Pueblo! Libre serás, que el pensamiento
empieza a dominar sobre el pasado,
y en mil pedazos rotas tus cadenas,
colgadas han de ser de las almenas.

Cito por la edición de la Administración Lírico-dramática, Madrid, 1876; otras obras similares que he visto suyas, además del drama anticlerical *El P. Juan*, son: *La voz de la patria* (1893) y *Amor a la patria* (1877?).

(82) Noticias de otras veladas: *S* (9-II-1900) y (15-II-1901).

de su amor les perdonará los débitos... Al no conseguirlo, los desahucia y, por si fuera poco, rapta a la muchacha, a la que primero priva de sus facultades con cloroformo con el fin de violarla; por fin, tras diversos lances, uno de los hermanos mata al opresor Don Casimiro[83].

El resto de los textos que he podido ver son posteriores a 1900 y de similares características; me limito a hacer una escueta mención:

— Meliá, A.: *Lucha*, premiada en Bilbao en un certamen socialista de 1905 (*La Revista Socialista*, n.º 64 (6-VII-1905), publica dos escenas).

— Doménech, Francisco: *¡Víctimas!*, "boceto trágico-romántico-social", publicado en *La Revista Socialista* n.º 67 (1-X-1905).

— Bocio Hernández, A.: *Lo inevitable*, publicada en Argentina; *La Revista Socialista*, n.º 70 (16-XI-1905), acusa recibo y la recomienda a los grupos aficionados "que se dedican a poner en escena obras de propaganda" (p. 712).

(83) F. S., "Lucha y miseria", *S*, 422 (6-IV-1894).

VI

PEQUEÑA BURGUESIA Y TEATRO

LA "GENTE NUEVA" Y EL "NATURALISMO SOCIAL"

Hacia 1885 comenzó a formarse en Madrid un grupo de escritores que gustaban llamarse a sí mismos "gente nueva". Será el grupo puente entre las llamadas generaciones del 68 y del 98; su trayectoria tiene gran importancia para nuestro trabajo, pues alguno de sus miembros fue dramaturgo de éxito en los años que estudiamos y, por otro lado, en sus publicaciones se dieron a conocer los "jóvenes del 98".

A. Phillips[1] ha recordado testimonios de los "jóvenes del 98", elogiando la labor de apertura llevada a cabo por este grupo. Es el caso de un artículo de Maeztu, en el que, comentando los juicios de Azorín sobre los caracteres ideológicos de la "generación del 98", refuta su argumentación de que ésta fue la primera en ocuparse de la literatura extranjera, indicando que la curiosidad mental por lo extranjero fue fomentada por la generación que había leído en los cafés madrileños a Zola, Ibsen y Tolstoi.

También Manuel Machado, recordando su juventud a partir de un reestreno de *Juan José*, escribía:

> No quisiera rememorarlos aquellos días tan próximos ¡y tan pasados!, en que una "élite" inteligente y fuerte, precursora de los renovadores puramente literarios y artísticos del 98, sentía ya acongojado su entusiamo por algo así como el presentimiento de la gran catástrofe colonial y política y se debatía airada contra el *Statu quo* y el marasmo de su España de entonces, no mucho más inconsciente y dormida que la actual. Se debatía y protestaba con motines,

---

(1) Allen Phillips, *Alejandro Sawa: mito y realidad*, ob. cit., pp. 53 y ss.
El concepto de "pequeña burguesía", aunque discutido, va encontrando cada vez más lugar en estudios dedicados a estos años. En realidad, la crítica actual no hace sino recuperar un concepto que ya se utilizó hace años y que después había pasado al olvido; lo utiliza, por ejemplo, con notable precisión referido a este período César M. Arconada, "Quince años de literatura española", *Octubre*, 1 (junio-julio 1933), pp. 3-7. Son útiles, por las precisiones que hacen: *La question de la "bourgeoisie" dans le monde hispanique au XIXè siècle*, Varios autores, Bordeaux, Editions Bière, 1973; José Carlos Mainer, *Literatura y pequeña burguesía en España*, Madrid, Edicusa, 1972.

con asonadas, con libros subversivos y periódicos rojos. Vivía inquieta y desazonada. Vivió poco. Muchos acabaron jóvenes víctimas de la bohemia a que los llevó su descontento y del alcohol en que ahogaron sus ansias de ideal. Sawa, Paso, Delorme. Otros cambiaron con el tiempo, y sólo tal vez Dicenta siguió mostrando el alma valiente y rebelde de su primera juventud[2].

W. Pattison, en su estudio sobre el naturalismo español, habla de dos direcciones de este movimiento a partir de 1885-1886: una dirección espiritual, en la que se hace especialmente sensible la influencia de los novelistas rusos, y otra, que estudia menos y que se manifiesta en escritores como López Bago y Alejandro Sawa, en la que, según él, hay una rendición completa al naturalismo de Zola, mezclado con el humanitarismo sentimental, al estilo de *Los miserables* o *Los misterios de París*. A ésta dirección la llama, simplificando en exceso y no viendo sus problemas reales, "inmoral"[3].
Se trata del grupo de la "gente nueva", cuyo naturalismo ha calificado más acertadamente, Rafael Pérez de la Dehesa al llamarlo "naturalismo social".

El primer libro en el que aparece estudiado con cierta coherencia es *Gente Nueva* (1888) de Luis París, quien percatándose de la complejidad del momento sociopolítico y cultural, sostiene, ya desde el prólogo, que "la situación actual en España es de categórica transición". Más adelante emite un acertado juicio sobre el escepticimo de estos intelectuales españoles, pequeñoburgueses desplazados:

El país entero está dominado por ese mismo escepticismo hacia todo lo serio que antes señalábamos, refiriéndonos a sus hombres más inteligentes, y puede afirmarse que hoy en España hay predilección manifiesta por todo lo que es fútil y vistoso, por lo ligero y lo festivo, la flamenquería y el chiste. Exageraciones de todos los afectos; lo dramático llevado hasta lo trágico; lo cómico rebajado hasta lo bufo. Andalucismo arriba y abajo, con todos los caracteres berberiscos que distinguen y diferencian a esa degeneración de razas que puebla la porción más bella de la Península. Gritos de entusiamo ante el chiste grosero y procaz que encaperuza la lujuria; lágrimas prontas a asomar en todos los ojos ante los gritos guturales del "cante" y la poesía bárbara de la musa popular, y al mismo tiempo una seducción irresistible hacia los héroes legendarios y las grandes aventuras. He aquí los extremos del gusto actual[4].

Esta falsedad social, su mediocridad, se traduce en unos productos culturales igualmente mediocres. Transcribo su diagnóstico sobre la situación del teatro:

Cuando el arte entero se encamina con rapidez vertiginosa hacia el territorio de la realidad, el arte dramático, convencional de suyo, no debe permanecer estacionario si no quiere morir por consumición, sino que debe tirar la máscara griega, que para nada le sirve ya, y reflejar en su cara, no los fulgores de la fantasmagoría lírica, sino la risa, el llanto, la angustia, los quejidos, los sobresaltos, las audacias, los temores, los sentimientos en una palabra, de la humani-

---

(2) Manuel Machado, "La función de la prensa", en *Un año de teatro (ensayos de crítica dramática)*, Madrid, s. f. (1918), p. 57.

(3) Pattison, *ob. cit.*, pp. 135 y ss.

(4) Luis París, *La gente nueva*, Madrid, 1888?, pp. 31-32.

dad, como los expresan y los sienten los hombres, *con la augusta sencillez del naturalismo*[5].

Adopta una postura beligerante que le lleva a atacar lo establecido, que, para él, es una alianza entre los autores y los críticos de los grupos sociales dominantes, inoperantes unos y otros hasta el punto de que lo poco nuevo que hay es subsidiario de lo extranjero:

> ... Para ampliar nuestro teatro, aprovechamos el de los demás; para corregir la pequeñez de nuestros novelistas, necesitamos traducir a los franceses, y hemos de nutrirnos con las grandezas de Balzac y de Zola para compensar las diferencias de Pereda y de Galdós; para indemnizarnos de la musa barroca de los poetas nuestros, necesitamos de la robusta entonación de Hugo, y para acompañar dignamente a Bartrina y Bécquer en el pesimismo lírico, tenemos que recurrir a Musset y a Heïne...
>
> En todas partes se advierte nuestra pobreza y nuestra decadencia, y en todas partes se advierten también los fragores de una lucha sorda y desigual entablada por los caracteres vigorosos que aman la patria y que desean ardientemente su regeneración moral y material; espíritus que tienen que pelear contra los convencionalismos y contra las hipocresías que bastardean el mecanismo de nuestra vida social; espíritus que crean sinceramente que estamos necesitados de amplia revolución que descubra nuevos horizontes, y que tienen fe inquebrantable en el porvenir[6].

El texto citado es largo pero sustancioso, pues nos descubre que la preocupación por España, la regeneración de ésta, que ha sido esgrimida tantas veces para caracterizar a los escritores de la generación siguiente, está muy presente ya en la "gente nueva".

En estos primeros años, la imposibilidad de estos escritores para encontrar unos cauces de expresión en sociedad tan timorata como era la sociedad burguesa de la Restauración, los llevó a la creación de grupos marginales, siguiendo las pautas heredadas del romanticismo: la bohemia[7].

Como bien indica Aznar Soler, no es ya la "bohemia dorada" que Murger reflejaba en *Escenas de la vida bohemia*, sino una "bohemia negra", agresiva, antiburguesa:

(5) *Ibíd.*, pp. 39-40. El subrayado es mío.

(6) *Ibíd.*, pp. 50-51. Recoge París como individuos aglutinables bajo esta denominación a Pompeyo Gener, Luis Bonafoux, Rosario de Acuña, José Nakéns, Mariano de Cavia, Federico Degetan, Alejandro Sawa, Carlos F. Shaw, José Zahonero, Rafael Torromé, Federico Urrecha, Manuel Paso, Joaquín Dicenta, Juan Bautista Amorós, Emilio Ferrari, E. López Bago, Rafael Altamira, José Ortega Morejón, José Verdes Montenegro...
Después seguirían evoluciones muy dispares.

(7) Utilizo el término *bohemia* con el valor que le da Iris M. Zavala en su estudio preliminar a *Iluminaciones en la sombra*, de Alejandro Sawa, Madrid, Alhambra, 1977, pp. 3-32; no comparto, sin embargo, por extremada la denominación de "proletariado artístico" que aplica a estos escritores: "La nueva bohemia finisecular es un *proletariado artístico* de aguerridos combatientes, fuera de las fronteras de la sociedad burguesa y marginado en su inframundo por volición propia, libre y responsable, anárquica y consciente. Explotada por la burguesía, que solo le permite vivir de tres al cuarto, pero rompe lanzas contra todo." (p. 9)
Véase también, José Fernando Dicenta, *La Santa bohemia*, Madrid, Ediciones del Centro, 1976, y la bibliografía que voy citando en las notas que siguen.

Genéticamente, la actitud bohemia era una actitud de inadaptación social y protesta romántica e individualista contra el capitalismo y la clase burguesa. El sistema de valores bohemios (arte, belleza, independencia, libertad, rebeldía), se oponía al código moral de la clase dominante.

[...] La desafiante actitud antiburguesa del artista bohemio se fundamenta en su odio a la burocratización de la vida, a la uniformidad social y a la mercantilización del arte.

[...] La verdadera bohemia no es una forma de vida, forzosa en la mayoría y caracterizada por una extrema penuria, sino una manera de ser artista, una condición espiritual sellada por el aristocratismo de la inteligencia[8].

Pálido reflejo de la bohemia europea con frecuencia, pero con las peculiaridades de lo español, la bohemia finisecular española será caldo propicio para el cultivo de las más variadas tendencias:

... pese a las profundas diferencias entre unos y otros, esta Gente Joven, al margen de las polémicas y pugnas, estaban unidos por objetivos comunes. Unos aliados al socialismo, otros al anarquismo: todos republicanos y antiburgueses. Tribu dispar, pero tribu al fin, que rendía culto ante los altares de la libertad y de la amistad. Todo lo discutía: religión, política, artes, el concepto de familia, de propiedad. Violencias verbales entre unos y otros, actitudes distintas del arte[9].

Lo que parece darles cohesión en este rechazo del mediocre mundo burgués; les anima un deseo de "épater le bourgeois"[10]. No se considera suficiente retratar al burgués, aunque el retrato sea negativo; se trata de provocarlo. La provocación, como muestra Sobejano, se exacerbará a finales de siglo, pero es ya muy visible en estos años:

El vulgo ahora menospreciado es, repetimos, no la masa ignorante y torpe, ávida de novedades, proceda de la clase que proceda, sino la masa burguesa estigmatizada por su mediocridad. La mediocridad de este nuevo vulgo se define por vía negativa. Consiste en la carencia de cualidades extremas. Ni inteligente ni bruto, ni santo ni criminal, ni delicado ni soez, ni acaudalado ni enteramente desposeído, ni cultivado ni inculto, el burgués español de la Restauración se distingue por no distinguirse en nada, por ser moderado, mediocre, mediano en todo[11].

Estos bohemios "para no incurrir en la gravedad burguesa, de que abominan, escogen uno de los dos extremos: la tremebundez o la frivolidad"[12]. Implica ello adoptar una

(8) Manuel Aznar Soler, "Bohemia y burguesía en la literatura finisecular", en *Historia y Crítica de la Literatura Española*, *VI*, Barcelona, Crítica, 1980, pp. 77-78.

(9) Iris M. Zavala, *ob. cit.*, p. 17.

(10) G. Sobejano, "Épater le bourgeois en la España literaria de 1900", en *Forma literaria y sensibilidad social*, ob. cit., pp. 178-223. Estudia la procedencia del término, sus diversas "españolizaciones" y lo que conlleva a nivel ideológico.

(11) Sobejano, *ob. cit.*, p. 199. Hace un inventario de los adjetivos que más comunmente se aplican a este nuevo vulgo: incauto, apacible, pacífico, tranquilo, equilibrado, puntual, económico, honrado, honesto, timorato, mojigato; tonto, necio, estúpido, imbécil, idiota; vulgar, pedestre, ramplón mediocre, pequeño burgués, cursi, snob; egoísta, satisfecho, feliz, panzudo. En resumen, sintetiza: "tranquilidad, imbecilidad, mediocridad y egoísmo" (p. 200).

(12) *Ibíd.*, p. 215.

"pose" que va desde la indumentaria hasta su concepción del mundo y es síntoma ine-quívoco de la discordia entre ellos y su grupo social. Su actitud es una actitud de disiden-tes, agravada por el inicio de resquebrajamiento del sistema restauracionista.

El sentido de oposición a la generación anterior aparece con frecuencia en los artí-culos de la "gente nueva", que ven en su grupo un "renacimiento literario", frente a los autores de la generación del 68, a quienes consideran simplemente "arrastrados por la "corriente" realista, incluídos Clarín y Galdós. Evocan posiciones republicanas más decididas, el magisterio de Larra, que "rompió lanzas por la Revolución y tuvo que emi-grar" (?) y Espronceda, que era "ya en 1840 el republicano revolucionario más fogoso de España". Tratan de resucitar una tradición republicana más extensa que el posibilismo de Castelar-Morayta, "que casi se confunde en un abrazo cariñoso con el doctrinarismo de Cánovas del Castillo"[13].

El mismo Ernesto Brak, a quien pertenecen las frases que acabo de citar, refirién-dose en otro artículo, "El naturalismo español", al eco del naturalismo de Zola "ateo-determinista y socialista-revolucionario", escribe que

> en España encontraba una revolución híbrida e hipócrita en 1868 cuyos repre-sentantes en literatura eran su expresión fiel; gente estimable pero sin grandes pasiones ni entusiamo por el progreso. Para demostrar la posición falsa del pseudo naturalismo español sirve el hecho de que la señora Pardo Bazán pudo levantar la bandera de Zola sin que la crítica le indicara lo grotesco del intento, dada su devoción católica y su carácter de amiga de D. Carlos, y sin que una carcajada general hubiera contestado a esta "corazonada" de la autora de la biografía de San Francisco de Asís[14].

Fue aceptado este pseudonaturalismo, no el de Sawa a quien considera el iniciador del naturalismo zolesco con sus novelas *Crimen legal, Declaración de un vencido* y *No-che*[15]. La concepción del naturalismo como "naturalismo social" no ofrece dudas en este artículo:

> ¿Qué alma generosa de artista grande pudiera estar muda ante las lágrimas de esos millones de seres que sufren? Natural era que los Cladel, Mirbeau, France, Verlaine encontraran eco en Morris y Ruskin en Inglaterra y en Dicenta, Bena-vente y otros en España. ¿Cómo no son socialistas Clarín y otros poetas y críti-cos españoles?[16].

Bark hace esta valoración *a posteriori*, con el respaldo del éxito de *Juan José* y en el momento de máximo entusiamo de los "germinalistas", pero puede documentarse esta actitud en la trayectoria del grupo desde mucho antes. Notable en el párrafo que acabo de transcribir, es también la comprobación de que, para ellos, arte y acción social no van separados, y tienden a sincretizar diversas influencias y a refundirlas vivencialmen-

(13) E. Bark, "El renacimiento literario", *G., art. cit.*

(14) E. Bark, "El naturalismo español", *G., art. cit.*

(15) El mismo E. Bark dedica un artículo extenso a estas novelas en el n.º 2 de *G.*

(16) El resto del artículo está dedicado a Dicenta, que parangona en cuanto a significación dentro del teatro español a los naturalistas franceses, Ibsen y Hauptmann con evidente exageración.

te. Tendremos ocasión, al comentar los dramas de Dicenta y Benavente, de ver cómo se proyectan estas apetencias en determinados personajes a los que hacen portavoces de su postura ideológica.

Rafael Pérez de la Dehesa[17] estudió cómo a partir de 1881, con el triunfo del Partido Liberal y la consiguiente legalización del Partido Socialista, aparecieron en su seno divisiones internas provocadas porque algunos de sus miembros proponían la colaboración con los partidos burgueses "más avanzados", frente a quienes se negaban a admitirla. Produjo esto el alejamiento de algunos de sus miembros.

Hasta el Congreso de 1899 no sería aprobada una rectificación parcial, que admitía la cooperación siempre que estuvieran en peligro las instituciones democráticas. El hecho es, sin embargo, que a partir de los años noventa, cada vez hubo una mayor colaboración.

Forma todo ello parte de un proceso más general de toma de conciencia de ineludibles problemas que no podían ser enmascarados por más tiempo, en especial, la situación del proletariado, que fue considerada desde perspectivas muy dispares, que iban, desde una cerrazón total, por parte de algunos grupos conservadores[18], a posiciones reformistas como las de los creadores de la Comisión de Reformas Sociales[19].

Los escritores del "naturalismo social" estuvieron inmersos en estos problemas y desde sus novelas, poemas, cuentos y obras teatrales, denunciaron las mismas lacras sociales. Es interesante cotejar el lenguaje empleado en los informes enviados a la Comisión de Reformas Sociales y el de toda esta literatura. Hay evidentes similitudes.

No sólo en el Partido Socialista hubo escisiones internas. Los vaivenes de la política española las provocaron también en otros grupos políticos. Pérez de la Dehesa cita un texto útil para conocer el rumbo de los futuros "germinalistas" con sus contradicciones:

> La creación del Partido Socialista oportunista Catalán, fundado y constituído por una docena de amigos, en 1888, en Barcelona, y la del Partido de la Democracia Social, fundado el mismo año en Madrid, no fueron producto de ninguna escisión en el campo socialista; estos partidos incoloros, muertos apenas nacidos, fueron obra de individualidades extrañas al Partido Socialista, alentados por ciertos elementos republicanos que veían con temor el incremento que tomaba el Partido Socialista y que adivinaban la mella que éste podría hacer en un porvenir no lejano en las huestes obreras que tan inconscientemente les seguían[20].

(17) R. Pérez de la Dehesa, *El grupo "Germinal"...*, ob. cit.

(18) Antoni Jutglar, "Las actitudes conservadoras ante la realidad obrera en la etapa de la Restauración", *Revista de Trabajo*, 25 (1969), pp. 45-72; y su libro, *Ideologías y clases en la España contemporánea*, Madrid, Edicusa, 1973, 2 vols.

(19) Antonio Elorza y María del Carmen Iglesias, "La fundación de la Comisión de Reformas Sociales", *Revista de Trabajo*, 25 (1969), pp. 73-105. Por Real Decreto de 5-XII-1883 se determinaba la creación de "una Comisión para estudiar todas las cuestiones que directamente interesan a la mejora o bienestar de las clases obreras"; los puntos a estudiar: jurados mixtos, cajas de retiros y socorros, condiciones de trabajo de mujeres y niños, higiene en talleres, seguridad, crédito agrícola, sociedades de socorros mutuos y cooperativas, y viviendas obreras.
Debe verse también: *Burgueses y proletarios. Clase obrera y reforma social en la Restauración*, edición de parte de los informes presentados, realizada por los mismos autores (Barcelona, Laia, 1973) y de A. Marvaud, *La cuestión social en España*, espléndido libro de la época, reeditado por J. M. Borrás y J. Castillo, Madrid, ediciones de la *Revista de Trabajo*, 1975.

(20) Pérez de la Dehesa, *ob. cit.*, p. 35.

Uno de estos grupos girará en torno a Dicenta; es el conocido como *Democracia Social* cuando aparezca esta publicación el 8 de abril de 1895, dirigida por el propio Dicenta. Además, *La Democracia Social* tuvo una primera época de la que Pérez de la Dehesa dice haber visto el número 2 (8-IX-1890) con las firmas de Yesares, Bark, Lapuya y Fuente, que hacen pensar en una cohesión anterior[21].

Solamente cuando se haga un estudio minucioso de las publicaciones de aquellos años se podrá determinar hasta qué punto se puede hablar de un grupo, y la evolución de cada uno de esos escritores que, generalizando tal vez en exceso, conocemos como la *gente nueva*.
Pero para nuestros fines, por el momento, este rápido repaso nos proporciona ya datos útiles que tener en cuenta: la importancia de este grupo puente, sus intentos de buscar un lugar de actuación política, a veces insuficientemente valorada, y la necesidad de no perder de vista su correcta filiación ideológica republicano-socialista, es decir, individualista. La consideración de este último extremo ayuda a entender sus peculiaridades, sus contradicciones de grupo social pequeñoburgués y el enfrentamiento continuo que tendrían en los años siguientes, tanto con los socialistas militantes como con los grupos sociales burgueses.

Una publicación de la década de los noventa, en la que, por su larga duración, se puede seguir mejor su deserción progresiva, es *Don Quijote*, donde, aunque en ocasiones se sostenga que "vivir es transformarse" (17-V-1895), nunca llegará a plantear la necesidad de adoptar posturas de grupo, sino que hasta los últimos números defenderá que sólo la república tiene soluciones y que el socialismo puede poner en peligro la paz y el individualismo[22].
Los textos de Victor Hugo siguen siendo frecuentes en ella y también los de Pi y Margall. A las firmas de escritores de más edad —A. Sawa, su hermano Miguel Sawa, Alfredo Calderón o Silverio Lanza— se van incorporando las de escritores como Benavente o Valle Inclán. Hay una gradual evolución del "naturalismo social" a escritos de tono cada vez más "modernistas".

TEORIA DRAMATICA

Para los anarquistas y socialistas, la finalidad del teatro erea educar a los espectadores a la vez que se divertían. En el caso de los escritores de la "gente nueva" esto parece menos claro. Les interesó el teatro como documento sociológico, pero también como producto estético que tenía un valor por sí mismo.

Su urdimbre mental era compleja y contradictoria; seguían vivos algunos presupuestos románticos, que hacían del artista un ser excepcional, pero, de otro lado, se sentían impelidos de manera acuciante a acercarse a los menos pudientes. Su producción dramática, tanto crítica como creativa, evidencia estas contradicciones. En unos autores es

(21) *Ibíd.*, p. 36, nota 3; en *G.*, 28 (12-XI-1897), A. de Santaclara, "La Democracia Social (recuerdos bohemios)", recuerda también está publicación en la que Lapuya, Dicenta, Fuente, Palomero, Delorme y otros "esgrimieron sus armas en defensa del socialismo".

(22) "A los Socialistas", *Don Quijote*, 7 (14-II-1901).

más clara su orientación sociológica, en otros la estética, pero cualquiera de ellos aparece solicitado en ambos sentidos. En los primeros años predominó lo sociológico, a finales de la década se desarrolló más la línea esteticista. Arrancaban de un rechazo del teatro oficial, que no admitía el naturalismo en la escena[23].

Las ideas de Zola sobre el teatro fueron su "catecismo"dramático y sostuvieron que Dicenta ocupaba el puesto de honor en la lucha por un teatro naturalista:

> Zola es frío como el mármol, nunca se siente latir el alma del autor, le falta el aliento de lo subjetivo, de la pasión.
> Dicenta al contrario, ha sentido y vivido como el poeta alemán cuya tumba en el cementerio de Montparnasse, es objeto de la peregrinación de millones de desilusionados cuya fe naufragó por el mundo[24].

En su opinión, el fracaso del naturalismo en el teatro se debe a que con frecuencia son dramas faltos de claridad; pero existe el ejemplo de Ibsen, Hauptmann y Bjornson que han demostrado que la "profundidad sociológica" no está reñida con el teatro, siempre que sea encarnada adecuadamente en unos personajes y una acción con efecto escénico.

Se repite mucho la idea del "calor" de los personajes de Dicenta frente a la frialdad de los personajes europeos de dramas sociales.
Eduardo Zamacois, con motivo del estreno de *Los malos pastores* de Mirbeau en París por Sarah Bernhardt, manda a la *España Artística* dos crónicas con el título de "El Socialismo en el teatro"; en ellas, aparte de dar cuenta de lo que ha sido el estreno y resumir el argumento de la obra, compara el protagonista, Juan Roule, con Juan José, y de paso a Octavio Mirbeau con Joaquín Dicenta:

> Joaquín Dicenta en Madrid, y Octavio Mirbeau en Francia, coinciden: sus obras están vaciadas en moldes parecidos, y aunque entre los argumentos de una y otra no haya semejanzas, ambas viven inspiradas por el mismo pensamiento, tienden al mismo fin, exponen los mismos dolores, plantean idéntico pavoroso problema. Dicenta y Mirbeau han expresado la creciente inquietud de esta sociedad desquiciada que busca a tientas nuevos cimientos para el edificio político del porvenir, y respondiendo a las necesidades de la época en que viven, las interpretaron exponiéndolas con maravilloso colorido ante los ojos del público *satisfecho* que no quiere ver las necesidades ajenas, y de los *indiferentes*, que no saben servirse de sus ojos...[25].

La diferente nacionalidad determina la diferencia de temperamento, pero no de sentimientos e ideales:

> Juan Roule es un socialista de cátedra, que sabe pronunciar discursos y persigue un fin altruista; Juan José es socialista de corazón; el socialismo no lo discute, lo siente[26].

(23) E. Alonso y Orera, "Nuestro teatro moderno, I y II", *G*, 8 y 9 (25-VI y 2-VII-1897).

(24) E. Bark, "El naturalismo español", *G*, art. cit.

(25) Eduardo Zamacois, "El socialismo en el teatro, I", *España Ilustrada*, 55 (febrero 1898).

(26) E. Zamacois, "El socialismo en el teatro, II", *España Ilustrada*, 56 (febrero 1898).

El propio Dicenta teorizó con posterioridad a sus estrenos sobre la verdad en el teatro, entendida no como algo particular del naturalismo, sino de manera mucho más formal, confusa y nada restrictiva:

> Vuelve la verdad al teatro, y vuelve empujada por la juventud que la ha visto surgir resplandeciente, poderosa, en las obras dramáticas de los grandes maestros españoles. Vuelve con esa juventud entre cuyas filas me cuento, aunque me cuento el último; con esa juventud que no quiere *romper moldes*, que se ríe de los que tratan de romperlos, que sabe que el teatro, el teatro bueno se entiende, será siempre el mismo en su esencia: acción, pasión, caracteres; pero acción verdad, caracteres verdad, pasiones verdad.[27]

Y más adelante:

> En la realidad, en las palpitaciones de la existencia, en el choque de las pasiones humanas, debe, necesita, tiene que buscar el autor los asuntos para sus dramas, el modelo para los caracteres que trace, los incidentes para la acción que desarrolle; nada de falsedades, nada de mentiras, nada de concesiones cobardes. De vicios y virtudes, de claridades y tinieblas, de purezas y de impurezas, de cobardías y de heroísmos, está hecha la vida.

A la vista de los párrafos transcritos ¿a qué queda reducido su naturalismo? La reiteración de antítesis ¿no nos recuerda más bien la dramaturgia de Echegaray?. Por si fuera poco, también la vieja moralidad aflora:

> Y no se asuste el público tampoco por lo que han dado en llamar *asuntos crudos* y *frases crudas*; vale más horrorizarse del vicio presentado con lealtad que entusiasmarse con el vicio disfrazado de hipocresía; aunque salgan las pasiones humanas todas a la superficie de la escena; aunque el choque de esas pasiones sea duro, violento, espantoso, brutal a veces, nada hay que temer; lo que horroriza no pervierte; aunque algunas frases tengan la rudeza de la verdad, no hay que asustarse; la verdad es sana; es como el aire del campo abierto: azota, pero fortalece.

"Palmerín" (Ruiz Contreras) se expresa en términos semejantes en "La fórmula teatral", defendiendo que

> No son *ideas* lo que se debe pedir al teatro sino *acción*, que despertando ideas puede ser filosófica y trascendental.
> [...] No son sermones; con acción se convence al público en el teatro.
> [...] Decir *acción* es decir objeto privativo del teatro; y es necesario observar

(27) Joaquín Dicenta, "La verdad en el teatro", *Los cómicos*, 8 (28-I-1904).
El hibridismo de su teatro muy visible en sus primeras obras: *El suicidio de Werther* (1888), *La mejor ley* (1889), *Los irresponsables* (1890) y *Luciano* (1894). Los cauces formales son viejos, pero algunos personajes e ideas nuevos. Introduce personajes artistas con dificultades para adaptarse a la sociedad: Fernando, Felipe o Luciano de alguna manera encarnan los ideales de los escritores de la "gente nueva".
Véanse: Jaime Más Ferrer, *Vida, teatro y mito de J. Dicenta*, Alicante, 1978. H. B. Hall, "Joaquín Dicenta and the Drama of Social Criticism", *HR*, 20 (1952), pp. 56-60. José Carlos Mainer, "Joaquín Dicenta (1863-1917)", en *Literatura y pequeña burguesía*, ob. cit.

que no debe confundirse con el *movimiento*, pues el movimiento escénico es a la interesante acción lo que la línea es al perfil, lo que es al colorido el calor, al concepto armónico el sonido y a la cadencia la rima.

Decir acción cuando tratamos del teatro es decir: *medio material* en que toma cuerpo la *situación*, alma de la escena[28].

La idea más interesante que aporta es la insistencia en la *situación*, citando en apoyo suyo a Diderot, y que define como

producida por el choque del personaje con los accidentes que lo rodean, y determina en el teatro el *"medio moral"*[29].

Teatro de situaciones, de "tranches de vie", fue buena parte de las piececillas de la "gente nueva", a medio camino entre el diálogo satírico y la escena teatral.

Por otro lado, la dirección esteticista es defendida desde muy pronto, sobre todo, por Jacinto Benavente. No es que rechace la función social del arte, sino que, como ocurría entre los modernistas catalanes con los que se mantenía en contacto, sostiene que el arte para ser asequible a un público más amplio no tiene que rebajarse y adoptar fórmulas populistas. Su artículo "El socialismo en el arte", poco citado por sus críticos, es un temprano y significativo testimonio en este sentido. Considera en él Benavente que no es posible "un arte abstraído por completo de la vida social, un arte por el arte, existente en sí mismo, sin otro fin que la propia existencia"[30].

Benavente, que excluye en sus razonamientos convertir el arte en un medio de propaganda, se mueve en ambigüedades. Hasta el momento, como precursores del socialismo en el arte, ve a los autores de utopías —Platón, Moro, Campanella, Harrington, Hobbes— y a los autores contemporáneos, que introducen en sus obras "los sentimientos socialistas en lo que tienen de humanitario: compasión y justicia para los miserables de este mundo"[31]. De éstos, cita una amplia nómina: Werner, Amicis, Coppée, Zola, Tolstoi. Más jóvenes, en Francia, los poetas Sully Prudhomme, Barbier, Moreau, Cladel "entre los verdaderos artistas alejados de la acción y de la lucha". Entre los "escritores de batalla", Félix Pyat, el autor de *El trapero de París*, Julio Vallés, Malón y la publicista Severine. De Alemania cita a Hauptmann y su drama *Los Tejedores* y, finalmente, de Inglaterra, a Shelley y Young, y más recientes el prerrafaelista William Morris, en *Paraíso terrenal*, y Tomas Hood, sobre todo por su célebre *Canción de la camisa*, de la que ofrece al lector una traducción para que también en España se difunda.

El artículo en su conjunto resulta ambiguo y en él Benavente trata fundamentalmente de hacer un repaso informativo e introducir su traducción de Hood; pero sirve para darnos una idea de sus preferencias y, a su vista, entendemos los relatos, a veces dialogados, y algunos de los poemas siguientes. Nos muestra, además, a un lector avidísimo de literaturas y autores poco frecuentes en la España de aquellos años. Lo cierto es que

(28) Palmerín (Ruiz Contreras), "La fórmula teatral, I", *El Diario Ilustrado*, 48 (28-XII-1898).

(29) Palmerín (Ruiz Contreras), "La fórmula teatral, II", *El Diario Ilustrado*, 49 (5-I-1898).

(30) Jacinto Benavente, "El socialismo en el arte", *RC*, XCII (Octubre-diciembre 1893), pp. 503-510.

(31) *Ibíd.*, p. 507.

Benavente, aunque mantenía relaciones con la "gente nueva", como con tantos otros, tenía una amplitud de criterios mucho mayor.

Como escritor se sentía solicitado en direcciones muy dispares. Tanteaba caminos[32]. Sorprendente es su libro *Teatro fantástico* (1892), que pasó inadvertido, pero que es una temprana y casi única muestra de teatro simbolista en España en aquellas fechas y, de otro lado, contiene en germen algunas de sus direcciones dramáticas posteriores[33].

En sus ocho piececillas se hace eco de las propuestas de Maeterlinck y los cuentistas Poe, Hoffmann y Maupassant. Sus propuestas van desde una diminuta comedia rococó, *El encanto de una hora*, a la incorporación de elementos de la comedia italiana del arte, la pantomima y el teatro de marionetas en *Comedia italiana, La blancura de Pierrot* y *La senda del amor*.

Otras son una reflexión sobre el teatro: en *Modernismo*, se desdobla en dos personajes, para abordar la cuestión desde dos ángulos diferentes. En *Amor de artista*, asistimos a una reflexión sobre la misión del artista en la sociedad. Pero es sobre todo en el prólogo de *Cuento de primavera* donde teoriza con más certeza sobre el teatro simbolista. El personaje Ganimedes, que anticipa el Crispín de *Los intereses creados*, expone a la vez que expresa el tema de la obra, que se trata de crear un teatro de "ensueño vago y borroso", que despierte en los espectadores "un placentero mundo de ensueño", coincidiendo así con uno de los requisitos exigidos por el simbolismo teatral. La plasticidad escénica, la cuidada elaboración del diálogo y la utilización de escenas de canto —comienzo y final del acto primero— son también otras interesantes innovaciones que le aproximan al deseo de los simbolistas de conjuntar drama hablado y música.

El *Teatro fantástico* es pues un libro significativo, lleno de sugerencias que tardaron años en ser desarrolladas.

En 1894, estrenó *El nido ajeno* en el teatro de la Comedia de la mano de Emilio Mario[34]. Es una comedia de compromiso entre el "realismo" exigido por el teatro de entonces y sus tanteos anteriores. El primoroso diálogo lo es casi todo en esta suave sátira del matrimonio burgués. No son unas descarnadas imágenes naturalistas lo que presenciamos, sino una glosa de la tópica y manida imagen poética de la casa como nido, aunque sea para demostrar que no lo es.

El estreno le sirvió para que se le abrieran las puertas de algunos periódicos. En los años siguientes, agilizó su estilo escribiendo artículos satíricos, que guardan estrecha relación con sus obras dramáticas.

Benavente colaboró primero en *La Epoca*, donde probablemente publicó artículos sin firma[35]. Luego, en *El Globo*, donde a partir del 11 de mayo de 1896, tuvo una sec-

(32) R. Contreras, "Autógrafos benaventinos en el archivo de D. Sergio Fernández Larrain", *Seg.*, 4 (1967), pp. 333-352. En mi artículo, "Colaboraciones de Benavente en la prensa madrileña: 1890-1900", *Cuadernos Bibliográficos* (1982), analizo sus publicaciones de aquellos años y la crítica posterior sobre sus primeras obras.

(33) Emilio González López, "El teatro de fantasía de Benavente", *CHA*, 320-321 (marzo 1977), pp. 308-326, lo sitúa adecuadamente.

(34) L. Ruiz Contreras, *Medio Siglo de teatro infructuoso*, ob. cit., p. 189. Benavente seguía con gran atención la labor teatral de Emilio Mario; véanse sus *Memorias*, O. C., XI, Madrid, Aguilar, 1940 y ss., pp. 807-818.

ción, "Arañazos y bufidos", firmada con el seudónimo de Micifuf, cuyos artículos no han sido nunca utilizados y he dado a conocer recientemente. Estas colaboraciones nos descubren un escritor preocupado por la situación española del momento. Parte de ellos tratan sobre el caciquismo[36] y la situación política[37]. Son los mismos temas que pone en boca de sus personajes dramáticos. La estructura de las obras de "escenas contemporáneas" debe no poco a estos artículos satíricos.

En algunos hay un anticipo de *Gente conocida*, utilizando incluso la misma expresión, como en "De veraneo":

> Los madrileños, por lo regular, no gozan ni viven si no se codean y aprietan tres o cuatro veces al día en el menor espacio posible. Matan el tiempo y el espacio. Cuando un madrileño dice: ¡Qué bien está esto!, ya se sabe, no puede respirar de apreturas. Eso sí, los que le pisan, codean y ahogan, es toda *gente conocida*.
> Por la mañana, paseo callejero, reducido al menor trecho de calle posible, para que nadie se escabulla sin ser notado.
> Por la tarde, engranaje de ruedas en el paseo de coches, hasta formar una especie de máquina; [...] Es una contínua persecución de la cara *conocida*.
> El verano, para el mayor número, no tiene otra explicación ni otro objeto.
> Nada como San Sebastián; por allí pasan desde el 15 al 20 de agosto todas las *caras conocidas*[38].

Estrenada la obra, ante los comentarios que ha suscitado, le dedica un artículo, "Ovejas bobas", en el que se enfrenta al público que se comporta como tales:

> Por donde va una, van todas. Ya lo dijo el doctor Huarte, la mayor parte de la humanidad se compone de entendimientos *oviles*; pero así como los pastores mezclan entre el rebaño de ovejas tímidas, algunas cabras arriscadas y bravías que guíen y alienten al ganado a trepar por cerros, a saltar arroyos, a vadear ríos en busca de más fresco y abundante pasto, así conviene que de cuando en cuando aparezca en la humanidad algún entendimiento *caprario*, que trace nuevos derroteros al rebaño de ovejas bobas. Como las ovejas, los hombres se hallan muy complacidos en el redil de la tradición y acarrados a la sombra unos de los otros. No ya la iniciativa de grandes empresas, la decisión a un acto espontáneo, el más sencillo, representa un esfuerzo[39].

(35) Lo mencionan algunos de sus críticos —Sánchez Esteban y M. Peñuelas— pero sin precisar. En mi repaso de la publicación no le encontrado más que "Cartas de mujeres" (5-X-1894). Para detalles véase mi artículo, ya citado.

(36) Micifuf (J. Benavente), "Grandes y chicos", *El Globo* (1-VI-1896); "Los niños terribles" (17-VIII-1896); "El hijo pródigo" (6-IX-1896).

(37) Micifuf (J. Benavente), "Sin asunto" (8-VI-1896), sobre la retirada de Cánovas y el problema cubano; "Trapitos de cristianar" (22-VI-1896), contra los neos; "Teocracia" (29-VI-1896), contra Cánovas y su política providencialista; "¿Decadencia?" (20-VII-1896), contra Cánovas; "Mirando al mar" (10-VIII-1896), sobre el problema cubano; "Matrimonios desiguales" (24-VIII-1896), sobre el problema cubano.

(38) Micifuf, "De veraneo" (6-VII-1896); anticipa también el tema de *La gata de angora* con un breve artículo y el poema "La gata de angora" (28-IX-1896).

(39) Micifuf, "Ovejas bobas" (26-X-1896); en *La Farándula* volverá a defenderse de estas críticas.

Benavente se envanece de ser una de esas "cabras" rompedoras, ocultándose tras su seudónimo, y atacando la hipocresía colectiva:

> Yo sé bien que el autor de *Gente conocida*, estrenada noches pasadas en la Comedia, no es vanidoso; pero puede tener la vanidad de haber triunfado de esa hipocresía de la multitud.
> Pero vean lo raro del caso, mientras creyeron que todo era broma ligera, se regocijaron en grande y a punto estuvieron de enfadarse cuando entre aquellos personajes, ovejas bobas, rebaño de seres sin conciencia, que viven más de la vida de los otros que de la suya propia, apareció la conciencia individual, rebelde y justiciera. Y cuidado que se dé por satisfecha con conocer el mal sin luchar contra él para vencerlo. Le basta con creer y confiar en sí misma. Por eso dicen muchos que sobraba el cuarto acto. Es verdad, los tres primeros son de este mundo, el cuarto... en el cuarto no debemos pensar. Sigamos como ovejas bobas, acarradas, viviendo de la vida de los otros más que de nuestra propia vida.

Benavente proyecta sus afanes de crítica independiente en personajes que se enfrentan al medio, como había reconocido unos días antes en su autocrítica en *La información*, donde sostenía que en su personaje había tal vez algún rasgo ibseniano[40].

La obra, que había hecho vacilar a Mario al serle presentada y se había ensayado sin ilusión porque "no tenía asunto", contra lo esperado, interesaba al público, a pesar de su final anticlimático[41]. En *Charivari*, Martínez Ruiz, comenta que Benavente ha logrado que los abonados de la *Comedia* aplaudan su propio retrato[42]. Cavia, en *El Imparcial*, se polariza en que la obra "no es en rigor una comedia, ni por el pensamiento que la alienta ni por los caracteres que la determinan, ni por la acción en que se desarrolla"[43]. A.O., en "Gacetillas teatrales", de *El Globo*, vuelve a insistir en la dificultad de clasificarla por su forma y el acierto de subtitularla "escenas de la vida moderna"; su fino humorismo y el convencimiento de que es "fiel reproducción de las costumbres contemporáneas", le llevan a cubrirla de elogios desmedidos y a afirmar que "Jacinto Benavente es el Alejandro Dumas (hijo) de nuestro teatro". El resto de los periódicos repiten similares juicios[44], que no descubren nada, pues el propio autor confiesa que no pretendió otra cosa[45].

Gente conocida, cuyo primer título había sido "Todo Madrid"[46], utilizando la

---

(40) Jacinto Benavente, "Autocrítica", *La Información* (21-X-1896), recogido como prólogo al editar la obra.

(41) Parte del éxito fue debido a que circuló la idea antes del estreno, de que era obra "escandalosa". Se suele insistir en el "ibsenismo"de *Gente conocida*, tal vez exagerando. Véase, Francisco C. Lacosta, "Benavente e Ibsen: puntos de contacto", *CHA*, 67 (1966), pp. 527-536.

(42) *Charivari, O. C., I*, p. 258.

(43) Mariano de Cavia, "Los teatros", *I* (22-X-1896).

(44) A. O., "Gacetillas teatrales", *El Globo* (22-X-1896); el mismo periódico comenta su *autocrítica* (23-X-1896) e inserta otro artículo, éste de Navarro Ledesma, sobre la obra (25-X-1896), que la considera ante todo una obra "viva". La *EM*, XCIV (1896), pp. 156-159, sale al paso de quienes acusan a Benavente de "inmoral"; inmoral es la sociedad aristocrática, no él por denunciarlo.

(45) Jacinto Benavente, "Autocrítica", escribe: "El público se divirtió grandemente con aquella serie de escenas que, en efecto, no constituyen una obra teatral. Pero el autor no se propuso otra cosa."

(46) López Ballesteros, "El teatro de Benavente", *Nuestro Tiempo* (1901), p. 190.

expresión de la época para referirse a la flor y nata de la aristocracia y alta burguesía madrileña, muestra cómo funciona internamente este grupo social. La intriga, que existe aunque no es lo más importante, se basa en el ir y venir de distintos personajes movidos por el interés de lucro, por alcanzar una posición social más ventajosa o por no perder la que ya tiene.

El soporte de la obra es el diálogo; los personajes son hábiles conversadores habituados al fingimiento que les impone el juego social. Acertadamente, Ruiz Ramón, alude a la utilización de Benavente de "los apartes para mostrar el contraste entre palabra interior y palabra exterior"[47]. Lo que le diferencia de Enrique Gaspar en obras como *Las personas decentes*, aparte del adelgazamiento del hilo de la intriga, es que prescinde más del personaje "raisonneur". Benavente se limita a mostrar crudamente las formas de actuación de los personajes. La lección moral la extrae directamente el espectador. El procedimiento utilizado era acertado como demuestran las reseñas que se hicieron a la obra.

Los personajes se van destacando del resto por su forma de expresarse. Pueden reaparecer o no, pero con pocas veces que hablen basta para que queden delineados. No es *Gente conocida* obra de monólogos; detrás de su charloteo los personajes no ocultan nada más. Lo que los constituye es el papel social que cumplen, sea la Duquesa de Garellano, sus hijos o cualquier otro personaje que atraviese la escena. Benavente demuestra una habilidad poco habitual para entretener al espectador con materia dramática secundaria, anecdótica. Resulta, sin embargo, más impecable que implacable.

La acusación que se hace al teatro de Benavente de que "la sátira benaventina no aspira a remover zonas profundas de la conciencia habitual ni social, sino a reflejar escépticamente, con agudeza pero sin transcendencia, las costumbres de una sociedad en la que sus cronistas no acertaban a ver ni siquiera graves problemas"[48] tiene algo de cierto, sin que lo sea menos que la aristrocracia y la alta burguesía españolas caminaban hacia el desastre del 98 con una inconsciencia difícilmente superable. Carecía realmente de "zonas profundas"; personajes como Orozco o Viera de *Realidad*, de Galdós, debían ser excepciones de aquella sociedad. Todo aparece inevitablemente trivializado.
Su insuficiencia fue puesta de relieve palmariamente por Pérez de Ayala refiriéndose a su teatro en conjunto, volviendo en contra suya unas frases de *La ciudad alegre y confiada*: "nada hay tan fácil como ser propagandista de ideas y conductor de muchedumbres. Basta con proclamar lo que se sabe que piensa el público"[49].

A Benavente, tal vez, le justifica que ya entonces reconocía las limitaciones de su teatro. Actualmente tendemos a ver al escritor desde su compromiso o no con los problemas de su tiempo. Desde esta perspectiva, su dramática aparece trasnochada y endeble, considerada en su momento es la obra de un buen conocedor del aparato teatral con una capacidad de escritura excesiva.

(47) F. Ruiz Ramón, *Historia del teatro español*, Madrid, Alianza, 2 vols., 1971 y 1975. Vol. II, p. 24.

(48) *Ibíd.*, p. 25.

(49) Tomo la cita de José Monleón, *El teatro del 98...*, ob. cit., p. 166. Pertenece a *Las máscaras*.

LA "CUESTION SOCIAL" EN EL TEATRO

Sin perder de vista la trayectoria del melodrama social y los intentos de Galdós, será sobre todo a partir de 1894 cuando más se hable de la "cuestión social" en el teatro. Zeda, en "Dramática parda", llama la atención sobre cómo el *cuarto estado*, hasta entonces limitado a figurar sólo en los sainetes o como comparsa en los dramas, "ha entrado a tambor batiente en la alta comedia y en el drama". Su postura, no exenta de moralismo y que será compartida por amplios sectores sociales, es la de quien teme perder un privilegio; para él, el acceso del pueblo al protagonismo dramático es sinónimo de llegada a los escenarios del naturalismo:

Lanzados ya en esta vía los susodichos imitadores, es de temer que no se detengan en los anteriores límites y bajen algunos peldaños en la escala de lo grosero y de lo repugnante. Y existen antecedentes peligrosos.

Un escritor alemán, Hauptmann, en su drama *Los tejedores* coloca una escena en que varios obreros hambrientos guisan y comen un perro.

Es de suponer que al público se la haga la boca agua viendo tan exótico banquete... Con tales antecedentes, fácilmente puede calcularse qué de sorpresas nos guardan los nuevos moldes.

[...] Preparémonos. Los Roñas y Pizpiernas, los Monipodios, los Rinconetes y Cortadillos, los Lázaros y Alfaraches, los chulos de Ricardo Vega y de López Silva, despojándose de su carácter cómico, van a calzarse el coturno y a conmovernos trágicamente con sus borracheras, sus pendencias y hasta con sus juegos, pero no al estilo de aquellos que de un modo tan *picante* explicaba en cierta célebre sesión de Cortes el Presidente del Consejo de Ministros. *Los Golfos* están en las puertas del *teatro serio*... se oyen ya sus golpes.

Víctor Hugo demostró que las inmundicias que se *pierden* en las cloacas de París representaban una gran riqueza.

¿Quién sabe si las inmundicias sociales contendrán también un tesoro estético de incuestionable valor?

Por de pronto, o mucho me equivoco, o el arte dramático corre el peligro de tomar el camino de las alcantarillas[50].

La llegada del *cuarto estado* a las tablas con protagonismo propio y con reivindicaciones de igualdad fue difícilmente comprendida por muchos. A pesar de los hechos consumados se ironizará con frecuencia sobre ella[51]. Pero era difícil evitarla. España no podía sustraerse a la gran corriente europea, que promovía este tipo de teatro. Ibsen y Hauptmann son dos de los más significativos dramaturgos que alimentaban por entonces esta tendencia. Serán considerados como revolucionarios y serán los modelos imitados, como ya hemos visto. Siguiendo sus pautas, los intentos de "teatro social" autóctonos no tardaron en aparecer.

(50) Zeda, "Dramática parda", *El Proscenio*, 2 (9-XI-1894). Véase Francisco García Pavón, *El teatro social en España*, Madrid, Taurus, 1962.

(51) Luis Gabaldón, "El pueblo en el teatro", *Diario del teatro*, 20 (14-I-1895), sostiene aún que la misión del pueblo en el teatro es meterse donde no le importa.

La de San Quintín, aunque es una obra muy endeble, proporcionó a Galdós uno de sus éxitos más ruidosos[52]. Tiene el interés de ser una de sus primeras aportaciones, en el teatro, al estudio de la cuestión social. Sus ideas sobre el tema presiden en exceso la elaboración de la trama argumental, que resulta demasiado artificiosa. Su planteamiento del problema es básicamente coincidente con el de *La loca de la casa*.

Por aquellas fechas, la posición política de Galdós era moderada y sus ideas sobre la cuestión social las del progresismo decimonónico: Galdós veía en la idea de progreso la solución a todos los males. Al avanzar éste, mejoraría a los hombres y a la sociedad. Su visión evolutiva de la sociedad le llevaba a descartar soluciones radicales. Se trataba de reorganizar los componentes de la sociedad española, no sustituyendo la aristocracia y las clases medias por el pueblo en el protagonismo de la historia española, sino fusionándolos.

Lo que Galdós pensaba de las tres grandes clases sociales de la época, lo encarnó en unos personajes para hacerlo más comprensible, unos "personajes-concepto" como los llama Isaac Rubio[53], definidos más por el retrato de ellos que hacen los otros personajes o el autorretrato que trazan de sí mismos al entrar en escena que por su actuación. La finalidad didáctica que preside la obra le hace supeditar todos sus elementos a la tesis inicial.

La conservación del manuscrito de la obra en la Biblioteca Nacional permite, a juzgar por el breve comentario y reproducción de algunas de sus páginas que hace Finkenthal, seguir el proceso creador de Galdós desde sus primeras ideas —que anotaba mediante palabras clave— al texto definitivo, confirmando lo que acabo de indicar[54].

Galdós encarna los valores de la burguesía en la familia Buendía, en Rosario Trastamara los de la aristocracia y los del pueblo en Víctor. El resto de los personajes son puramente adyacentes y en ocasiones incluso un peso innecesario para el avance de la acción.

La trama enfrenta a estos personajes y tras diversas peripecias, terminan casándose Víctor y Rosario, llevándose a cabo la consabida fusión entre aristocracia y pueblo, mientras la burguesía capitalista, representada sobre todo por Don César, queda desa-

---

(52) Francos Rodríguez, *Contar vejeces*, pp. 81-82, recuerda cómo el público invadió el escenario, alzó en volandas a Galdós, que trataba de soltarse y cómo los jóvenes siguieron hasta su casa la berlina donde iba. Llegó a provincias su eco. Pereda le escribe a Galdós comentándoselo (*Cartas a Galdós*, ob. cit., p. 165); por las cartas de Emilio Mario se puede seguir la trayectoria del drama por distintas ciudades (*Ibíd.*, pp. 355-403).

(53) I. Rubio, *tesis citada*, p. 198. Realiza un completo examen de la obra, aunque un tanto confuso. Acierta especialmente en la demostración de cómo Galdós abusa de lo narrativo en detrimento de lo dramático: retratos y autorretratos redundantes de los personajes, relato de acontecimientos que acaecen fuera de la escena, demasiadas escenas de transición... El narrador no acaba de desaparecer. Sobre el narrador dramatizado, véase: Wayne C. Booth, *La retórica de la ficción*, Barcelona, A. Bosch, 1978, pp. 142 y ss.

(54) L. Finkenthal, *El teatro de Galdós*, ob. cit., pp. 107 y 108; 219-222. Sería necesario un estudio pormenorizado del proceso.

creditada. Curiosamente, Galdós no descalifica tanto a Don José Buendía, que a pesar de su humilde origen, con trabajo y ahorro ha llegado a ser el "mayor terrateniente, fabricante y naviero" de Ficóbriga, un verdadero *patriarca*[55], cuanto a su hijo Don César, poco emprendedor y de vida licenciosa. Galdós pone en ellos rasgos positivistas tal como fueron reformulados por la burguesía española de la Restauración. El trabajo y el ahorro son considerados fundamentales por Galdós también en los otros personajes.

Para concretar más aún los enfrentamientos de sus personajes y arrastrar y mantener la atención de los espectadores desarrolla un proceso amoroso en el que D. César y Víctor rivalizan por conseguir a Rosario y que hace más neta su separación por contraste.

En otro plano, el burgués D. César explota al proletario Víctor. Tal vez fue éste el señuelo que engañó a parte del público y le hizo ver en *La de San Quintín* un drama revolucionario, lo cual hoy nos resulta incomprensible a la vista de la textura del personaje de Víctor, quien dudosamente representa al pueblo puesto que, hasta que su identidad no se desvela al final del segundo acto, es un aspirante a burgués, que trabaja afanosamente para ser reconocido por D. César, su supuesto padre.

Víctor presume de socialista y, sin embargo, es incapaz de defender el socialismo cuando es atacado. Más aún, está dispuesto a renunciar a él por el amor a Rosario.

La de San Quintín es un melodrama[56], que ofrece una simplista visión del problema social desde fuera del mundo de los afectados. Cuanto más en detalle se considera más manidos recursos de melodrama afloran: hay un problema de identidad, la dudosa paternidad de Víctor, al que se superpone otro recurso tópico: es hijo natural. Unas cartas, muy extemporáneas, serán el objeto que revele su identidad. Por ellas, el espectador se entera de que Víctor no es hijo de D. César.

No existe caracterización psicológica de los personajes, tan sólo unos rasgos generales necesarios para la función demostrativa para la que han sido diseñados. Ya he apuntado la falta de eficiencia y maldad natural de D. César, su libertinaje, su incapacidad para tener sentimientos honestos respecto a Rosario.

Enfrente está Víctor, que reúne en su persona todos los saberes y habilidades del prototipo de librepensador y muchos más: habla francés, inglés y alemán; tiene conocimientos de mecánica, albañilería y carpintería; ha viajado y estudiado en Europa (I,12). Como el tiempo no pasa en vano tampoco para el melodrama, Víctor encarna los ideales de aquel momento muy simplificados, aparte de otros rasgos como la belleza física, que permanece inalterable.

En el centro de estas dos fuerzas extremas, Rosario realiza una función de eje sobre la que se articulan a la vez que chocan. Marquesa de San Quintín, venida a menos, manifiesta una prosaica voluntad de cambio que la salva: se considera "revolucionaria" y

(55) Resulta caricaturesco el viejo Buendía, que controla desde los huevos que ponen sus gallinas al dinero que se gasta en la compra (I, 6 y 7). En estas dos escenas expone sus ideas económicas de una pobreza aplastante.

(56) En las obras que analizo a continuación abundan los elementos melodramáticos. Utilizo el término con el sentido en que ha sido acotado en obras como: Peter Brooks, "Une esthétique de l'étonnement: le melodrame", *Poetique*, 19 (1974), pp. 340-356; Maurice Descotes, *Le public de théâtre et son histoire*, París, PUF, 1964; J. Duvignaud, *Sociología del teatro*, México, 1966; Jean Follain, "Le melodrame", en *Entretiens sur la paralittérature*, París, 1970, pp. 33-44, etc.

propone mezclar las clases sociales (II, 8), renunciando al cúmulo de ficciones en que viven (II, 11). En un gesto de teatral populismo, se pone a trabajar con las criadas.

Como ya he indicado, se enfrentan conceptos más personajes en una poco hábil intriga, supeditada a demostrar la tesis fundamental de la obra: el mundo positivista tiene que ser sustituído por un mundo más justo donde las relaciones interindividuales estén presididas por la bondad y donde la imaginación tenga también su lugar. Se trata de llegar a un mundo de armonía social, como es expuesto por Víctor y Rosario en la conocida escena de la fabricación de las rosquillas:

> Víctor— En eso está. Las yemas y el azúcar: alegoría de la aristocracia de sangre unida con la del dinero.
>
> Rosario— Cállese usted, populacho envidioso.
>
> Víctor— ¿Está mal el simil?
>
> Rosario— No está mal. Luego cojo yo las aristocracias y... las mezclo, las amalgamo con el pueblo, vulgo harina, que es la gran liga... ¿qué tal? Y hago una pasta... (II, 8)

El final de la obra no es ni siquiera coherente con esta tesis propuesta: no se produce esta amalgama total, sino que Rosario y Víctor marchan a América donde él trabajará en una empresa holandesa. Víctor vence, pero en nada mejora el mundo del que procede.
El drama de Galdós resulta así un falseamiento de la cuestión social, a la par que una banalización inaceptable del socialismo.

Yxart no veía otra explicación al éxito de la obra que el haber sido estrenada ante un público ignorante de la cuestión social en toda su crudeza:

> ... causó poco menos que fanatismo aquel *amasijo* de la aristocracia y de la clase obrera, inexplicable e inexplicado. ¡Harto se conoce que formaba el público una sociedad cortesana, compuesta de nobles, literatos y altos empleados, desconocedores *de visu* de la revolución que se elabora en los centros fabriles y no expuestos a la dinamita[57].

Eduardo Bustillo, por su parte, indica que la tesis "socialista" del drama no será efectiva, pues "la gran masa" la habrá olvidado antes de salir al vestíbulo, y descarta la importancia de los elementos melodramáticos[58].

Como ocurría con el Ibsen de *Un enemigo del pueblo*, parte de aquel público estaba sensibilizado para elogiar, hasta la desmesura, todo drama que hiciera elogio de valores tan abstractos como la "verdad" o la "autenticidad" y se entusiasmaba viendo fabricar en escena rosquillas, lo cual no es sino un superficial alarde de "naturalismo"[59].

(57) J. Yxart, *El arte escénico*, p. 350. Villegas, "Impresiones literarias", *EM*, LXII (1894), pp. 124 y ss., estima que Galdós ha sido ante todo oportuno al elegir el tema, pero no lo plantea bien. No se trata de mezclar sangres, sino que el conflicto "lo forman los ricos y los pobres, los poderosos y los desheredados, el oro y el cobre, que no se ligan ni amalgaman en la química social" (p. 127). Según Villegas, si Rosario se casase con un obrero y se fuera a la boca de una mina, cambiarían las cosas.

(58) El propio Galdós recuerda que al "respetable" le pareció novedad curiosa. *Memorias*, ob. cit., p. 1685. Algunos periódicos la reprodujeron: *La Iberia* (28-I-1894).

150

El propio José Martínez Ruiz, en la reseña que hizo del estreno de la obra en Valencia, ve a Galdós como "un artista del arte social"[60]. Alternan estas críticas con las de quienes le acusan de intrusismo y de que no es misión del teatro ocuparse de la cuestión social[61].

Las publicaciones anarquistas y socialistas picaron fácilmente en el señuelo y publicaron muy favorables reseñas. Por desconocida merece ser citada por extenso la carta que el socialista salmantino Casimiro Muñoz envió a Galdós con motivo del estreno de *La de San Quintín*:

> Sr. D. Benito Pérez Galdós:
>
> Muy Sr. mío y de mi mayor consideración y aprecio.
>
> Tan pronto leí en los periódicos del extreno (sic) de su notable comedia "La de San Quintín", me apresuré á comprarla, no sólo por tratarse de una producción suya y por las que tengo gran interés, sino porque este último producto de su ingenio me era simpático en grado superlativo, por venir a defender á los humildes enalteciendo sus ideales, si que también por pintar de mano maestra, como he tenido ocasión de leer, el principio, medio y fin de la burguesía en la familia de los Buendía.
>
> [...] V., Sr. Galdós, está en las mejores condiciones que ningún otro escritor, para abordar en el teatro y fuera de él la cuestión social; porque su legítimo prestigio y talento, no sólo hace enmudecer á los que justamente fustiga, sino que los atrae al campo de revolucionario que los combate.
>
> ¡Qué así de grande es su poder intelectual!

En su entusiamo por el dramaturgo, pone a su disposición su "casa y persona" e intenta captarlo para el Partido Socialista:

> Viva en la persuasión que todos los socialistas le miramos con gran simpatía después de *La de San Quintín*; y si diera el paso de declararse francamente partidario de nuestros justos y bellos ideales, á imitación de Amicis, Ferri, Lombroso, Jaurés, Millerand y tantos y tantos como de poco tiempo á esta parte han abrazado nuestros principios, entonces... ¡Ah! entonces sentiríamos por V. los socialistas españoles más que V. no puede ni aún sospechar, y sería en esta nación el astro que más brillara, circundado y embellecido por la causa nueva. Abandone, sino (sic) lo ha hecho ya, Sr. Galdós, esos partidos defensores de la corrompida burguesía. No se confunda más tiempo un hombre de su prestigio y valer personal con esos vividores políticos. Véngase con nosotros a difundir la hermosa fraternidad que se desprenden (sic) de nuestros emancipadores principios[62].

(60) A., "En la Princesa. *La de San Quintín*", *El Mercantil Valenciano* (1-III-1894). Véase, J. M.ª Valverde, *Azorín*, ob. cit., p. 28.
Ganivet, por su lado, le escribió a Navarro Ledesma, pidiéndole la obra para leerla y salir de dudas acerca de cómo encaraba el socialismo: "Las teorías políticas en que el nuevo estado llano entra como principal ingrediente, son susceptibles de dos aspectos que pudieran llamarse popular y aristocrático, o noble y vulgar. A cualquiera se le alcanza que el socialismo que predica la mayor parte de los políticos de oficio, que han tomado la nueva dirección, es un mercantilismo tan grosero, si no más que el hoy disfrutamos. Toda transición en este sentido me parece mala". Carta publicada en *Nuestro Tiempo* (julio 1903), pp. 112-114.

(61) Véase la reseña de Alonso y Orera en *La Ilustración Ibérica* (17-III-1894).

La tentativa de "teatro social" de Galdós viene a ser la equivalencia en Madrid de los *dramas sociales* que Guimerà estaba estrenando por entonces en Barcelona. Tiene razón Deleito Piñuela cuando al analizar el teatro social de aquellos años escribe: "El socialismo era romanticismo puro en la España de 1894"[63].

Prueba evidente del éxito de la obra y de lo fácilmente que era asimilable son tres parodias, estrenadas al poco tiempo: *La del capotín o con las manos en la masa, La de vámonos* y *La de don sin din*.

"EL PAN DEL POBRE", DE GONZALEZ LLANA Y FRANCOS RODRIGUEZ

El año 1894 se proyectó en Barcelona una representación de *Los Tejedores* de Haupt-mann, junto con otras obras de Ibsen, Bjornson y Maeterlinck[64]. Yxart se refiere por entonces a este drama, insertándolo dentro del naturalismo teatral, como "cuadro viví-simo de motín, de hambre y miseria, en un medio obrero. Sin sentimentalismo alguno, conmueve tan sólo con el espectáculo del dolor presente; sin teorías ni tipos declamado-res, presenta los verdaderos y distintos caracteres que intervienen hoy en la lucha social, resaltando con gran relieve, rebosando de vida"[65].

En Madrid, también se conocía este drama y surgió el deseo de darlo a conocer al público madrileño. F. González Llana y J. Francos Rodríguez, por insinuación de Eche-garay, hicieron un arreglo para que el drama resultara "aceptable para el público español". Los autores justifican su versión diciendo

> que no hubiera tolerado (este público) cinco actos de exposición escueta, sin otro interés escénico que el de la pintura de una realidad desconsoladora. Ade-más, el autor alemán aparece pesimista en extremo. Presenta a los desdichados, sufriendo todas las penalidades que ofrece la esclavitud; pero no les muestra por ninguna parte la redención, ni siquiera la esperanza de conseguirla[66].

El resultado de su trabajo fue una obra muy distinta a *Los Tejedores*:

---

(62) Carta de Casimiro Muñoz, fechada en Ciudad Rodrigo él 3 de marzo de 1894 (inédita); se conserva en el Museo de Pérez Galdós de Las Palmas junto con algunas otras, en una de las cuales, a raíz del fracaso de *Los Condenados*, le indica que se debe a la inmoralidad burguesa, incapaz de entender su propuesta espiritualista (*Ibíd.*, 24-I-1895), igualmente inédita.

(63) José Deleito Piñuela, *Estampas del Madrid teatral de fin de siglo*, Madrid, Calleja, s.f., p. 188.

(64) E. Valentí, *ob. cit.*, p. 219, nota 40, donde da algunos datos de interés sobre este autor. Véase el apartado sobre Ibsen en Cataluña.

(65) J. Yxart, *El arte escénico, I*, p. 247. Lo empareja con Sudermann: "Sudermann y Haupt-mann apasionan a la juventud berlinesa, secuaz también de Ibsen y de Zola" (p. 246); no es menos interesante la conexión que establece con los arreglos teatrales hechos sobre novelas naturalistas (pp. 247-248).

(66) Son palabras de los autores dirigidas a Echegaray y que, al editar la obra, las incluyeron como prólogo: *El pan del pobre (drama en 4 actos y en prosa, inspirado en la lectura de una obra alemana)*, Madrid, Velasco impresor, 1894.

Hemos, pues, aprovechado la idea de Hauptmann y la hemos imitado utilizando el rico marco alemán para nuestro modestísimo cuadro, pero sin seguir paso a paso al joven y famoso dramaturgo de Silesia.

[...] Los personajes de Hauptmann no son los mismos, ni siquiera semejantes a los que figuran en nuestra obra. Hemos intentado, aunque acaso no lo hayamos conseguido, que estos últimos sean verdaderamente españoles.

Hacen explícita también la finalidad con que se escriben la obra. No se trata como cabría pensar, de hacer un drama social, sino más bien todo lo contrario:

Los Tejedores son una amenaza, y nosotros queremos que EL PAN DEL POBRE sea un aviso que deben tener muy en cuenta las clases pudientes, los gobiernos, y todos cuantos desean evitar que el problema social se resuelva entre los horrores de una lucha espantosa.

El agresivo drama de Hauptmann fue convertido en un simple melodrama social de costumbres contemporáneas. La acción la sitúan en un pueblo levantino dominado por Don Jenaro Cremades, "lobo" (II, 2) capitalista que oprime cada vez más a sus obreros rebajándoles el jornal y despidiendo a los que protestan por sus abusos. En vista de ello, éstos entran en huelga y prenden fuego a la fábrica. La intervención del ejército aplaca el levantamiento, dejando la población sembrada de muertos. La similitud temática con Hauptmann acaba aquí.

Los autores de El pan del pobre presentan los hechos no yuxtaponiendo escenas en las que en ningún momento el pueblo sublevado pierde el protagonismo, sino que se apoyan para el desarrollo de la trama en una compleja urdimbre melodramática. El protagonismo de la acción se desplaza del grupo a uno de sus componentes, Miguel, joven obrero de la fábrica.

Su etopeya, una vez más, es la de un "héroe popular". Miguel aparece investido con todas las perfecciones de éstos: se prepara su entrada con alusiones a su origen oscuro: llegó de Barcelona y es "vivo, inteligente, laborioso" (I, 1); atrae las miradas de todos, incluida Julia, sobrina del capitalista, la cual lo califica de "revoltoso" y "retórico de meeting" (I, 3); se alude con frecuencia a su "honradez"; se enfrenta con Don Jenaro para defender a otros (I, 8) y se autodefine así: "Soy digno; aunque pertenezco a este rebaño que os enriquece, ya estoy harto de sufrir sobre mis espaldas la cayada del pastor" (I, 8). Desde este momento, final del primer acto, Miguel ocupa el centro de la acción y su figura no hace sino agrandarse. Es un engrandecimiento principalmente moral, apoyado en la inteligencia. Algunos personajes terminan de perfilar su etopeya: es "joven, fuerte, listo" (II, 2); "compañero leal, instruido y valiente" (II, 4); "Usted tiene inteligencia, usted es bueno, compasivo" (III, 2).

Miguel se enfrenta no sólo a Don Jenaro, sino a los propios compañeros remisos a seguir la huelga (II, 2-3), a un joven del pueblo, desclasado, que, renunciando a su origen, se ha alistado en el ejército y manifiesta que no tendría escrúpulos en disparar contra sus paisanos "cumpliendo órdenes" (II, 6).

A Miguel le pesa, sin embargo, su incierto origen. Hay una similitud casi total en cómo describe este personaje su infancia y cómo lo hará no mucho más tarde Juan José en el drama dicentino. Dice Miguel:

¿Pues he recibido en toda mi vida algo que no fueran latigazos del infortunio? Nací en un asilo; me crié en el hospicio, entre el montón anónimo de los seres sin apellido. Apenas conocí a mi madre, de mi padre nunca supe nada, ni quise saber nada tampoco. Cuando mi familia me borró mi nombre de hospiciano para darme el suyo, no pudo proporcionarme más ventura que la del trabajo. Desde niño anduve errante, entregado a rudas faenas, sufriendo atropellos, escaseces, miserias... (III, 2)

Su identidad es aclarada al final del segundo acto, cuando Gregorio, uno de los personajes huelguistas que estuvo enamorado de la madre de Miguel, descubre y muestra con una carta, recurso tan manido como inevitable al parecer, que es hijo natural de una muchacha del pueblo que fue deshonrada por Don Jenaro y, para evitar su vergüenza, huyó a Madrid, donde murió tras haberse prostituído para subsistir (II, 8). Conocido esto por Pascual, padre de la "deshonrada", se dirige a pedir cuentas a Don Jenaro del ultraje infringido a su *honra* (III, 7). De ser uno de los obreros más conformistas, pasa a ser de los más soliviantados. El centro de atención de la obra —la situación misérrima de los obreros— queda así aún más desplazado:

Pascual— ¡Sí, sí, qué infamia! ¡Corramos! ¡Corramos! Yo veré a ese malvado.

Micaela— ¿Ya no duda usted? ¿se unirá a los obreros? ¡Sangre, fuego, todo es justo contra el que nos ha robado la honra!.

(II, última escena)

Con ello, se produce un falseamiento del problema económico. No se pone en entredicho el sistema social causante de la opresión, sino que la ruina de Don Jenaro, que se produce al quemar los obreros su fábrica y casa, se explica como un castigo del cielo por su pecado. El castigo se hace mucho más *ejemplar* al tener que asistir, conocido ya por él que Miguel es su hijo, a la muerte de éste por un disparo de uno de los guardias de la fábrica, momento en que acaba el melodrama.

La intención de los autores, ya apuntada más arriba, era prevenir a las clases pudientes y al Estado, para que eviten que el "problema social se resuelva entre los horrores de una lucha espantosa". Fieles a esta intencionalidad, a lo largo de toda la obra hacen una defensa de que cada uno debe conformarse con su suerte y no ser soberbios (I, 1), porque "no puede ser honrado quien no se resigna con su suerte" (I, 3), y "hay que tener mucha conformidad" (II, 1). A los patronos les invitan a ser más generosos, a no obcecarse solo en las ganancias (I, 1). En unas frases de Julia queda sintetizada su visión del problema social:

... no entiendo una palabra de estas cosas que llaman cuestiones sociales, conflictos entre el capital y el trabajo... ¡qué sé yo! Pero, creo, que si todos los ricos cediesen un poco, se arreglarían fácilmente... (III, 1)

Los obreros son presentados como seres inferiores que no piensan sino en emborracharse en la taberna, gastando todo su jornal en vino, no pagando sus deudas y dejando sin pan a sus hijos (I, 7). Todo el acto segundo sucede en la taberna, presentada con no poco de aguaducho de drama romántico o de pieza de género chico, incluido un ridículo obrero, Sinforoso, siempre borracho y que ironiza las reivindicaciones de sus compañeros como absurdas.

154

La problemática del *cuarto estado* es reducida a la necesidad de darles de comer a los obreros, pues "no puede haber paz mientras estén unos hartos y otros desfallecidos" (II,2).

Miguel mismo es convertido en un personaje que a disgusto actúa como "populacho":

> Miguel.— ¡Suelte, usted padre! ¡Yo los he exaltado, yo les enseñé el camino de la redención y no retrocedo ya aunque mi propia madre volviera a la vida para suplicármelo!
> ¡Sí, quiero vengar las afrentas que hemos sufrido; quiero de una vez satisfacer estos enconos que rugen en mi pecho!
> ¡Estoy harto de pertenecer al pueblo que sufre, quiero ser del populacho que destroza! (II, 6)

Miguel no cree en la nivelación de clases:

> Miguel.— No pueden realizarse, no deben realizarse. Porque ha oído usted decir a nuestros enemigos que aspiramos a la nivelación de clases, a la igualdad absoluta, ¿supone usted que yo creo en tales tonterías? Se comunican unas clases con otras como unas comarcas con otras, por puentes, que salvan abismos, por túneles que taladran montañas. La verdadera nivelación consistiría en dejarlo todo raso como la palma de la mano... (III, 2)

Llanas y Francos no sobrepasan, pues, un tímido reformismo. *El pan del pobre* tiene muy poco que ver con *Los Tejedores*, obra de gran entidad dramática y notable coherencia ideológica.

El estreno de la obra en el teatro *Novedades* se verificó el 14 de diciembre de 1894, siendo acogida cálidamente. En general, se prestó más atención a su humanitarismo sentimental que a la ambigüedad ideológica con que es presentado. El éxito de la obra movió a Eduardo Montesinos y a Angel Vergara a escribir una parodia, *El pan de picos*; y una apocalíptica intervención del Conde de Argüelles en las Cortes, acusando a los autores de *El pan del pobre* de defensores del anarquismo, desencadenó una aguda polémica en la prensa madrileña. El repaso de algunos de los artículos que suscitó nos muestra cuál era la posición de los distintos grupos sociales respecto a la cuestión social como tema teatral[67].

Eduardo Bustillo, crítico de *La Ilustración Española y Americana*, resalta su carácter melodramático, atenuando sus aspectos de crítica social:

(67) En *Diario del teatro*, 24-26 (18-20-I-1895), se recogen noticias de la polémica suscitada entre los autores de la parodia *El pan de picos* (Eduardo Montesinos y Angel Vergara) y el director del teatro Novedades, Luis París, que desmiente que la hayan escrito por encargo suyo. El n.º 30 (24-I-1895), publica una escena de dicha parodia. Canga Argüelles, "El pan del pobre", *Blanco y Negro* (12-I-1895).

verdadero melodrama —y le llamo así sin la menor sombra de menosprecio—
¿qué habían de hacer los autores, para el triunfo sino acumular en el personaje
que regalaban como *traidor* al público toda clase de horrores y miserias?.

El traidor, para el público que acude a *El pan*, no puede ser otro que Don
Jenaro, miserable fabricante, patrono de pobres obreros a los que trata, como
vulgarmente se dice, *a zapatazos*, rebajándoles los jornales a su arbitrio, negán-
doles, en caso de enfermedad, un mísero anticipo, contestando a sus ruegos
con insultante altanería, y muy tranquilo y poseído de sus derechos después
de haber atropellado la honra de una hija de uno de los pobres trabajadores de
la fábrica[68].

Salvador Canals escribe en "El teatro anarquista: la cara y el espejo":

> No. En aquella obra no hay anarquismo. Háblase de anarquistas porque son
> estos los revolucionarios que están ahora en el candelero; pero al pintar una
> clase tiranizada por otra y una mujer humilde seducida y abandonada por un
> hombre poderoso, no se hace en *El pan del pobre* más que lo que se ha hecho
> en mil melodramas, en los cuales tal tiranía y tal seducción son el fondo y la
> esencia de la obra.

Canals simpatiza con la obra y, abandonando la estricta crítica literaria, trata de
llevar el problema a la realidad:

> Mas aunque no fuese así, aunque del melodrama de Francos y Llana se despren-
> dieran vahos funestos de anarquismo fecundo en odios y extrago (sic), ¿por
> qué enojarse con el retrato, si a la vista de todos está la realidad que lo verifica?
> En Madrid, donde el Ayuntamiento paga a sus peones de las vías públicas un
> jornal de *seis reales* y cuando llueve no les paga nada, ¿quién tiene derecho a
> quejarse porque un dramaturgo hable de jornales, no sólo irrisorios para el
> vientre que pide pan, sino a la vez ofensivos para la dignidad humana? En Ma-
> drid, donde es cosa corriente que el señorito de la casa seduzca a la doncella
> de su mamá y donde abunda el proxenetismo que a la lujuria de los ricos sirve
> la virginidad de los pobres, ¿quién tiene derecho para protestar contra el espejo
> mientras le quede cara?
> La realidad es que lo que hay que cambiar, y entonces cambiarán sus reflejos,
> esos reflejos que yo no veo en *El pan del pobre* tan claros y tan definidos como
> en otras obras de nuestro teatro contemporáneo, de otro fuste y de otra aparen-
> te tendencia[69].

(68) E. Bustillo, *Campañas teatrales*, ob. cit., pp. 127-130; la crítica que había hecho del estreno,
en *IEA* (15-III-1895); además comentaba que el éxito de la obra es sobre todo económico; las claves:
"la novedad del asunto", la "valentía de las situaciones", las denuncias en las cortes en boca de uno
de los senadores que presentó a sus autores como "furibundos anarquistas". La considera un melodrama, apto para el público de ese teatro que goza con *La cabaña del tío Tom* o *La Revolución Francesa*,
ambos, melodramas de gran éxito.

(69) *El Proscenio*, 5 (30-XII-1894). Las obras que cita: *La loca de la casa, La de San Quintín*,
que presentan al pueblo triunfante de las clases viejas; *La Dolores* por su cuadro popular; *La verbena
de la Paloma*, incluso, por lo mismo.
El Proscenio, 4 (23-XII-1894), leemos: "Acumular en determinados individuos todo género de méritos
y perfecciones, y acumular en otros todas las maldades, defectos y vicios, será muy cómodo, fácil y
socorrido, pero es viejo, resulta falso e indica mala fe." Esta insistencia en el carácter melodramático
de la obra es ratificada por las mismas carteleras en las que se anuncia como "melodrama popular",
así *Diario del teatro* (26-XII-1895).

La prensa obrera dedica abundante espacio a comentar el drama. En *El Socialista*, M.G., en "El pan del pobre", comienza su crítica confesando su temor camino del teatro para ver la obra, habida cuenta de que sus autores no son socialistas y que Francos Rodríguez les había atacado con frecuencia cuando era director del periódico republicano *La Justicia*. A la vista de la obra, sin embargo, escribe:

> Allá va la expresión de nuestra gratitud a los traductores o arregladores por habernos dado a conocer sin adulteraciones lamentables, una obra de propaganda socialista y revolucionaria —según la califica *El Imparcial*— aquí donde el teatro muere de anemia, como nos dice a diario la gente de letras, y donde los autores sólo salen del "modernísimo" *cliché* del adulterio para enfangarse en las estupideces pornográficas del teatro por horas[70].

Frente a esto, *El pan del pobre* o *La de San Quintín* de Galdós, obra que cita en apoyo, hacen un teatro comprometido:

> Porque hay que desengañarse: o el teatro, como todas las manifestaciones del arte, entra resueltamente por la senda progresiva que le trazan las nuevas ideas, y de este modo cumple su alta misión de la más noble facultad del entendimiento, o se arrastra y languidece en la rutina, cual histrión degradado atento sólo a facilitar la digestión de los satisfechos o a provocar las carcajadas de la multitud famélica e ignorante.

Su partidismo le lleva a sostener que la obra es muy "realista", con un desenlace acorde al desarrollo del conflicto. Paradójicamente, cuando al principio de la crónica había indicado que otro de sus temores era que el asunto estuviese tratado folletinescamente, ahora insiste en la tajante separación entre buenos y malos, oprimidos y opresores:

> Hemos afirmado que hay tipos en la obra sacados de la realidad, y debemos insistir en ello, contra la opinión del revistero de *El Liberal*, que opina entre otras cosas, que no todos los patronos son como Don Jenaro. En efecto: no son todos lo mismo, y decir lo contrario es una simpleza.
> Pero es tan reducido el número de ejemplares benévolos y humanitarios, que el hallarlos es tarea casi tan ardua como la caza de mirlos blancos. ¡Qué no abundan los D. Jenaros en el mundo de la explotación! ¡Pues si es una raza la más prolífica del mundo capitalista!.

Pasa luego a detallar los personajes más importantes de la obra, "bastante ajustados a la realidad viviente, sin notas chillonas ni rasgos de brocha gorda", concluyendo que el final del drama deja pendiente el conflicto entre dos mundos antagónicos.

La Idea Libre inserta también un artículo con el título de "El pan del pobre"[71], en

(70) M. G., "El pan del pobre", *S*, 459 (21-XII-1894).

(71) *IL*, 34-35 (22 y 29-XII-1894); *La Correspondencia de España* (16-VII-1895), da la noticia de que un grupo de anarquistas intenta representar esta obra para recaudar fondos para los panaderos presos por la huelga (Tomo el dato de *Madrid en sus diarios*, V, p. 93). *IL*, 46 (16-III-1895), reproduce los textos de la *canción de la mortaja*, tal como aparece en *Los Tejedores* y en *El pan del pobre*, muy distintas y, sin duda, mucho mejor en Hauptmann. El n.º 106 (8-V-1895), da la noticia de que en Argentina han sido prohibidas las representaciones de *El pan del pobre* sustituído por *Mancha que limpia*, de Echegaray.

el que salva a los autores del arreglo, aunque "velan" en parte los dolores y sufrimientos de los trabajadores. Defienden la obra contra el "Abate Pirracas", crítico teatral de *La Correspondencia*, al que llaman "audaz escribidor, verdadero Geroncio del arte" que a fuerza de querer menoscabar la obra, ha concluído por hacer su panegírico, al mostrar los dos mundos que se enfrentan en ella. Don Jenaro sólo lejanamente se parece, en su opinión, a los burgueses reales, que son mucho peores:

> Ni Hauptmann, ni Llana, ni Rodríguez son capaces de señalar con sus verdaderas tintas la depravación que se alberga en el fondo de esas almas podridas que calculan refinadamente los céntimos que arrebatan a la miseria para emplearlos en lo superfluo del lujo y de la molicie. [...] son verdaderos antropófagos de la sangre y del sudor de sus obreros.

El entusiamo del crítico sigue al reseñar el éxito de la obra en otras poblaciones: Valladolid, La Coruña y, sobre todo, Barcelona:

> El culto y revolucionario pueblo barcelonés ha aprovechado ese momento para manifestar el sentimiento que le informa, los ideales que sustenta, pese a todas las draconianas medidas que para evitar su manifestación se toman por los corifeos de una autoridad que parece mantenida exclusivamente para contrarrestar la tendencia libertadora de las clases obreras.

"TERESA", DE CLARIN

Refiriéndose a su temprana afición al teatro y a sus cualidades de actor, escribía Clarín a Yxart:

> Si supiera usted que *acaso* esa era mi *verdadera vocación*. En mi vida he representado en teatros caseros ni públicos después de los doce o catorce años, pero a los diez años decían cuantos me veían *representar* que yo era una maravilla, y por lo que recuerdo, y lo que más tarde he hecho a mis solas (sobre todo cuando escribía dramas —más de 40, todos perdidos— y me los declamaba a mí mismo), tenía sin duda gran disposición y un poder de apasionarme y exponer la pasión figurada con gran energía y verdad... Actor y autor de dramas, esto creí que iba a ser de fijo hasta los dieciocho o veinte años[72].

Fue una afición que conservó y cultivó a lo largo de toda su vida. En páginas anteriores me he referido con insistencia a su importante labor de crítico teatral constante y sugestiva, por lo que no es necesario insistir aquí en ella. Su trayectoria fue del asombro del joven provinciano, maravillado por los ilusionismos escenográficos postrománticos, a la defensa del realismo en el teatro y a la "novelización" de éste, pasando después a la promoción de un teatro más minoritario, de ensayo, frente al teatro de "espectáculo", de consumo.

(72) Citado por S. Béser, "Siete cartas de L. Alas a J. Yxart", *art. cit.*, p. 394. También en carta a Galdós, fechada 3-V-1888, se expresaba en similares términos. Recogida en su recopilación por Soledad Ortega.

Cuando al fin se decidió a probar fortuna estrenando un drama propio, lo hizo poniendo toda su ilusión en el empeño, en la elaboración de *Teresa* y en las gestiones necesarias para representarlo. Clarín no sólo busca compañía para su drama, sino que sigue día a día los ensayos[73].

El estreno del drama se realizó el 20 de marzo de 1895, en el teatro *Español*, asistiendo, entre otros amigos suyos, Menéndez Pelayo, Galdós, Altamira, Palacio Valdés... Un grupo de incondicionales que no pudo evitar el rotundo fracaso. Eran sin duda mucho más sus enemigos, heridos por sus aceradas críticas, que sus amigos. Al parecer, fue este sentimiento de haber sido víctima de un *complot* lo que le movió a organizar una empecinada defensa de la obra, solicitando el apoyo de sus amigos, escribiendo numerosos artículos él mismo y tratando de reponerla[74]. Juan Torrendell resumía así las críticas de que había sido objeto el drama:

> La *Teresa* de Clarín no se ha salvado tampoco del huracán desbocado de los revisteros teatrales, los cuales han falseado el asunto, contrahecho los caracteres, tergiversado el diálogo y hallado contradicciones que sólo han podido parecerlo a la ceguera malévola de los ignorantes[75].

No voy a reconstruir la polémica, lo hace y bien Romero Tobar, sino a indicar las motivaciones ideológicas que movieron a Clarín a escribir su ensayo dramático.

La acción de *Teresa* es muy sencilla, gira en torno a las relaciones entre Teresa, su marido el minero Roque y el burgués Fernando. Un tradicional triángulo amoroso en el que Teresa polariza la tensión. Fernando no es exactamente el burgués "malo" de melodrama que pretende deshonrar a Teresa, sino un joven soñador e idealista enamorado de ella, desde que sirvió en su casa. La ensueña antes de que aparezca en escena:

> Ahora, a mi escondite, ahí, en la Foz, entre los árboles, donde la contemplé esta tarde... ¡tan triste, tan pobre, tan dulce en su miseria!...
> Perdida la lozanía... y más hermosa. ¡Mi pobre ilusión del amor humilde, puro, respetuoso... no desvanecida, no, transformada; deshecha en humo, no, convertida en olorosa nube de ideal incienso, de impasible abnegación, de tristeza inexorable![76].

Roque es el contrapunto de este personaje, es fuerte y violento, hosco. El trabajo en la mina y la falta de cultura lo han embrutecido. Tipifican la civilización (Fernando) y

---

(73) Contamos con una buena edición crítica realizada por Leonardo Romero Tobar: L. Alas, *Teresa. Avecilla. El hombre de los estrenos*, Madrid, Clásicos Castalia, 1976. Dado el carácter general de nuestro trabajo y habida cuenta de la minuciosa labor de Romero Tobar no entraré en detalles de esta obra. Véanse pp. 18 y ss. y J. M.ª Martínez Cachero, "Noticia de más críticas periodísticas sobre el estreno de *Teresa*", *Boletín del Instituto de Estudios Asturianos* (1978).

(74) Al poco tiempo —15 de junio— fue representada en Barcelona. Aunque las críticas son contradictorias, en este caso más por motivaciones ideológicas que personales, en conjunto fue mejor recibida. Véase la *edición citada*, pp. 28-29.

(75) Juan Torrendell, *"Clarín" y su ensayo dramático. Estudio crítico*, Barcelona, López editor, 1895.

(76) Escena 2, p. 77. Tiene los rasgos del intelectual reformista. Lo define Teresa: "es sabio, ¡qué sé yo! Ahora estudia... a los pobres" (p. 54).

la naturaleza indómita (Roque). Teresa aparece entre ambos. A pesar de que Fernando le insinúa el delicado afecto que siente por ella, optará seguir con Roque, con su cruz. Viven en la miseria y, además, Roque se emborracha en la cantina y la maltrata.

El ensayo dramático clariniano es, sobre todo, el análisis de los sentimientos de Teresa y su evolución. Desde que hace su aparición en la escena tercera se constituye en el centro de la acción, quedando desplazada la presentación de los elementos de denuncia social que contiene la obra en las primeras escenas. A medida que la obra transcurre se intensifica la tensión dramática culminando en un efectista final en que el símbolo cruz=matrimonio, que Clarín ha ido elaborando lentamente, queda totalmente al descubierto, cuando Teresa expresa de manera tajante su deseo de permanecer junto a su marido, a pesar de todo:

> ¡Siempre aquí... Junto al hombre de mi cruz!
> Al pie de mi cruz... que sangra.

Clarín manifestó sin tapujos la intencionalidad de la obra en los artículos que escribió para defenderla. Así, escribe en *El Imparcial*:

> Mi drama no es *socialista*, pero ya he dicho que es cristiano, en el lato sentido de la palabra. El cristianismo tiene para la miseria, para el dolor moral y material del pobre, profundísimos consuelos que no se han estudiado bastante, porque no son de los que coinciden con el aspecto *meramente* económico de la llamada cuestión social. Uno de esos consuelos lo he estudiado yo en un cuentecito titulado *La conversión de Chiripa*, que fue bien acogido hasta por los neos, y que está ya traducido al alemán; el consuelo del trato fraternal entre ricos y pobres, aún antes de igualarse o aproximarse en la esfera económica. Pues *Teresa* ofrece otro de esos consuelos en la esencia de la idea matrimonial cristiana[77].

Clarín, pues, tampoco presenta la cuestión social de manera muy directa y opta por una solución evasiva y conformista, acorde con su giro espiritualista de aquellos años[78]. *Teresa* tiene, no obstante, elementos de denuncia social al presentar de manera casi "fotográfica" la situación de los mineros asturianos en la figura de Roque y sus compañeros, en las primeras escenas del drama. Clarín se preocupó hasta los detalles mínimos de la escenografía para lograr este verismo. El texto está empedrado de acotaciones de un detallismo inusual en la época[79]. Por si fuera poco, bombardea un día tras otro a María Guerrero con sus cartas mientras el drama se está ensayando para que pongan cuidado en

---

(77) Clarín, "Revista literaria. La crítica de teatros", *I* (1-IV-1895).

(78) Romero Tobar, *ed. cit.*, p. 35, cita la crítica que le hizo Martínez Ruiz desde su radicalismo anarquizante: "¿Cree que su cristianismo puede dar a la Humanidad los días de paz y bienestar que tanto necesita? ¿Cree que estamos en el caso de aceptar todas las consecuencias que lógicamente se desprenden de su ensayo dramático?". Véase también el análisis que hace en *Literatura*, O. C., I, pp. 230 y ss. elogiando la "fuerza"de Teresa y rechazando la tesis "arcaica" de la obra.

(79) Baste un ejemplo de la escena 1.ª: Rita: "(Se pasa las manos por la cabeza; sujeta el pañuelo que le sirve de toca; se quita algunas briznas de heno que trae pegadas a la garganta; se incorpora, y, temblando, al sudar, se deja caer sobre el banco de piedra debajo de la ventana. Arrima los brazos a la pared, apoya en ellos la cabeza; el peso hace deslizarse, pared abajo, todo el busto, y cae Rita de bruces sobre el banco, como estaba antes sobre el montón de grava)" (p. 75).

su montaje y no se les escape ningún detalle[80]. Era el naturalismo escenográfico que llegaba a los escenarios españoles con evidente retraso, cuando en Europa se exploraban ya otras direcciones.

No sólo le preocupaba la reproducción fiel del "medio" en que acontece la acción, rompiendo en cierto modo la convencional "caja italiana" al dividir el escenario en dos mitades, una que representase la carretera y la otra el interior de la casa de Roque, sino que hace también abundantes indicaciones referentes a la actuación de los actores.

Clarín había concebido su obra como una auténtica pieza de *teatro de ensayo*, tal como teorizaba por aquellas fechas. La amargura del fracaso, fue acrecentada por la frustración que le produjo la poco cuidada actuación de María Guerrero[81]. Coincidía así, al menos en su correspondencia privada, con las duras críticas a que fue sometida esta actriz por los jóvenes escritores, a causa de su dominio dictatorial sobre el teatro español.

Teresa fue una obra malograda. Si respecto a la novela, Clarín había demostrado ser no sólo un buen crítico, sino un gran novelista, no ocurrió lo mismo en el teatro, donde su falta de oficio y la incapacidad de la empresa frustraron sus ilusiones. Siguió con todo trabajando en otros dramas que no llegó a estrenar, y ni siquiera a concluir de redactar.

"JUAN JOSE", DE JOAQUIN DICENTA

Ricardo Fuente cuenta en *De un periodista*, libro que prologó el propio Dicenta, que éste, durante un viaje por Castilla en calidad de conspiradores republicanos, a partir de un relato oído en una posada, escribió un cuento, incluído en *Espoliarium* (1888), que sería el origen de *Juan José*[82]. Posteriormente, intentó ampliarlo a novela, y de hecho en otro de sus libros, *Tinta negra*, (1892), alude a *Juan José* como novela que está escribiendo[83].

Al final, sin embargo, se convirtió en drama, entre 1894-1895, año éste en que fue estrenado en el teatro de *la Comedia* con enorme éxito, aunque su puesta en cartel se debió al azar de un hueco en la programación.

Augusto Martínez Olmedilla comenta que su vida bohemia y el tema mismo de la obra había hecho retroceder a los primeros actores, Ceferino Palencia y María Tubau, que exclamaron al conocer el texto: "¡imposible! Un drama de gentuza y oliendo a vino!"[84]. Francos Rodríguez, por su parte, en *Contar Vejeces*, desde la lejanía del recuer-

---

(80) Sin salirnos de la acotación anterior. Escribe el 13 de marzo a María Guerrero: "El heno pegado por el sudor a la frente y a la garganta de Rita, ha de ser heno. Si Vds. no lo encuentran, pedírselo a alguno de esos críticos que vapulean a Don José y a Galdós."

(81) Véase, *Cartas a Galdós*, ob. cit., su carta fechada el 30-I-1896; también, Romero Tobar, *ed. cit.*, pp. 69-70, notas 1 a 5.

(82) Ricardo Fuente, *De un periodista*, Madrid, 1897.

(83) H. B. Hall, *art. cit.*, p. 52.

(84) A. Martínez Olmedilla, *Los teatros de Madrid*. Tomo la referencia esta vez a través de J. C. Mainer, *Literatura y pequeña burguesía*, ob. cit., p. 45.

do, explica el montaje de la obra:

> Los ensayos se llevaron con alguna reserva; durante ellos se discutieron situaciones y frases, haciéndose cortes y arreglos sin que Dicenta vacilara[85].

Pone en boca de Dicenta, además, palabras de enorme confianza en el éxito de la obra, en la que había proyectado sus propias apetencias; le había dicho la tarde del estreno:

> Juan José me salva. Es carne de mi carne, sangre de mi sangre. En él cuajaron los ímpetus de mi temperamento, los rasgos de mi carácter.
> He aprisionado la verdad para lanzarla al escenario...[86].

Es probable que estas frases respondan al deseo de Francos Rodríguez en tener alguna participación en la obra, pero manifiestan, a mi entender, algunos de los contenidos básicos del drama.

Juan José es un rudimentario "drama de tesis"[87], tan rudimentario que mejor merece la calificación de melodrama. Mediante la presentación de un caso particular, tratado de forma maniquea, pretende demostrar Dicenta la opresión a que son sometidos los más débiles. La anécdota amorosa —pretensión de Rosa por Juan José y por el Sr. Paco— no tendría otra misión que la de ser un soporte para mejor mostrar esta situación de opresión. Sin embargo, a medida que avanza la acción, el desarrollo de las relaciones pasionales en sí, entre los tres personajes, desplaza peligrosamente esta supuesta intencionalidad de la obra, de manera que entre las primeras escenas y las últimas hay una enorme diferencia. Al principio tiene primacía lo "sociológico", al mostrar *documentalmente* la situación del asalariado urbano —el término "proletario" me parece excesivo en este caso—. Cuando acaba el drama, es lo pasional lo que domina. En cierto modo, es un desarrollo similar en este aspecto al de *Teresa* de Clarín, si bien las soluciones son distintas. Allí se abogaba por la resignación cristiana y por el matrimonio. En este caso no.

A mi parecer, no es correcto el planteamiento de Torrente Ballester, García Pavón y Mainer, cuando ponen en conexión la honra de Juan José con la venganza de honor en el teatro español de los Siglos de Oro. Dicenta parte de una situación de "deshonor social", según aquellos cánones; Juan José no está casado sino amancebado con Rosa[88]. En todo caso, se trataría de la reivindicación del derecho a un tipo de relación intersexual no codificada, al margen de la institución matrimonial reguladora de estas relaciones en la sociedad de la época. La postura de Dicenta, que ya aparecía en obras anteriores, parece heredera más bien del deseo de libertad procedente del romanticismo. Juan José lo que defiende es su dignidad y sus derechos de hombre igual a cualquier otro hombre.

Este concepto de libertad, básicamente individualista, invalida la posible tesis sociológica del drama. Si en las primeras escenas, la noción de *grupo* existe, aunque elemental, no

(85) Francos Rodríguez, *Contar vejeces*, ob. cit., p. 171.

(86) *Ibíd.*, p. 172.

(87) Véanse los análisis de García Pavón, *ob. cit.*, pp. 36 y ss.; G. Torrente Ballester, *Teatro español contemporáneo*, Madrid, 1968, pp. 82 y ss.; A. Bensoussan, *art. cit.*, para su conexión con el naturalismo; J. C. Mainer, *ob. cit.*

(88) El término *honor* no es utilizado más que en una ocasión en toda la obra (II, 4).

ocurre lo mismo al final. Se pasa de una apelación a la revolución de clase[89] a un final de drama neorromántico. Los primeros enfrentamientos de Juan José con el Sr. Paco se hacen desde la perspectiva de obrero con conciencia de clase frente a patrono; los posteriores son de rival amoroso.

No trato de negar la dimensión de crítica social de la obra, que la tiene, cuanto de situarla adecuadamente. Es aún la crítica simplista del melodrama social decimonónico, lastrado, además, de ingredientes del género chico: desde el artificioso y convencional lenguaje popular, que poco tiene que ver con el lenguaje hablado, a algunos de los personajes secundarios. Los mismos protagonistas aparecen trazados según los cánones del melodrama: en Juan José estos ingredientes van desde su presentación como personaje expósito, es decir, de origen incierto, a una exaltación contínua de la honradez de corazón[90]. El Sr. Paco es caracterizado negativamente como señorito explotador y materialista[91].

Dicenta no se ha desprendido del concepto de personaje simpático frente al personaje antipático, que tan duramente censurara Zola años antes. Dicenta buscaba que los espectadores se *identificaran* con las desgracias de Juan José. El hecho es que lo consiguió, como veremos al repasar las críticas de que fue objeto la obra. La simplificación de las caracterizaciones de los personajes es extensible a todos los otros niveles de la obra, desarrollados por contraposición:

> Juan José.— ... Yo seguía trabajando mientras bromeaba el señorito, y me fijaba en él, y a la vez que en él en mi blusa *remendada* y en su ropa nueva, en el yeso que había en mis manos y en las sortijas que había en las suyas; y sentí... No sé lo que sentí entonces; pero apreté con rabia el mango del palustre y estuve a punto de meterle por el pecho adelante aquella herramienta *mancháa* con la cal que nosotros amasamos *pa* que él se luzca... (I, 4)

La presentación de los personajes es alternativa; es una forma elemental de estructura dramática, pero que resulta muy efectiva y predispone al espectador a su confrontación, que no tiene lugar hasta que no se lleva a cabo la presentación del tercer personaje, Rosa, motivo de la discordia.
Rosa es presentada como mujer casquivana, hecha a "*mucha juerga*, y mucho vestido de raso y mucha bota de charol" (I, 2), "vanidosa" (I, 10); es la imagen cara a la literatura humanitarista del s. XIX de la mujer caída, bella pero simple.

---

(89) En el diálogo de los personajes en la taberna descubrimos frases de este tipo:
Ignacio.- Pá luchar por nosotros, pá vengarnos de los que nos explotan, pá eso estoy pronto siempre, y te diré. ¡Sí! no una, cien veces que me lo preguntes. Por hacer una revolución así, nuestra, de nosotros, así me echaría yo a la calle, y hasta perdería con gusto las dos piernas."

(90) Juan José es de "los que *empujan*, y cuando se arranca se lleva por delante lo que le estorba (I, 2); Temperamento pasional: "La sangre se me enciende en el cuerpo cuando imagino que Rosa puede dejarme de querer" (I, 4); "Yo no soy malo, Andrés, no quiero serlo" (I, 4); es el amor una fuerza irresistible para él: "En las cosas del querer se firma con éste (el corazón); y cuando este dice "quiero de veras", *firmao* está *pa toa* la vida" (I, 4); su humilde origen, huérfano, etc. (I, 4),...

(91) Paco es definido como señorito con dinero (I, 4), "rumboso" y "guapo" (I, 7).

La presentación de los personajes no carece de pericia. Dicenta mezcla las escenas de grupo con las de diálogo entre dos o tres personajes; va planteando el conflicto con habilidad, introduciendo personajes secundarios en torno a las figuras centrales; el más destacado la "lechuza" (I, 12), la *señá* Isidra, personaje celestinesco que busca minar la voluntad de Rosa e inclinarla hacia Paco.

La primera confrontación entre Juan José y Paco se produce en la última escena del primer acto; para Juan José, Paco no es sólo un rival con el que disputa el amor de Rosa, sino también el patrón que le oprime:

> *Usté* es mi maestro, el que me da el jornal conque (sic) como, y dispone de mí y de estos brazos desde que sale el sol hasta que anochece. ¡Ya ve *usté* como no me olvido!. Sin duda por eso, porque me paga *usté*, ha *llegao* a creerse que todo lo mío le pertenece, y no contento con lucirse a costa de mi sangre, quiere *usté* mandar también aquí dentro y coger lo que aquí dentro vive y llevárselo. ¡Pues eso, nó, Señor Paco; eso nó! (I, 15).

La *teatralidad* de este acto es evidente[92]. El espectador se encuentra sumergido rápidamente en el *conflicto* del drama. La atención prestada a la puesta en escena ayuda a lograrlo. Se busca una plasticidad colorista. Dicenta, coincidiendo con algunos presupuestos escenográficos naturalistas, insiste en su *verismo* detallista desde la acotación inicial del acto:

> El teatro representa el interior de una taberna de los barrios bajos. Al fondo una puerta de cristales, de dos hojas, con cortinillas en las vidrieras. Al lado derecho de la puerta del fondo, un escaparate con fondo y puertecillas de cristal. En segundo término, a la izquierda, un mostrador de madera forrado de cinc en su parte superior y en los bordes; sobre el mostrador, empotrada en él, una cubeta de cinc, de la que arranca una pequeña cañería de fuente rematada por tubo de goma. Encima... [...]. Cuídese mucho de todo lo referente al servicio de vino, enjuague de las copas y demás detalles que se irán marcando en el curso de la representación.

Las acotaciones que presiden los actos segundo —casa abuhardillada de Juan José y Rosa— y en el acto tercero, los dos cuadros que lo componen —patio de la cárcel Modelo y habitación de la casa de Paco— son igualmente descritos de manera precisa.

En el segundo acto la acción se centra en el análisis de la evolución de Rosa, que se siente atraída por el dinero de Paco y, a la vez, obligada con Juan José. Los personajes secundarios se alían con uno y otro. Toñuela favorece a Juan José, la *señá* Isidra a Paco.

---

(92) Torrente Ballester, *ob. cit.*, p. 81, define con justeza "lo teatral": "El temperamento del español es impaciente, porque le bulle la sangre cálida, y aunque la sangre esté quieta, le bulle el espíritu. [...] El ritmo vital del espectador condiciona el ritmo del espectáculo, la rapidez de la acción, la distribución de los efectos-sorpresa; el ritmo imaginativo plantea a la materia dramática exigencias parecidas; quiere transformaciones rápidas y radicales. El predominio de los sentidos visual y auditivo orienta la sensibilidad hacia las acciones externas y la orquestación verbal... [...] Pues bien, la orquestación sabia de estos elementos, habida cuenta de su efecto *sobre el público*, es decir, el ritmo rápido de la acción combinado a los efectos sorpresa y a la cohetería deslumbradora de la palabra, constituyen la esencia de *lo teatral*, según se entiende esta categoría en el teatro español. *Es un sistema de efectos externos totalmente independientes de la constitución interna del drama*."

Se alternan escenas en que ambas están con Rosa (escenas 1, 3-4) con las que dejan a Rosa sola con una de ellas (con Toñuela, esc. 2; con Isidra, esc. 5, que acaba de inclinar a Rosa hacia Paco). Juan José opta por robar, en un intento desesperado de no perder a Rosa.

El acto tercero, dividido en dos cuadros, donde se muestran espacios escénicos totalmente opuestos —cárcel/casa acomodada— presenta de forma plástica la contradicción en que se basa la organización social: Juan José roba para comer y es encarcelado; Paco, que explota a sus obreros, es enaltecido y vive en una soberbia casa.

La primera escena del primer cuadro es el diálogo de El Cano con un presidiario. El tipo del Cano remite al baratero de los artículos costumbristas de la primera mitad de siglo. El tratamiento que se hace de este personaje está a medio camino entre el de Larra en su artículo "Los barateros", dentro de su costumbrismo crítico, en el que utiliza el tema como pretexto para mostrar el enfrentamiento existente en la sociedad entre opresores y oprimidos, y el tratamiento más aséptico que hacen otros costumbristas como Mesonero Romanos o Bretón de los Herreros[93]. Es una acusación contra una sociedad injusta (véase todo el diálogo II, 2, entre Cano-Juan José). Juan José es capaz de hacer valer sus derechos e imponer su personalidad también en la cárcel. Resulta simpático a los "barateros" y Cano le ayuda a huir para vengarse de Paco.

En el segundo cuadro se produce la última y definitiva conforntación entre Juan José-Rosa-Paco; gradualmente, quedan más solos y más enfrentados. En las tres primeras escenas, les acompaña aún Isidra; en las siguientes, muy breves y de ritmo rapidísimo, Juan José mata a Paco y luego a Rosa.

En mi opinión, el éxito de *Juan José* se debió en buena parte a esta hábil presentación de sus contenidos como "melodrama social". Su alcance ideológico es, por lo demás, menor que el de *El pan del pobre*, se limita a tópicas reivindicaciones, como el derecho al trabajo o la dignidad de la persona (II, 6); de la situación social española hay referencias a la incultura popular (I, 1; III, 5), la arbitrariedad de los empresarios que despiden a capricho a sus obreros, ya sea en el caso de Juan José-Paco, ya la alusión de Toñuela a un despido de trabajadores fabriles (I, 9), que se consuela, no obstante, diciendo "Menos ganan los gorriones y comen", ingenuamente, o la miseria de las viviendas obreras. Poco más.

En *Juan José*, Dicenta hace patente su populismo pequeño-burgués, su socialismo, que se reduce a humanitarismo sentimental.

La reacción de la crítica tras el estreno de *Juan José* fue unánimemente elogiosa. En un primer momento, coinciden en señalar el éxito las reseñas de la prensa conservadora con la prensa liberal, republicana y obrera. Dada la significación de la obra en el teatro posterior recogeré algunos testimonios. La prensa conservadora y liberal intentó minimizar su alcance ideológico. Melchor de Palau escribe en la *Revista Contemporánea*:

---

(93) Véase el curioso libro, *Manual del baratero o arte de manejar la navaja, el cuchillo y la tijera de los jitanos*, Madrid, Imprenta de D. Alberto Goya, 1849.
Lo vio bien Gómez de Baquero en "Crónica literaria", *EM*, LXXXIV (1895), p. 189: "procede de Sue y Víctor Hugo, de aquel socialismo romántico, hinchado, ampuloso y declamatorio a estilo de 1848, de aquella teoría (que tiene su parte verdadera) de que la sociedad es quien peca en el delincuente".

Juan José es la obra más importante que ha pisado la escena en estos últimos tiempos; al así calificarla no me refiero a su valor literario, en lo cual está muy por bajo de otras recientes, sino a algo más trascendental y terrible: señalo como circunstancia agravante la de haberse representado en el modoso Teatro de la Comedia, que, contra sus costumbres de antaño, está funcionando de *Teatro Libre*, *Théâtre Antoine* o *Independent Theatre*.

[...] El género de Hauptmann, a que por sus personajes y tendencias claramente pertenece, había intentado en *La de San Quintín*, en *Teresa*, en *María Rosa*, y en *El pan del pobre* perforar el tradicional muro de la escena española; pero por lo brumoso del asunto unas veces, por la escasez de claridad y precisión otras o por exceso de tonos tradicionales y melodramáticos, no lo había conseguido[94].

Para Palau no sólo la supuesta tendencia socialista del drama es preocupante sino que "entra el amor libre como Pedro por su casa, como premisa corriente" por lo cual aboga que haya "una censura moral flotante".

Eduardo Bustillo, en *La Ilustración Española y Americana*, intenta quitarle importancia ideológica y se centra más en un análisis de lo pasional, resaltando el infortunio de Juan José y de Rosa[95].

A medida que las publicaciones son más avanzadas ideológicamente, las reseñas se hacen más agresivas. Existe diferencia entre las de los periódicos republicanos tradicionales, como *La Justicia*[96], y las de los republicano-socialistas simpatizantes con Dicenta, que son más radicales; de éstas, *El País* dedica amplio espacio al estreno al día siguiente del que entresaco algunos párrafos:

De sus obras dramáticas se desprenden soluciones radicales que son acogidas con entusiasmo por los que marchan hacia adelante y rechazadas con horror por los enamorados de las venerandas tradiciones, que desgraciadamente son los más y los que ocupan palcos y butacas en los teatros caros.
[...] En el drama estrenado anoche hay taberna y presidio sin borrachos ni criminales.
Si de unos y otros hubiese querido Dicenta llenar la escena no hubiera ido ciertamente a buscarlos en esos sitios.
[...] un hombre cuando es honrado y trabajador debe encontrar trabajo; que hacen mal los que se lo niegan; que cuando las bestias se ven acorraladas, muer-

(94) Melchor de Palau, "Acontecimientos literarios. *Juan José*", RC, C (diciembre 1895), pp. 620-625; texto citado, pp. 621-622.

(95) E. Bustillo (no "Juan J. Bustillo", como escribe Pérez de la Dehesa, *El grupo Germinal...*, p. 20), "Los teatros", *IEA* (15-XI-1895). Similar opinión en *La Epoca*, *La Correspondencia*, *El Imparcial*, *El Heraldo de Madrid*, *El Tiempo*, *EM*, *Blanco y Negro*. Pueden verse reproducidas en el libro de Más Ferrer, ya citado, pp. 121-124, quien las reproduce de la síntesis que hace el *P* (3-X-1895). Puede añadirse la de Juan Valera (O. C., II, pp. 910-911), que le acusa de tendencioso.

(96) En *La Justicia*: "El drama tiene una lógica irrebatible. La acción se produce lo mismo que en la realidad se produciría, y es como un espejo en que se muestra a las gentes, en toda su verdad desnuda, cuál es la existencia desdichada de las clases jornaleras. Es una fotografía psicológica social casi irreprochable. El autor no se mete en honduras, ni se convierte en predicador de ninguna secta. Se limita a decir a la sociedad: "Así viven los obreros. Por esta y otras cosas parecidas, se pueblan los presidios de hombres capaces de las mayores virtudes, y que aumentan el número de criminales impelidos a ello por la miseria y la ignorancia." Tomo la cita de Más Ferrer, *ob. cit.*, p. 122.

den; que cuando los hombres se ven así desamparados por los hombres, roban y matan[97].

Rafael Delorme publica "El Socialismo en el teatro", que es otra llamada a los jóvenes republicano-socialistas a unirse en torno a Dicenta:

> Vengo pura y simplemente a hacer resaltar la tendencia socialista, el carácter revolucionario de Juan José, La Biblia, como ya he dicho, de todos aquellos que de la revolución en las ideas, en las costumbres y en los hechos, esperamos la realización del derecho y de la justicia.
> Joaquín Dicenta ha enarbolado en Juan José la bandera de la igualdad: alrededor de ella, debemos agruparnos cuantos jóvenes tengamos fe en un porvenir lleno de grandeza.
> [...] El triunfo de Dicenta ha sido el triunfo de la juventud radical. El autor de Juan José ha llevado a la escena española el ideal artístico de todos los jóvenes que con él pelearon por la democracia y la revolución en La piqueta, La Universidad y La Democracia Social y tantos otros periódicos republicanos. Cuando tan rebajados están los caracteres y tan prepotente el egoísmo de todas las clases sociales, cuando se ha llegado hasta a poner en duda la vitalidad y la fuerza de la juventud española, Dicenta ha respondido por todos gallardamente, demostrando que la generación nueva aún tiene fé y grandes alientos...[98].

En los días siguientes lo defiende de los ataques de "Eneas" que, en *El Correo Español*, se enfrenta a Dicenta por ensalzar el concubinato y el robo; el teatro ha de ser moral y favorecer las buenas costumbres[99]. La respuesta de Delorme aparece con el título de "Dicenta y la moral de la razón" y en ella sostiene que Dicenta lo que hace es atacar los convencionalismos sociales absurdos, "suspirando por instituciones lógicas y racionales, en que el derecho sea respetado y el cumplimiento del deber norma de las acciones individuales"[100].

Los "jóvenes del 98", simpatizantes en aquel momento con las publicaciones republicano-socialistas, y aún socialistas y ácratas, escriben también elogiosas críticas. La de Unamuno aparece en *La lucha de Clases*, de Bilbao; defiende la tesis de la obra:

> El drama del señor Dicenta es bueno artísticamente por revelar la esencia de la vida social de hoy en uno de sus aspectos; por su resplandor de la verdad, por revelarnos la bondad significativa de un mundo. No es bueno por tener tesis socialista, sino que tiene tesis socialista por ser bueno[101].

Juan José cumplía algunos de los requisitos que Unamuno sostenía debían cumplir las obras dramáticas: estar ligado al presente y penetrado de espíritu popular. Martínez Ruiz, se interesa también por la tesis de la obra:

(97) "Juan José", *P* (30-X-1895).

(98) Rafael Delorme, "El socialismo en el teatro", *P* (31-X-1895).

(99) "Eneas", "Juan José", *El Correo Español* (12-XI-1895).

(100) Rafael Delorme, "Dicenta y la moral de la razón", *P* (13-X-1895).

(101) Unamuno, "Juan José", *La lucha de clases* (7-XII-1895).

Juan José es un drama atrevido, audaz, bárbaro. Y porque es eso el público, atacado por sorpresa, sintiendo ante aquella obra la admiración que siente ante las osadías del héroe y las temeridades del torero, aplaudió frenético.

Hay en la obra la energía de un filósofo, el empuje de un revolucionario [...]. Sí, *Juan José* no es un drama, *Juan José* es el drama de nuestros días. Es la encarnación, el símbolo de esta sociedad *fin de siglo*, que se apresta a una lucha terrible, que "no sabe cómo ha dudado tanto tiempo"; Juan José es el hombre, la humanidad entera que alcanzó con el cristianismo la igualdad ante Dios, que logró en la revolución la igualdad ante la naturaleza.

Ese es *Juan José*. Y porque es un drama que vivimos todos, algo que respiramos todos los días, nuestra lucha cotidiana, nuestras cotidianas angustias, porque es todo eso, *Juan José* será siempre aplaudido y considerado como una de las obras que sintetizan toda una época[102].

En noviembre de 1897, se refiere también a *Juan José* en términos similares, demostrando que en aquel momento para Martínez Ruiz lo importante era la función social del teatro:

Difícilmente se encontrará en castellano drama que supere a *Juan José* en pasión, en vitalidad, en humanismo [...] El protagonista es el símbolo, la encarnación de las aspiraciones justísimas de todo un pueblo; más, de toda una clase que sufre la esclavitud del patrono; que produce y muere de miseria; que trabaja para que otros no trabajen [...] Juan José no pide limosna; roba. Ahí está todo el derecho del proletariado. No se predique la caridad; predíquese la justicia.

Caridad es concesión que hace el rico de algo que es del pobre; la caridad da por bueno el régimen económico exitente, legitima la propiedad[103].

De Maeztu no conocemos ninguna reseña del estreno, pero estimaba al autor y el drama. En 1898 contraataca violentamente a sus detractores: Clarín, el inestable Martínez Ruiz, Bonafoux, Pablo Iglesias y Unamuno[104]. En su *Autobiografía*, construída por Vicente Marrero a base de textos suyos, se recoge un artículo "Recuerdos cubanos a propósito de *Juan José*, en Londres", donde se alegra del éxito de esta obra en Londres, aunque ya han pasado algunos años desde su estreno y recuerda de paso cómo durante su estancia en La Habana leía a los obreros, mientras trabajaban, obras de crítica social, entre las que bien pudo estar el drama de Dicenta[105].

Baroja parece que fue quien menos atención prestó al teatro de Dicenta, a quien consideraba seguidor de Echegaray. En sus *Memorias*, tendrá palabras poco gratas para

(102) J. Martínez Ruiz, "Crónica", *PR* (15-II-1898); vuelve a tratar el drama para criticar el repertorio que lleva la Guerrero al extranjero en *P* (30-XII-1896) y con motivo de la concesión de un premio a *María del Carmen* de Felíu y Codina como obra mejor del año, *PR* (11-XI-1897).

(103) *PR* (10-XI-1897), el elogio del drama no excluye, sin embargo, las duras críticas al grupo que se formó en torno a Dicenta en *Germinal*: Véase, "Avisos de Este", *PR* (6-XII-1897). J. Martínez Ruiz, *O. C.*, *I*, p. 283, alude en este mismo folleto a que Ruiz Contreras posee el manuscrito de la obra (p. 275) y que Palomero y Fuente están escribiendo una novela con el título de *Juan José* en vista del éxito (p. 274).

J. M.ª Valverde, *ob. cit.*, p. 46.

(104) Ramiro de Maeztu, "Carta íntima. Para Joaquín Dicenta", *P* (4-I-1898).

(105) Ramiro de Maeztu, *Autobiografía*, Madrid, Editora Nacional, 1962, pp. 53-60.

él, explicables en parte por enfrentamientos personales habidos años más tarde:

> Echegaray me parece hermano mayor de Dicenta. La única diferencia que creo que hay es que Echegaray se achicaba todo lo que podía para ponerse al nivel del público, y Dicenta, en cambio se estiraba y se ponía de puntillas para alcanzar el mismo nivel[106].

La "apropiación" de la obra por parte de los grupos anarquistas y socialistas, hasta convertirla en pieza imprescindible en las celebraciones del 1º de Mayo, es un fenómeno curioso y arranca de una entusiasta acogida del drama desde su estreno. La prensa anarquista, aunque marcando sus diferencias respecto a Dicenta, le felicita por el drama, y se señala la necesidad de ir más adelante. Escribe en *La Idea libre*, Ernesto Alvarez:

> Nosotros no conocemos a Joaquín Dicenta, ni Joaquín Dicenta piense como nosotros; por tanto, nuestro aplauso debe sonar en sus oídos con todos los timbres de la sinceridad y del entusiasmo.
> [...] *Juan José* convierte el escenario de la Comedia en tribuna revolucionaria, desde donde fustiga implacablemente a la mayor parte de aquellos espectadores, echándoles en rostro sus liviandades, sus concupiscencias, sus odiosos egoísmos, su explotación sin límites, su falta de humanidad, su desenfrenada depravación, causas y concausas todas que cambian seres realmente buenos en hombres corrompidos y les arranca el nimbo de inmaculada honradez para sustituirle por el estigma del criminal[107].

Días más tarde, es el prestigioso anarquista Anselmo Lorenzo, quien analiza la significación del drama y sus insuficiencias, la mayor de éstas, plantear el conflicto en el nivel individual, no en el nivel de la gran familia humana:

> Condenado a presidio, no valía la pena de escaparse inverosímilmente para hacer la vulgaridad de matar a su rival, no al burgués, y luego apretar excesivamente entre los brazos a la esclava fugitiva. Porque eso me parece Juan José a la postre: un tirano vulgar que no ha sabido ser una víctima que tocara como debe tocarse la fibra revolucionaria de la gente del gallinero.
> [...] Pues a mí me parece que Juan José no es "tan echao pa alante" como conviene y como exige la crítica anarquista, y por eso he escrito la presente, no para censurar a Dicenta, que harto ha hecho con lo hecho; no para molestaros, cosa muy lejos de mi deseo, sino para mantener pura la doctrina anarquista, según mi criterio, que si todos tienen derecho a considerar como falible yo tengo deber de exponer tal cual es, sin dudas ni contemplaciones...[108].

Su fervor por la enseñanza y la educación cultural de los proletarios, les llevó a apreciar la escena en la que Perico lee y comenta el periódico en voz alta; la transcriben para sus lectores[109].

---

(106) Pío Baroja, *Memorias*, O. C., VII, pp. 670-671; también, pp. 735 y 784.

(107) Ernesto Alvarez, "Juan José", *IL* (9-XI-1895), ocupa la primera página completa.

(108) Anselmo Lorenzo, "A Juan José", *IL*, 83 (30-XI-1895).

(109) *IL*, 90 (18-I-1896).

El Socialista apoya la obra contra la crítica de Urrecha, que niega su tesis socialista; justifica la actuación de Juan José y aun la de Rosa, que se prostituye, para concluir:

> Sí; *Juan José* es un drama de tendencia socialista y revolucionaria, aunque no haya sido ése el ánimo de su autor; lo dice la estructura del drama mismo; lo acusan las mil frases y los infinitos detalles imposibles de retener en la memoria: aquel obrero desengañado de la política y de los políticos, que ya no se bate por nadie, pero que a pesar de su pierna rota, única cosa que sacó de las barricadas, está dispuesto a luchar "por nosotros, por una revolución para nosotros", ¿qué es sino la expresión del deseo de una revolución que trastorne todo el orden social, de una revolución proletaria?. Paco, el maestro de obras, que sin más trabajo que "el de heredar de sus padres unos cuantos miles", está siempre de *juerga* y de francachela, deslumbra con los brillantes y con los anillos que otros le ganan, ¿qué es sino el contraste sangriento que el autor ha sabido poner junto a la miseria en que viven los demás personajes de la obra?.
> [...] *Juan José* es un síntoma más de la fuerza avasalladora de las ideas socialistas. Y al servicio de éstas tienen que ponerse indefectiblemente las ciencias, las artes, la literatura y las manifestaciones todas de la inteligencia[110].

Para todos ellos era, pues, evidente la necesidad de un cambio social; en lo que difieren es en la forma de efectuarlo, que va desde propuestas tímidamente reformistas a llamadas a la revolución violenta. En los años siguientes la reacción de los sectores conservadores respondió más a su estrechez de miras que a los contenidos "revolucionarios" de la obra. Se empezó con prohibiciones eclesiásticas y de algunos gobernadores civiles para su representación y los escritos en contra; conocidas son las diatribas del jesuita P. Eguía Ruiz en la revista *Razón y Fe* o del P. A. González en *La inmoralidad del teatro moderno*[111].
Todo ello ha contribuido a que el drama haya pesado a la posteridad *mitificado* y engrandecido, desplazando al mismo Dicenta; para Díez Canedo, Dicenta "era un romántico de blusa" y todo su empuje lo vertió en esta obra:

> Todo Dicenta está en *Juan José*, de modo tal, que si desaparecieran sus demás escritos, ni su fama se amenguaría ni una sola de sus características se echaría de menos. [...] *Juan José* no es, en la anécdota, más que un "suceso" de los que vemos a diario en la correspondiente sección del periódico que leemos. Pero es

---

(110) *S*, 505 (8-XI-1896).

(111) Gómez de Baquero, "Crónica literaria", *EM*, LXXXVII (1896), p. 140: "Varios señores obispos parece que han prohibido el drama *Juan José*, del Sr. Dicenta. Grande es la importancia que va adquiriendo esta obra, tal vez más por su índole popular que por los méritos que tiene. Hay ya un periódico que se llama *Juan José*; con el mismo título e inspirada en el drama va a publicarse una novela por entregas."
Todavía es incluida en 1917 entre las obras "inmorales, escabrosas, y malas" por Eduardo Salferain Herrera, *Los comentarios I*, Montevideo, 1917; empareja este autor a este drama: *Carlos II El Hechizado, Teresa, Doña Perfecta, Casandra, La garra...* Véanse también: Sebastián J. Carner, *La Iglesia y el teatro*, Barcelona, Subirana editor, 1915; Víctor Espinó Moltó, *Influencia moral y social del teatro contemporáneo en la clase obrera*, Santander, 1910; Daniel Aguilera Camacho, *Más de cinco lustros de teatro*, Córdoba, 1928, 2 vols. Este último aún escribe: "Si te invitan a ver obras de Dicenta lo mejor es que no vayas. Todas o casi todas envuelven gran dosis de inmoralidad. [...] En todas hay un principio disolvente contra la sociedad y no se diga de amor libre..." (p. 375).

también algo que participa del artículo de fondo, de la crónica y del folletín popular. Quizá no podía ser obra más que de un periodista[112].

Pero ya años antes que esta crítica de Canedo, aparecen otras que lo sitúan adecuadamente, como la de Martínez Espada, defensor de un teatro más elaborado artísticamente, del "modernismo teatral". Las páginas que dedica a Dicenta son de las más acertadas, a mi entender, que se han escrito sobre las limitaciones de su teatro:

> Los que vieron en el drama tendencias socialistas, doctrina demoledora, ataques a una moral de que hipócritamente hacen alarde, aunque no la practiquen, ésos, no hallaron fórmula mejor para bautizar el drama que tacharlo de naturalista y censurarlo precisamente por eso. ¡Qué error! ¿No puede haber un *socialismo romántico*, como ese de que alardea el maestro Blasco, con sobra de buena fe y falta de sentido de la realidad?.
> Pues ése es el socialismo de Dicenta[113].

A *Juan José* le siguió el estreno de *El Señor Feudal* (2-XII-1896), que nada nuevo aportaba al planteamiento de Dicenta sobre la cuestión social, por lo que omito aquí su análisis. Sus propios amigos se sintieron defraudados y no faltaron sus manifestaciones de desagrado. Pérez de la Dehesa recoge algunos de estos testimonios, que en el caso de Martínez Ruiz alcanzaron gran dureza[114].

La obra suponía, en efecto, un retroceso hasta una temática y ambientación claramente arcaicas, casi un drama de venganza de honor al viejo estilo del teatro del Siglo de Oro. A Dicenta le ocurría lo mismo que a Guimerà en *La fiesta del trigo* o *María Rosa*, o a Galdós en *Los condenados*. Se empeñaban en un reformismo absurdo del campo español, pues, a la vez que pretendían reformarlo, dejaban intactas sus estructuras arcaicas fundamentales y se refugiaban en ellas como rechazo del mundo industrializado.

Sería necesario un estudio pormenorizado del drama rural en España en aquellos años. Representó, como señala Mainer, "un episodio de la entronización del naturalismo en el teatro, y de otro lado, una descendencia del costumbrismo regionalista de la segunda mitad del XIX" y "nace entre la tragedia (G. Galán), el *beatus ille* (las zarzuelas), pero en último término, con el pensamiento de que en el campo se vive con una honradez, sinceridad y paz que en las ciudades no conocen"[115].

El estudio que Xavier Fábregas ha dedicado al teatro de Guimerà, *Angel Guimerà: les dimensions d'un mite*, puede servir de paradigma[116]. La obra de Felíu y Codina, en su vertiente rural, iniciada con *La Dolores*, es otro curioso bloque de "pastiches" de tradición española: coplas populares utilizadas como *leit-motive*, utilización del verso clásico, tema de la honra, decoraciones populares y pasión a raudales[117].

(112) E. Díez-Canedo, *Conversaciones literarias: 1915-1920*, Méjico, Joaquín Mortiz, 1964, 3 vols., pp. 46-47; otras opiniones que ha merecido a la crítica posterior en Pérez de la Dehesa, *El grupo Germinal...*, pp. 31-34.

(113) M. Martínez Espada, *Teatro contemporáneo*, ob. cit., pp. 167-168.

(114) R. Pérez de la Dehesa, *El Grupo "Germinal"*, ob. cit., recoge testimonios.

(115) J. C. Mainer, *Literatura y pequeña burguesía*, ob. cit., pp. 91-92.

(116) Xavier Fábregas, *Angel Guimerà, les dimensions d'un mite*, Barcelona, Edicions 62, 1970.

(117) J. Yxart, *El arte escénico, I*, pp. 198 y ss.

Este teatro moral se limita a beneficiar el aspecto pasional y violento del *pathos* naturalista, dando muy escaso margen a conflictos que supusieron una efectiva lección social en orden al testimonio de la injusticia en que vivía la mayor parte de la población agraria. Nunca predomina en este tipo de dramas la problemática social; como mucho, un superficial ennoblecimiento del campesinado, al que se le dan una serie de virtudes enfrentadas a los vicios del señorito, lo cual es herencia del maniqueísmo dualista del melodrama. La base es siempre la idealización burguesa de la vida campesina, evidentemente evasiva. Para el buen burgués, el campo tiene siempre algo de éxotico, de melodrama, de lugar para el ensueño. Es curioso comprobar cómo este teatro se desarrolla aún más donde la base burguesa es más amplia, por ejemplo, Cataluña[118].

El mismo trasvase de población del campo a la ciudad, debida a la progresiva industrialización, favorece este teatro "mixto", obras que tienen más de grito pasional, que de protesta social organizada. Incluso *Juan José* no escapa a estos condicionamientos[119]. Sería necesario estudiar hasta qué punto no es sino un síntoma más de lo que vengo sosteniendo, la labor de la compañía de la Guerrero resucitando el teatro español del Siglo de Oro, con sus conocidas reposiciones de los "lunes clásicos", donde todo se orientaba al espectáculo. Y sería necesario, además, ponerlo en relación con otros aspectos culturales de entonces, por ejemplo, los intentos de reforma agraria finiseculares de escritores como Costa y otros regeneracionistas, donde está latente siempre la misma idealización.

La cuestión social resultaba a la postre falseada cuando no reducida al ridículo, como ocurre, por ejemplo, en la trilogía que Eugenio Sellés dedicó al tema: *Los domadores* (1896), *Los caballos* (1899) y *Las serpientes* (1903). Las tres son a cual más endeble y no tienen más valor que el de ser un testimonio de la capacidad banalizadora de la burguesía española.

Sellés manifestaba al editarlas que su intención cuando las escribió era combatir el anarquismo. Son una sarta de candideces que no merecen ni comentario. Lo sorprendente, vistas desde hoy, no es tanto la existencia de este teatro cuanto la gran aceptación que le dispensaron algunos grupos sociales. Los espectadores aplaudían hasta dolerles las manos, si hacemos caso al gacetillero de *El Globo*[120].

La consideración de estas obras ayuda a entender mejor las limitadas tentativas de Galdós, Clarín o Dicenta. En buena parte, todo este *teatro social* se reducía, como opinaba Ricardo Fuente con referencia a algunas de aquellas obras, a un "socialismo tan sólo para los efectos de la taquilla", carecían de sinceridad y de hondo sentimiento[121].

(118) Lily Litvak, "Naturalismo y teatro social en Cataluña", art. cit.

(119) Otras obras que deben ser analizadas desde este punto de vista, y sin que la lista sea exhaustiva: *El regreso del cacique* (1893), de Rafael Liern; *María, la hija de un jornalero* (1893), Florentino Molina; *Manejos electorales* (1894), *El acta...* Vicente Colorado; *El amo del cotarro* (1895), Vela; *Juan León* (1895), de Eusebio Blasco; *Luchas por los hijos* (1897), de Martínez Barrionuevo... Similar a *Juan José*, en teatro *Novedades* se estrena *Ramón el albañil* (1895), de Benito Alfaro, y que recuerda un melodrama social de mitad de siglo: *Gerónimo el albañil*.

(120) *El Globo* (27, 28, 29-V-1896). También, *Don Quijote*, 25 (1896); Zeda en *VN*, 34 (29-I-1899). Hubo obras mucho más reaccionarias. Véase, J. L. Peset, E. Hernández y J.Gutiérrez Cuadrado, "Teatro y política en el 98: *No está el horno para regeneraciones*", *Senara*, II (Vigo 1980), pp. 25-40.

(121) Rodrigo Soriano, "El Socialismo en el teatro", en *De un periodista*, Madrid, Samper, 1897, pp. 111-113.

El populismo teatral de aquellos años se resolvía, en los mejores casos, en un difuso deseo de mejorar la situación del *cuarto estado*. Fue en parte una moda, como lo demuestra su casi desaparición en los años inmediatamente posteriores.

VII

"MODERNISTAS" Y "NOVENTAYOCHISTAS" ANTE EL HECHO TEATRAL

Los jóvenes escritores después llamados *modernistas* y *noventayochistas*, se interesaron mucho por el teatro. Es un aspecto que ha sido poco valorado y, en general, fragmentariamente.

El estudio de sus escritos teatrales, realizado con detalle y sin perder de vista su evolución cronológica, nos proporciona datos de interés para una mejor clarificación del panorama cultural de aquellos años y contribuye a una matización más adecuada de los polémicos conceptos de *modernismo y noventayochismo*[1].

Aunque pusieron en entredicho el sistema de producción teatral existente, su ignorancia de la complejidad del hecho teatral hizo que no fueran capaces de ofrecer unas alternativas consistentes. Partían, ante todo, de una situación de despecho por las negativas de las empresas a admitir en sus repertorios obras de dramaturgos no consagrados. Pero les preocupaban también otros aspectos del hecho teatral.

Prácticamente todos ellos cultivaron en algún momento la crítica teatral como gacetilleros en los periódicos o en ensayos más amplios. Una de las pocas excepciones la constituye Valle-Inclán que despreciaba la crítica, considerándola un género inferior y llamando a los críticos "las hembras y los eunucos del arte"[2]. Además, todos escribieron obras dramáticas. De algunas, como las de Maeztu, no ha quedado rastro[3]; de otras,

---

(1) No entro en la discusión de la pertinencia o no de estas denominaciones, cuya delimitación en todo caso referida a estos años, no es nada fácil.
Aceptables síntesis del estado de la cuestión en: Donald Shaw, *La generación del 98*, Madrid, Cátedra, 1977; Richard Cardwell, *Juan Ramón Jiménez: The Modernist Apprenticeship: 1895-1900*, ob. cit.; José Carlos Mainer, *Modernismo y 98*, vol. VI de *Historia y crítica de la Literatura Española*, Barcelona, Grijalbo-Crítica, 1980.

(2) Eliane Lavaud, "Valle-Inclán y la crítica literaria (1894-1903)", *HR*, 47 (1979), pp. 159-183. Sólo por amistad escribe en estos años algunas críticas (sobre Pío Baroja —*La casa de Aizgorri*— y Manuel Bueno); destacables son, "Las tormentas del 48" (6-VII-1902), sobre Galdós, a quien llama "maestro", y, especialmente, "Modernismo", *IEA* (22-II-1902), que puede ser considerado su primer intento de definición estética.

(3) R. de Maeztu, "La vida en nuestro teatro. Para Ricardo Catarinéu", *La Correspondencia de España* (9-I-1901). Afirma en este artículo que tiene obras manuscritas suyas, pero por la total decadencia del teatro en Madrid (tanto de teatros como de crítica y público), prefiere ni intentar estrenar siquiera.

tendré ocasión de hablar en las páginas que siguen. Algunos de ellos incluso, pensaron seriamente en dedicarse al teatro como actores: los Machado, Valle, Benavente.

CRITICA DE COMPAÑIAS Y REPERTORIOS

Desde que María Guerrero formó compañía y empresa propias en 1894 consiguiendo el arrendamiento del teatro *Español* por diez años, progresivamente fue afianzando su dominio sobre el teatro español hasta convertirse en una especie de dictadora. Será por ello uno de los blancos favoritos de los jóvenes escritores que no tenían fácil acceso a su tertulia en el saloncillo del *Español*. Las críticas que hacen de ella y de su compañía sirven como paradigma de su postura respecto a las compañías teatrales comerciales de la época[4].

Martínez Ruiz es uno de sus mayores detractores. Su rechazo lleva implícito el de los dramaturgos que representa, como son Sellés o Echegaray, desdeñando a Dicenta y Benavente, que para él representan el *teatro moderno* de España:

> ... la genial Guerrero es amiga de las *pompas* y *vanidades* mundanales y no perdona medio de que se hable de su persona. [...] deseando dar a conocer a los parisienses el *teatro moderno* de España, pondrá en escena... ¿qué dirán ustedes? — Dicenta... Benavente...
> No, representará dos o tres dramas de Echegaray. El *Juan José* y *Gente conocida* parece que no son obras nuevas, aunque el público haya dicho bien elocuentemente respecto a la primera que es la más hermosa obra de nuestra literatura dramática contemporánea, y de la segunda que es una comedia de costumbres fina, espiritual, de una psicología exquisita y profunda[5].

Resulta indispensable el índice elaborado por E. Inman Fox sobre sus escritos en la prensa: "Una bibliografía anotada del periodismo de Ramiro de Maeztu y Whitney (1897-1904)", *CHA*, 291 (1974), pp. 528-581. Parte han sido publicados por él mismo en *Ramiro de Maeztu: artículos desconocidos (1897-1904)*, Madrid, Castalia, 1977. Exagera tal vez cuando escribe: "El joven Maeztu, como tantos intelectuales de su época, sentía predilección por el teatro, y entre sus coetáneos fue considerado como uno de los mejores críticos. Tenía muy poca paciencia con las obras y las compañías teatrales españolas del día. Como es de suponer, despreciaba el teatro burgués, creyendo que el arte debía conformar con el momento histórico: eso es, teatro que respondiera a los problemas de la lucha social y económica." (p. 39)

(4) Sobre María Guerrero, véanse, Felipe Sassone, *María Guerrero (La grande)*, Madrid, Escelicer, s. f., Ismael Sánchez Esteban, *María Guerrero*, Barcelona, Joaquín Gil editores, 1946.

(5) José Martínez Ruiz, "Crónica", *PR* (15-II-1898); ya anteriormente la había criticado duramente por incluir en su repertorio *La ciudad muerta*, de D'Annunzio, que considera decadente y hasta canallesco: véase, "Avisos de Este: la pornografía en el Español", *PR* (1-II-1898).
Su postura respecto a la tradición española es entonces desdeñosa: "Todo nuestro teatro antiguo es falso, ampuloso, artificial; no hay en él psicología, observación, delicadeza"; es partidario de buscar otra tradición: la de la novela picaresca, *La Celestina, Un viaje entretenido, Las fundaciones*, de Santa Teresa, por cuyo estilo aboga ya. Dirá: "Vivamos nuestro tiempo y respetemos a los antiguos. Admiremos a Calderón en las bibliotecas y aplaudamos en la escena a quien con las ideas y con el lenguaje de ahora haga vibrar nuestras almas", en "Avisos del Este", *PR* (27-XI-1897).
Para una buena síntesis de la valoración de la literatura del siglo de Oro y su evolución, véase E. Inman Fox, *Azorín as a literary critic*, Nueva York, Hispanic Institute, 1962, pp. 82-107. Sus artículos de estos años han sido catalogados por E. Inman Fox: "Una bibliografía anotada del periodismo de José Martínez Ruiz, 1894-1904", *Revista de Literatura*, XXVIII (1965), pp. 231-244.

Trata incluso de indisponer a los autores abastecedores de su repertorio contra ella, publicando entrevistas en que éstos hacen declaraciones que la atacan.

En *La Campaña*, periódico que dirigía Luis Bonafoux en París, publica una entrevista en la que pone en boca de Eugenio Sellés estas declaraciones: "La Guerrero es una niña mimada, una tiranuela de los dramaturgos madrileños". Reconoce Sellés que se somete a sus caprichos so pena de quedar sin teatro para estrenar sus dramas. Acude a su saloncillo donde, dice, "nos queremos mucho los autores: el saloncillo del *Español* es una delicia. María Guerrero preside el cónclave, con aires de gran duquesa, y Echegaray oficia el pontifical. Los otros nos apestamos mutuamente de incienso delante, y nos despedazamos cordialmente por detrás, quiero decir, en ausencia"[6]. Le hace decir que Echegaray "es un *revenant*, un aparecido, su tiempo ya pasó; enterró a su tiempo, como decía Clarín de Zorrilla".

Es bien conocida la fobia que sentía Martínez Ruiz por Echegaray, cuyo teatro consideraba desde muy pronto como "deforme" e "ilógico"[7]; ésta culminará en su campaña contra el homenaje que se le tributó en 1903 a raíz de habérsele concedido el premio Nóbel[8]. Para estas fechas, sin embargo, su actitud para con la Guerrero y Díaz de Mendoza se había suavizado mucho[9].

Otros escritores no se mostraban tan duros. Antonio Machado elogia sus intentos de recuperación de los clásicos españoles. Su postura anticipa lo que serán sus dramas posteriores, escritos en colaboración con su hermano Manuel. En 1897, publicó en *El País*, un artículo, "María Guerrero", muy significativo y que transcribo en parte, pues no ha sido utilizado, que yo sepa, por la crítica:

> Ninguna actriz, según nuestra humilde opinión, logró como María Guerrero, desentrañar los intrincados conceptos en que abundan los parlamentos de nuestras antiguas comedias y hacer percibir al público aquel derroche de gracia y de ingenio, aquellos raudales de poesía que ocultan las más de las veces para el literato; hubieran pasado desapercibidos aun del público culto e inteligente, si no hubiese una artista que subrayando unas frases, atenuando otras, atacándolas siempre en su espíritu no buscando el efecto de la buena sonoridad de las palabras le adelantase la mitad del camino para comprender obras escritas hace cerca de tres siglos para una auditoría de muy distinta índole al (sic) de nuestros días[10].

El joven Antonio Machado buscaba con esta sarta de elogios regalar el oído de la Guerrero y ser admitido como actor de comparsa en su compañía. Sabemos, de hecho, que trabajó como meritorio en ella durante 1897[11].

(6) Charivari, "En casa de Sellés", *La Campaña* (25-I-1898); Sellés se molestó y escribió tratando de rebatir a Martínez Ruiz, quien, lejos de retractarse, volvió de nuevo a la carga: "Solo dos palabras", *PR* (31-I-1898).

(7) "Echegaray, Clarín", *El Pueblo* (25-III-1895).

(8) Azorín, *La farándula, O. C.*, T. VII, ob. cit.

(9) Azorín, "La farándula", *Alma Española* (20-XII-1903)

(10) Antonio Machado, "María Guerrero", *P* (2-IX-1897), anuncia al final que otro día escribirá del "insigne actor", Sr. Díaz de Mendoza. No he logrado verlo, caso de que lo escribiera.

Benavente, por su parte, en uno de los artículos que rescato del olvido, "Campaña teatral", se queja de la gestión que en el teatro *Español* realiza la compañía de María Guerrero, aludiendo de paso socarronamente a Díaz de Mendoza y a cómo su matrimonio le ha convertido en el primer actor:

> No olvide que la *yernocracia* hace hoy primeros actores, y que la Vicaría es el conservatorio de muchos galanes, como para otros es urna electoral, vaso de elección, como si dijéramos. No es la naranja el único fruto de la flor del azahar[12].

Por ese camino, lo único que se logrará, en su opinión, es transformar el *Teatro Nacional* en "teatro casero"[13]. Benavente no es partidario de favorecer este tipo de teatro:

> Hoy no es posible la existencia de un teatro nacional, ni mucho menos de toda una literatura, y el empeño por alentarla se malograría en ridículas afectaciones, caldeadas al resoplido de rimbombantes patrioterías, pero sin el calor natural que no se remeda, único vivificante.
> Contradigo en esto la moderna corriente, que preconiza el renacimiento de las literaturas nacionales y aun ciertos alardes de regionalistas, como protestas contra el *cosmopolitismo* invasor del arte, sin considerar que esa misma atención a lo regional y particular es derivada del esfuerzo del pensamiento moderno por abarcar las ideas y sentimientos universales[14].

Ve como positiva la pérdida de algunos caracteres castizos de nuestra literatura dramática y que, abandonando su excesivo apego a lo pasional, haya iniciado un camino más reflexivo. Con los clásicos no debe tratarse tanto de representarlos arqueológicamente cuanto de adaptarlos y refundirlos convenientemente. Benavente sostiene esto no sólo en relación al teatro clásico español, sino también respecto a Shakesperare, su dramaturgo preferido. Con todo, considera que los refundidores han de tener como norma en su trabajo "supresiones pocas, trasposiciones, algunas, innovaciones nunca". En sus adaptaciones se ajustará siempre a estas reglas[15].

---

(11) Según el testimonio de Joaquín Machado a Manuel H. Guerra. Véase al respecto, José Monleón, *El teatro del 98...*, ob. cit., p. 255; en conjunto el trabajo de Monleón, pp. 247-294, es una buena síntesis de las limitaciones y contradicciones del teatro de los Machado. No cita este artículo. Tampoco es citado en trabajos biográficos machadianos tan significativos como el de Julio César Chaves, *Itinerario de D. Antonio Machado*, Madrid, Editora Nacional, 1968, que consta no obstante, que en 1897 trabajó como meritorio haciendo un papel de payés en *Tierra Baja*, unos murmullos en *La calumnia por castigo*, de Echegaray y un pequeño papel de asirio en una obra de Calderón (pp. 57-59); Bernard Sesé, *Antonio Machado (1875-1939), el hombre, el poeta, el pensador*, Madrid, Gredos, 1980, 2 vols., en el vol. I, pp. 36-40, detalla la afición de los Machado al teatro, su relación amistosa con los hijos del actor Rafael Calvo al que admiraban junto con Vico. Según Sesé, ingresó como meritorio por influencia de Balart, literato asesor de la compañía. A estos testimonios hay que añadir, pues, el artículo que cito.

(12) Micifuf (Jacinto Benavente), "Arañazos y bufidos: Campaña teatral", *El Globo* (18-V1896).

(13) Micifuf, "Arañazos y bufidos: Crítica ligera, I", *El Globo* (14-IX-1896).

(14) Micifuf, "Arañazos y bufidos: los inmortales", *El Globo* (5-X-1896), es una fina sátira donde ironiza el repertorio clásico que se piensa representar durante la temporada.

(15) Jacinto Benavente, "Notas de un lector", *RC*, CVI (abril-junio 1897), p. 209.

La falta de formación adecuada de los actores españoles venía siendo señalada por la crítica como uno de los obstáculos mayores para cualquier intento de renovación teatral. Los jóvenes escritores continuaron las quejas de los críticos responsables de la generación anterior.

Martínez Ruiz es tajante: "en nuestra patria no hay actores", para ser una eminencia sólo se necesita "tener buen sastre y mucha osadía"[16]. Ironiza sobre la falta de cultura de los actores, fingiendo una entrevista entre un actor y un periodista, al cabo de la cual sacamos como conclusión la inutilidad del actor, que, en lugar de contestar a las preguntas que le va haciendo el periodista sobre su profesión, se dedica a contarle la última juerga en que ha participado[17].

José María Valverde, apoyándose en *Charivari*, folleto que por entonces publicó Martínez Ruiz, señala que el actor atacado debía de ser Antonio Vico[18]. El hecho es que, cuando vuelve a referirse a Vico, es para censurarlo. Lo pone como modelo de la forma en que no se debe actuar[19].

En otro de sus artículos, "Vico", publicado en *La Campaña*, se ceba en él hasta llegar al escarnio. Extracto algunos de sus párrafos más hirientes:

> Vico está en decadencia. Es un anciano irrespetable. "Como actor —ha dicho Alguien— es una mala persona y como persona es un mal actor". María Guerrero, actriz blasonada por afinidad, le ha dado hospicio en su teatro.
> [...] Vico lo descuida todo, lo deja todo en manos de un zascandil director de escena; no sabe nada, ni conoce la historia, ni la indumentaria, ni el mueblaje; se viste de cualquier modo, se caracteriza mal, deja que los subordinados suyos hagan lo que quieran[20].

Su forma de declamar y actuar le parecen caducas como él mismo, como el teatro de Echegaray al que dieron vida:

> Antonio Vico ha sido un actor de inspiración. Ha sido aclamado por los públicos de España; ha merecido, o mejor, se le han tributado pomposos elogios; pero su arte, instintivo, de momento, es por esto mismo, desigual, pasajero, con caídas lamentables, con descuidos pasmosos, con destellos portentosos, con intenciones maravillosas... todo mezclado, en revoltijo pintoresco.

Hay dos actores cómicos para los que tiene palabras de alabanza siempre que alude a ellos: Ruiz de Arana y Mariano de Larra, ambos pertenecientes a la compañía del teatro *Lara*, al que iba mucho por entonces Martínez Ruiz y con cuyo director, Francisco

(16) J. Martínez Ruiz, "El ocaso de una gloria", *P* (17-XII-1896).

(17) J. Martínez Ruiz, "Los actores", *P* (14-XII-1896).

(18) J. M.ª Valverde, *ob. cit.*, p. 74.

(19) J. Martínez Ruiz, "El ocaso de una gloria", *P* (17-XII-1896); "Crónica", *P* (8-I-1897).

(20) Charivari, "Vico", *La Campaña* (18-II-1898).

Flores García, tenía buena amistad. Ello no obsta para que, en alguna de sus reseñas escrita tras la desazón de una mala función, escriba que, en lugar de teatro *Lara*, debería llamarse "teatro Lata"[21]. Cito fragmentos de uno de sus artículos en que demuestra su simpatía por estos dos cómicos:

> ... en el teatro Lara están, *como en su casa*, Mariano de Larra y Ruiz de Arana, los dos más excelentes actores cómicos que tenemos.
> Larra es nieto de *Fígaro*, lo cual no quita para que sea un buen artista. Estudia, trabaja, se permite el lujo de tener *objetos* de arte en su casa. [...] Es un buen burgués que sabe vivir bien y despacio. Ha dominado al público de Lara; puede decir impunemente cuanto le place; pero tiene el buen gusto de no excederse nunca. Se caracteriza con propiedad.
> [...] El único defecto que pudiera notársele es algo de brusquedad en los tipos, un cierto matiz de dureza, muy propio de todos los personajes que representa, pero no del todo artístico[22].

A Ruiz de Arana lo caracteriza así:

> Más fino, más delicado es Ruiz Arana. Arana, como Larra, es un excelente artista.
> Las medias palabras, las transiciones suaves, las actitudes *indefinidas*, son su principal *juego*. Penetra más en el personaje, y sabe hacer resaltar los detalles, la *nuance* que escapa al actor vulgar. Dice tanto o más con el gesto que con la palabra; hace resaltar más el contraste —origen de lo cómico— con la mirada, con el movimiento, que con el frac.

A Martínez Ruiz le interesaban por aquellos años otros aspectos del hecho teatral. Así, dedica uno de sus "Avisos de Este" a comentar el libro del Doctor Veren, sobre avances técnicos en los escenarios[23]. En este aspecto, junto con Benavente, constituye una excepción entre los jóvenes escritores.

Benavente, por su multiplicidad y variedad de lecturas, es el mejor informado de los nuevos modos de declamación que se han impuesto en Europa. Traza la opinión que le merecen los mejores actores extranjeros en rápidos apuntes o cuando hace autocríticas de sus estrenos[24].
Tiende, en general, a ser benévolo en sus valoraciones, como hombre que ha circulado desde niño entre bambalinas como bien atestiguan sus *Memorias*. Ve los defectos de los actores españoles, pero los defiende:

(21) "Avisos de Este", *PR* (2-XI-1897).

(22) J. Martínez Ruiz, "Del teatro en Madrid", *La Campaña* (19-I-1898); otras referencias elogiosas: "Avisos de Este", *PR* (12-XI-1897); "Avisos de Este", *PR* (19-XI-1897); "En Lara", *PR* (9-II-1898); "Avisos de Este", *PR* (31-III-1898).

(23) "Avisos de Este", *PR* (3-II-1898).

(24) Probablemente dos semblanzas que aparecen en *Germinal*, firmadas como J. B. son obra suya por el tono y porque en otras ocasiones firma así: "Carlota Lamadrid", *G*, 10 (9-VII-1897) y "Monnet Sully", *G*, 16 (20-VIII-1897); en *Madrid Cómico* (8-X-1898), siendo director, firma así unas notas sobre la Guerrero y Díaz de Mendoza (en francés) con motivo de su viaje a Francia. También, "Mlle. Bartet", *Juan Rana* (10-VI-1897); al trabajo de los actores alude siempre en sus reseñas.

Comparados imparcialmente los actores franceses con los nuestros, y teniendo en cuenta el mayor número de aquellos por razones de prosperidad nacional, hay que convenir en que individualmente considerados, no son tan pocos los actores españoles que no puedan sostener digna comparación con algunos de los más célebres y aplaudidos en la escena francesa. Y aún abundan más entre los españoles, los artistas de verdadera inspiración, de geniales arranques; malogrados muchos de ellos por falta de ambiente artístico, de atinada dirección crítica.

El actor español por lo general se hace solo; una vez admitido por el público y clasificado por la crítica, prosigue su camino, inconsciente de sí mismo, aislado por un adjetivo, y por los aplausos de la *claque*, de toda reflexión, de todo estudio. Busca el aplauso fácil en donde sabe que otras veces lo obtuvo sin esfuerzo, se complace en la repetición de los mismos efectos y prefiere siempre las obras que le recuerdan otras obras y los papeles parecidos a otros papeles representados con buen éxito[25].

Además, dice, estrenan demasiadas obras y con poca preparación. Para Benavente son más responsables del mal estado del teatro las empresas que escatiman gastos y los autores que escriben obras enfáticas con lo que envician a los actores. En resumen, "si decadencia en efecto se advierte en el teatro español contemporáneo no creo que a los actores se deba; los autores, el público y la crítica son los verdaderos culpables".

Si en 1896, en *El Globo*, había atacado a la Guerrero y a Díaz de Mendoza, una vez consolidada su fama de dramaturgo tras el estreno de *La comida de las fieras*, en 1898, empieza a tratarles mejor y a desearles suerte en su gira artística que les lleva a París; si entonces juzgaba inapropiado su repertorio, ahora lo aplaude[26]. El proceso de asimilación de Benavente como abastecedor del teatro comercial existente empieza a ser ya evidente por estas fechas.

También Baroja ejerció un tiempo como crítico teatral en 1902, al hacerse cargo, junto con otros jóvenes escritores, de la dirección de *El Globo*[27]. Anteriormente, como cualquier otro joven de la época, había frecuentado los teatros, dejando de asistir luego a sus representaciones por cansancio[28]. A los actores los llama siempre "cómicos" con el sentido peyorativo que la palabra tiene. Su desinterés no llegará el extremo de no hacer algunas tentativas como autor, e incluso como actor, en el teatro de cámara de Baroja, *El mirlo blanco*, representando uno de los papeles de su obra *Adiós a la bohemia*, en 1921.

Como he indicado en páginas anteriores, *La casa de Aizgorri* tuvo primero forma dramática; su conversión en novela se debió a la imposibilidad de estrenarla. Su renuncia a escribir teatro es explicada por él mismo en el artículo autocrítico que escribió sobre *Adiós a la bohemia*:

(25) Jacinto Benavente, "Actores españoles y actores franceses", *Madrid Cómico*, 816 (8-X-1898), pp. 708-709.

(26) J. B., "María Guerrero" y "F. Díaz Mendoza", *Madrid Cómico*, 816 (8-X-1898).

(27) Sobre el teatro de Baroja, Leopoldo Rodríguez Alcalde, "El teatro", en *Baroja y su mundo*, I, Madrid, Ediciones Arion, 1961. La revista *Primer Acto* le dedicó el número 143 (abril 1972); también José Monleón, *El teatro del 98...*, ob. cit., pp. 183-199.

(28) Lo recuerda en "Fornos", *La Voz de Guipuzcoa* (21-XII-1897).

A mí, como a la mayoría de los escritores de libros, se me ha venido a la imaginación muchas veces la idea de escribir para el teatro, naturalmente atraído por la posibilidad del dinero y del éxito.

No lo he hecho por varias razones. Primeramente, las tres unidades clásicas me estorbaban para imaginar algo con fuerza, luego, me estorbaba también el tono de la retórica actual en el teatro.

El obstáculo mayor que ve, sin embargo, es el público:

> Imponen tal número de condiciones y exigencias, observan lo que hago, lo miden, lo pesan, lo comparan con esto y con lo otro, y me producen a la larga, la inhibición y la perplejidad que me hace abandonar mis proyectos[29].

En su corta dedicación a la crítica teatral en 1902, no se ocupa apenas de los actores; sus críticas son valoraciones globales de los autores: Dicenta *(Aurora)*, los hermanos Alvarez Quintero *(La dicha ajena)*, Echegaray *(Malas herencias)* y Jacinto Benavente *(Alma triunfante)*. A todos ellos los trata con dureza[30].

De su posición deducimos su inconformismo, su deseo de un teatro más libre y menos supeditado a lo comercial, al capricho de los "cómicos" y del público.

UNA CRITICA DESDE EL ESCENARIO: "EL MARIDO DE LA TELLEZ", DE JACINTO BENAVENTE

En 1897, Benavente, siguiendo la tradición de criticar la situación del teatro desde éste mismo, estrenó *El marido de la Téllez*.

Contaba al menos con dos modelos próximos, *La comedia nueva o el café* de Leandro Fernández de Moratín, que seguía siendo muy representada[31], y *Un crítico incipiente*, de José de Echegaray, estrenado con gran éxito en 1891. Moratín había escrito su comedia en un momento en el que se intentó hacer una reforma a fondo del teatro español; Echegaray, en el inicio de su decadencia como autor teatral y coincidiendo con la llegada de las primeras noticias a España de la renovación teatral europea por dramaturgos de tanto fuste como Ibsen o Maeterlinck.

Benavente escribe su comedia en el momento en que empieza a ser un dramaturgo en alza tras el estreno de *Gente conocida* y lo hace para dar salida a sus opiniones sobre el mundillo teatral madrileño. Lo más saliente de éste era en aquel momento el reciente matrimonio de María Guerrero y Fernando Díaz de Mendoza[32].

El tema de *El marido de la Téllez* son los problemas derivados del matrimonio de

(29) Pío Baroja, "Con motivo de un estreno", *O. C.*, V, ed. cit., pp. 560 y ss.

(30) Una síntesis de sus artículos en J. Monleón, *ob. cit.*, pp. 193-195.

(31) Emilio Mario, que tenía muy especial predilección por el teatro de Moratín, acostumbraba a representarlo en su beneficio. Había heredado este gusto de su maestro Julián Romea, y no le importaba que el público fuera o no al teatro en esas ocasiones. Representó *La comedia nueva* en 1890 y 1893-1894.

(32) Ismael Sánchez Esteban, *María Guerrero*, ob. cit., pp. 164 y ss.

una actriz de renombre con un actor de inferior calidad. El público identificó fácilmente el conflicto que planteaba la comedia con el matrimonio Díaz de Mendoza-Guerrero.

Benavente, al editarla, incluyó una declaración en la que sostenía que nada tenía que ver su comedia con el matrimonio de los actores, pero es harto evidente la acumulación de similitudes y que Benavente no los trataba por entonces con benevolencia en sus artículos periodísticos. La debilidad de muchas de sus obras, ésta es una de ellas, arranca de su excesiva dependencia de la actualidad del tema, lo que hace que se conviertan fácilmente en motivos de cotilleo.

Visto desde hoy, este "boceto de comedia" tiene sobre todo interés de ser un acertado diagnóstico de la situación del teatro en aquellos años.
Ninguno de los niveles de la producción teatral queda sin ser aludido: los empresarios atentos sólo al rendimiento económico de las obras (escena 5), para lo que buscan "comedias a medida" de la actriz principal (esc. 3 y 6); el mundo de los actores basado en el "divismo", que supone que el primer actor acepte el papel que el público le asigna: Felicia, la actriz en torno a la cual gira la comedia, ha perdido el favor del público precisamente por haberse casado, traicionando en cierto modo las esperanzas de sus seguidores. La aceptación de este papel implica, además, que no descuide nunca su "atrezzo" personal (esc. 6); a cambio, el primer actor hace y deshace a su gusto los textos de las obras que representa (esc. 4); se le considera un ser superior.

Benavente aprovecha para hacer una sátira de los actores que sin ninguna formación pretenden triunfar en el teatro. Lo hace presentando a Arenales, joven aristócrata distinguidísimo que a su favor dice tener "la costumbre de frecuentar la sociedad, de vestirme, de moverme con soltura...", y que "hoy se necesitan actores a la moderna, que sean personas distinguidas, de sociedad... que sepan representar un caballero de verdad" (esc. 8). También los autores que se someten a la tiranía del público son criticados (esc. 2), pues ello lleva a escribir obras en que sólo interesan los efectos escénicos (esc. 3).

Benavente va hilvanando, poco a poco, una fina sátira en la que nada escapa a su observación. En ningún momento, sin embargo, es mordaz ni presenta claramente unas propuestas alternativas. *El marido de la Téllez* se convierte así en una más de esas mediocres comedias criticadas.

NUEVAS PROPUESTAS:
"LA REGENERACION DEL TEATRO ESPAÑOL", DE MIGUEL DE UNAMUNO

Unamuno escribe este ensayo cuando se hallaba en pleno fervor socialista, habiendo iniciado ya sus colaboraciones en publicaciones anarquistas y sus reflexiones sobre el sentido de la historia; trata de elaborar una difícil síntesis de todo ello[33]. Su pasión por

(33) R. Pérez de la Dehesa, *Política y sociedad en el primer Unamuno*, ob. cit.; Carlos Blanco Aguinaga, "El socialismo de Unamuno", en *Juventud del 98*, ob. cit.; Eugenio de Bustos Tovar, "Sobre el socialismo de Unamuno", *CCU*, XXIV (1976), pp. 187-248; Demetrios Basdekis, "El populismo del primer Unamuno", en *La crisis de fin de siglo*, ob. cit., pp. 242-251. También sus propios artículos de aquellos años editados por Pérez de la Dehesa, *Discursos y artículos*, O. C., IX, Escelicer, 1971.

racionalizarlo todo chocaba con sus nunca acalladas inquietudes religiosas. La aventura de entender su personalidad, se compaginaba con un deseo de justicia e igualdad sociales.

Del teatro, a Unamuno no le va a interesar lo que tiene de síntesis de las diversas artes; prescinde de los elementos plásticos y no se preocupa por el movimiento o por lo gestual. Para él, el soporte básico del teatro es la palabra y con frecuencia su teatro parece concebido más para ser leído que representado. Esto le lleva a valorar más el monólogo que el diálogo, o, como él gustaba llamarlo, el "monodiálogo". Su teatro se resiste a ser encerrado en la escena y busca al espectador, a la conciencia de éste como escenario de los conflictos que plantea.

En función de esto, como en sus novelas o en sus ensayos, traza su peculiar teoría dramática.

Como indica Iris M. Zavala, y es una opinión en la que coinciden todos sus críticos en general, "sus dramas son una especie de diálogos platónicos; el teatro le sirve para continuar sus monodiálogos o autodiálogos, como los llamó más tarde. No estamos muy equivocados si pensamos que en sus "nivolas" quita toda bambalina o paisaje para darnos el drama de cada uno de sus personajes. Y que en sus "nivolas", e incluso en muchos de sus relatos novelescos, predomina el diálogo y el monólogo de los personajes sobre cualquier otra técnica de descripción psicológica, o mejor, anímica"[34].

En este sentido, es como una prolongación y profundización del teatro galdosiano en *Realidad*, cuyo personaje Orozco, por su complejidad de conciencia, tanto atrajo a Unamuno. Postula un teatro *vivo*, que suscite interrogantes y estará dispuesto a defender siempre dramaturgos "bárbaros" frente a los dramaturgos "de oficio":

> He perdido ya la cuenta de las veces que habré hablado y escrito del teatro de teatro, novela de novelas, cuento de cuentos, etcétera, etc. No voy casi nunca al teatro, y es que no puedo resistirlo; aquellos personajes que gesticulan y charlan en el tablado, me parecen sacados de otros dramas o comedias, me hace el efecto de ser un mundo aparte.
>
> Los más de los dramaturgos se forman leyendo dramas y viéndolos representar. [...] Sólo iría al teatro cuando me anunciasen la entrada en él de un "bárbaro", de un extraño de las tablas. Tengo tanta aversión a los personajes de teatro como a los hombres que hablan como un libro, pues el hombre que habla como un libro es incapaz de hacer un libro que hable como un hombre[35].

Su deseo de llegar al fondo de la persona, no excluye el de comunicar los "dramas" que vive a quienes viven cerca, protagonistas de sus propios dramas a su vez. Los personajes unamunianos buscan su lugar en el escenario del mundo que los rodea y se pregun-

(34) Iris M. Zavala, *Unamuno y su teatro de conciencia*, Salamanca, 1963, p. 142; véase, además, Fernando Lázaro Carreter, "El teatro de Unamuno", *CCU*, V (1956), pp. 5-29, y Andrés Franco, *El teatro de Unamuno*, Madrid, Insula, 1971.
Imprescindible resulta la edición de Manuel García Blanco, *Teatro Completo*, O. C., XII, Barcelona, Vergara, 1958. Utilizo esta edición como referencia para sus obras dramáticas. Para el texto de "La regeneración del teatro español", *Ibíd.*, III.

(35) M. de Unamuno, "Vida y Arte", *Helios* (agosto de 1903); se trata de una carta dirigida a Antonio Machado en la que le recomienda que, ante todo, huya del arte por el arte. Para su concepto de escritor "bárbaro", véase, "Literatismo", *Revista Blanca* (1-VIII-1898); utiliza el concepto ya antes en *En torno al casticismo*.

tan por su consistencia, por su posible transformación.

Para llegar a estas ideas, sin embargo, Unamuno hubo de recorrer antes un penoso camino. *La regeneración del teatro español* es su primer ensayo dedicado exclusivamente al teatro y en él trata de explicar su postura en aquel momento. Tal vez se ha insistido demasiado en el sentido personalista del texto, condicionados los críticos por ideas posteriores como las que acabo de exponer de forma sumaria; tiene, sin embargo, una dimensión "sociológica" importante acorde con sus ideas en aquel momento. Pujan los dos sentidos. Unamuno sostenía años más tarde que en este ensayo y en *En torno al casticismo* están en germen la mayor parte de las ideas que desarrolló en los años siguientes[36]. Ocupa, pues, en su obra un lugar privilegiado.

En aquellos años de fe en unos ideales de fraternidad y justicia, su reflexión sobre el teatro hay que incluirla dentro de otra más general acerca de la función social del arte. Como los socialistas y anarquistas de cuyos ideales participa y en cuyas publicaciones tenía un lugar destacado, sostiene que la misión del arte es educar y entretener conjuntamente[37]. Su rechazo del "arte por el arte", de una literatura vuelta sobre sí misma, es total[38]. Unamuno era un *intelectual* que buscaba aproximarse y ser útil al pueblo, que quería no dejar de ser pueblo. Empieza por ello reflexionando sobre el concepto de *pueblo* (y sus derivados: *popular, popularismo*), como enfrentado a lo *intelectual*: *eruditismo, bachillerismo, culteranismo*.

Sus conclusiones son similares a las de *En torno al casticismo*; en el capítulo primero de este libro trata de fijar la *identidad* del *pueblo español* y la memoria que del pasado tenemos por la cultura, formada ésta por la sedimentación del acontecer histórico superficial, la llamada por él "intrahistoria", la "tradición eterna":

> Lo que hace la continuidad de un pueblo no es tanto la tradición histórica de una literatura cuanto la tradición intrahistórica de una lengua; aun rota aquella, vuelve a renacer merced a ésta[39].

El teatro contemporáneo, para calar en el pueblo, tiene que tener presente la propia tradición teatral popular, su trayectoria antes de enfrentarse a las novedades teatrales:

> Una vez que el lector haya separado en su memoria la historia de nuestro teatro, puede fijarse en los males que hoy éste sufre y examinar luego las tendencias nuevas, *forma* de la regeneración, y la vida dramática del pueblo español actual, *fondo* de ella.
>
> [...] Deseo tan sólo excitarle (al lector) a que repase sus ideas y las repiense, convencido de que lo que realmente se aprende se saca siempre del propio fondo,

(36) Unamuno, "Ganivet y yo" (1908), en O. C., X, pp. 171-178.

(37) Véanse sus artículos en *La lucha de clases*: "Función social del arte" (26-XII-1896), "Sportsmen" (28-XII-1896); en *La Ilustración del pueblo*: "Algunas observaciones sueltas sobre la actual cultura española" (10-I-1897).

(38) Aunque es un poco posterior, es concluyente su citado artículo "Literatismo" (nota 35).

(39) *En torno al casticismo*, O. C., III; volverá reiteradamente a lo largo de su vida sobre el tema; en *San Manuel, Bueno, Mártir* sintetiza esta trayectoria; también, en el personaje de Miguel Jugo de la Raza, de *Cómo se hace una novela*.

de que con la realidad toda llevamos en los senos oscuros de la mente la sabiduría potencial[40].

Unamuno repasa la historia del teatro español buscando su esencia popular, ya que considera el teatro como "la expresión más genuina de la conciencia colectiva del pueblo" (p. 139). Su recorrido tiene las limitaciones propias de los estudios eruditos del momento (Menéndez Pelayo y A. E. Schack), que condicionan su tesis de partida, no exenta de idealismo.

Unamuno, en nombre de esta búsqueda de lo popular, trata de salvar lo que de vivo queda en el "género chico", coincidiendo en buena parte con la valoración positiva que de éste hacía por entonces también Yxart en *El arte escénico*[41]. Para él, a pesar de sus múltiples defectos "es lo que queda de más vivo y más real, y en los sainetes es donde se ha refugiado algo del espíritu popular que animó a nuestro teatro glorioso". En contraste,

> El género grande vive divorciado del pueblo, sin penetrar en su vida dramática, atento a esas casuísticas del adulterio, que aquí a nadie interesan de veras y que son de torpe importación.
> [...] El texto no vive ya del pueblo ni busca sustento en las entrañas de éste, vive de sí mismo.
> [...] Al teatro, que languidece por querer nutrirse de sustancia propia, no le queda otra salvación que bajar de las tablas y volver al pueblo. Conviene en ocasiones tales la irrupción en escena de algún bárbaro que ahuyente al público no pueblo, un azote de todo convencionalismo. No importa que fracase; ha abierto vereda por donde puedan pasar los dramas no teatrales. Sí, dramas no teatrales. A nadie extrañaría que un crítico recomendara a un actor el que no declame teatralmente, y no debe extrañar que se sostenga que el teatro tiene que renunciar a lo teatral para nutrirse de lo de fuera de él (p. 143).

Por caminos diferentes a los de Clarín y Galdós, Unamuno llega a una conclusión similar: el rechazo del teatro burgués que se alimenta de sí mismo y desdeña trasladar a las tablas los problemas de su momento histórico.
A los tres les mueve la idea del valor didáctico del teatro. De hecho, Unamuno cita en su apoyo precisamente el conflictivo prólogo de Galdós a *Los condenados*.

Público y pueblo no son lo mismo para Unamuno. Aquél es un grupo social determinado, la burguesía que detenta el poder, y lo mismo que en éste no acepta al pueblo, lo rechaza también en el teatro[42]. Favorece, además, a unos autores y a unos críticos que,

(40) Unamuno, "La regeneración del teatro español", *ed. cit.*, pp. 135-136. En adelante, indico las páginas de las citas de este ensayo en el texto del trabajo.

(41) J. Yxart, *El arte escénico, II*, ob. cit., p. 113, escribe: "Esta absoluta objetividad del espectáculo escénico español, solo se encuentra hoy en el sainete. [...] En ninguna parte reluce vivo el reflejo de costumbres conocidas sino en el sainete, la única producción cómica que aspira a desentenderse de todo artificio y se realiza con una simplicidad, con una ingenuidad aparente de medios escénicos, que le dan un valor artístico excepcional."
La coincidencia es explicable teniendo en cuenta la formación filosófica idealista de ambos (Hegel).

(42) *Ibíd.*, p. 144: "Porque el público no es sino parte del pueblo y la más artificiosa de él, apenas es pueblo; el público no representa a la totalidad, no es representativo ni mucho menos [...] El público se forma, como el autor, en el teatro mismo y va a ver lo teatral; es la quinta esencia del espíritu de la rutina y de convención hipócrita. Va al teatro a hacer la cocción y ver caras bonitas, a reírse y olvidar luego aquello de que se rió; todo latigazo moral le corta los horrores de la digestión."

nutriéndose exclusivamente de libros y de realidad falseada, repiten los mismos temas hasta el cansancio:

> Si se acercan al pueblo es *a posteriori*, en vista del argumento con segunda intención literaria, para aprovecharlo cual materia dramatizable, mero *caput mortuum*, tomándolo cual rana o conejillo de Indias de fisiólogo.
> "¡Qué asunto!", exclaman, como un industrial: "¡Qué negocio!", y, es claro, así sale ello, como tiene que salir cuando el propósito de hacer drama precede a lo dramatizable (p. 144).

Hecho este balance de la situación del teatro español, pasa a exponer los remedios que considera oportunos para su *regeneración*, articulándolos en tres puntos: temas que debe abordar un teatro realmente auténtico; lugar del dramaturgo en el hecho teatral; función que debe cumplir el teatro en la sociedad.

En lo que respecta al primer punto, Unamuno se muestra conciliador entre lo "antiguo" y lo "nuevo". Lo antiguo es el *fondo*, la tradición española; lo nuevo, la *forma*, los nuevos modos de presentar los conflictos dramáticos. Manifiesta un temor excesivo a la pérdida de las propias "raíces culturales":

> Predican algunos la vuelta a nuestros clásicos castizos y un repaso más de nuestro teatro; otros, el estudio hondo de las tendencias modernas en la literatura dramática; los juiciosos, y en esto lo son casi todos, una y otra cosa a la vez. Por un lado Ibsen; por otro, Calderón; lo sensato juntarlos. [...] Utiles, indispensables tal vez, son los *lunes clásicos*; necesario revivir la vida de nuestro teatro, y no menos necesario abrir el pecho a lo moderno; pero lo esencial es zahondar en el popularismo actual, no nacional sólo, internacional sobre todo, cosmopolita. Hay que chapuzarse en pueblo, plasma germinativo, raíz de la continuidad humana en espacio y tiempo, sustancia que nos une con nuestros remotos antepasados y con nuestros lejanos contemporáneos, fuente de toda fuerza (p. 146).

De lo moderno, pues, a Unamuno le interesa paradójicamente lo no moderno, el espíritu de la tradición. El *snobismo* le parece más peligroso que el *casticismo* mal entendido:

> Modernismo no es modernidad; lo eternamente moderno es verdaderamente eterno. Hay una frase estúpida que es como la consigna de la modernistería, y es la que a troche y moche espetan los que "están al corriente" de la moda, los que viven *al día*, cuando pronuncian: "eso está mandado recoger".
> Este es el santo y seña del snobismo, que se burla de nuestra hermosa y castiza cursilería (p. 47).

Los temas del teatro renovado han de ser tomados de la realidad, pero no a la manera "fotográfica" a que pueden inducir determinados presupuestos del naturalismo, sino con el sentido que da a la realiad la "conciencia colectiva" del pueblo. Enlazando con esta idea escribe acerca de la función del teatro:

¿Será preciso repetir una vez más que todo arte, como toda realidad, es docente? ¿Qué todo argumento, si es vivo y real, es tesis por ser tesis la realidad viva misma? Si la obra genial no envejece, es por ser, como la realidad misma, eternamente docente, y educadora siempre. El teatro es docente, escuela de costumbres, por ser espejo de ellas, y para enseñar al pueblo hay que aprender primero de él [...].

La tesis está en la cabeza de quien contempla la realidad; pero ésta la ofrece siempre a quien la contempla con cariño. [...] Donde no hay tesis no hay realidad. El valor del poeta estriba en acentuar con la realidad su tesis, en poner de relieve las voces de las cosas, en despejar la incógnita y sacar a toda luz la tesis, que es la hermosura de las cosas mismas (p. 149).

El realismo que propugna Unamuno rechaza lo que él llama la "hechología", la verosimilitud aristotélica y los excesos del psicologismo para defender, por el contrario, "el drama de conceptos"

> ... porque los conceptos tienen, como los hombres, vida interior y dramática y alma; un concepto es una persona ideal lleno de historia y de intrahistoria. No son ya las viejas alegorías en sus formas antiguas [...]; no son ya alegorías, sino conceptos más concretos y encarnados; pero son como los viejos, verbo hecho carne; [...] hoy hay que ir a buscar los símbolos rebosantes de vida al fondo del pueblo, donde hay fe, porque vivimos en una época de fe, de honda fe (p. 153).

El "sociologismo" de Unamuno acaba siendo más aparente que real; la motivación última de su teoría dramática es idealista y aun metafísica, de tal manera que podemos afirmar que, ni en este momento, el de su *populismo* más acentuado, llega a plantearse un teatro verdaderamente "social" revolucionario. Estos condicionantes teóricos hacen, por ejemplo, que su valoración de *Los Tejedores* de Hauptmann y del protagonismo colectivo que presenta, no sea bien entendido por él. Su actuación y sentido en la obra no es la del coro clásico de hacerse eco de lo que ocurre a los personajes principales, como dice Unamuno, sino que los personajes que lo forman, el grupo en sí, es portador de las reivindicaciones propias y muy concretas.

El concepto de pueblo que Unamuno maneja no va referido al "cuarto estado" sino que es una abstracción. Cuando, después, afirma que "la literatura, el arte, y la ciencia misma se sustentan y arraigan en la estructura económica; raíces económicas tiene la literatura mandarinesca que padecemos, razones económicas explican nuestro teatro" (p. 159), no acierta a ver que él mismo, remitiendo a conceptos como "tradición eterna" o "espíritu colectivo", ha estado también falseando la realidad.

Considerar el aspecto económico en relación con la literatura no es sólo hacer fácil crítica de la situación de *mandarinato* de las empresas teatrales, sino algo más complejo y profundo: "viviseccionar" las estructuras sociales para estudiar su anatomía. La visión de Unamuno respecto al teatro popular resulta al cabo muy alicorta, por lo vaga:

> Teatro popular es teatro para todos, porque el pueblo, *populus*, lo componen todos, es el conjunto orgánico. Y si el teatro no es popular, es pura y sencillamente porque se escribe para quien paga y parece que sólo lo paga el *público*. El empresario, he aquí el microbio del arte dramático (p. 159).

La conclusión del ensayo en que "ensueña" el teatro del futuro como un teatro "religioso", entendiendo el término no en el sentido de las religiones que buscan soluciones trascendentes, atenúa un tanto esta conclusión para ir a dar una visión utópica en que imagina cómo

> la muchedumbre se agolpa al aire libre, bajo el ancho cielo común a todos, de donde sobre todos llueve la luz de vida, de visión y de alegría; va a celebrar el pueblo un misterio comulgando en espíritu en el altar del Sobre-Arte. Contempla su propia representación en una escena vigorosa de realidad idealizada, y por idealizada más real, y oye con religioso silencio el eco de su conciencia, el canto eterno del coro humano. Canta su gloriosa y doliente historia, la larga lucha por la emancipación de la animalidad bruta, el inmenso drama de la libertad, en que el espíritu humano se desase trabajosamente del espíritu de la tierra para volver a él, la leyenda de los siglos. Como orquesta armónica acompaña en vasta sinfonía a la voz cantante del género humano la música de los campos y de las esferas, hecha ya perceptible con sublime arte, y su voz siente la muchedumbre, en recogimiento augusto, irradiar en sus pechos el Amor, intuyendo con intuición profunda el misterio de la Trinidad del Bien, la Verdad y la Belleza... (pp. 161-162).

El largo fragmento transcrito podría estar sacado de cualquiera de las revistas anarquistas del momento; está impregnado de su mismo idealismo, de su misma creencia en la fraternidad universal. idéntica insistencia en escribir con mayúsculas Bien, Verdad, Belleza... Aprovechando por otra parte, la imaginería del catolicismo.

Como ocurría con las propuestas de otros escritores, el ensayo de Unamuno tiene poca aplicación práctica a una mejora del teatro español, dada su ambigüedad y su refugiarse en abstracciones.

LAS IDEAS TEATRALES DE JOSE MARTINEZ RUIZ

Martínez Ruiz, muy radical e iconoclasta en sus críticas a la situación española, lo es también en sus propuestas regeneradoras. No se queda a medio camino, como Unamuno, al que encuentra frío y falto de tesón[43]. Desde su folleto sobre *Moratín*,

(43) De hecho, cuando habla de Unamuno, según él habiéndole encontrado en la Librería de Fernando Fe, escribe: "Miguel de Unamuno me es simpático: entre él y yo encuentro semejanza de vida. El, frío, retraído, alejado del trato social en su retiro de Salamanca, leyendo montañas de papel, escribiendo como una máquina; yo... ¿Me voy a contar a mí mismo cómo he vivido?
Pero hay en Unamuno cosas que no me gustan: no me gusta su nebulosidad, su incerteza de ideal filosófico, su vaguedad de pensamiento... Para ser socialista, como él pretende serlo —no socialista revolucionario, que no llega a tanto, a pesar de su colaboración en *Ciencia Social*; para ser socialista hay que mirar más alto y ver más en concreto, tener más fe, más tesón del que Unamuno tiene." (*O. C., I*, p. 250).
Un poco después vuelven a aparecer sus diferencias en la reseña que dedica a *Paz en la guerra* ("Crónica", *P* (16-I-1897), donde le acusa de no tener ideas fijas. Sobre todo esto, Valverde, *ob. cit.*, pp. 70-74, que analiza su colaboración en *La Campaña*, donde incluye "En casa de Unamuno"; en la entrevista Unamuno insiste más que en la felicidad social en el mundo, en la cuestión, para él capital, de la muerte y del sentido de la vida.

destaca la atención que puso en el estudio del medio social, aunque con las limitaciones de su tiempo:

> Moratín, que era un buen observador, no sabía sacar fruto de sus observaciones. [...] Moratín vio claro, y en vez de tejer tragedias soporíferas, copió exactamente la realidad. Solo que hizo mal, como no podía menos de hacer, la selección de asuntos, y creó un teatro que, aunque interesa, no hace sentir ni pensar[44].

Sus razonamientos van encaminados hacia la defensa de un teatro "sociológico", que dé cuenta del momento histórico que lo produce y sus aspiraciones. Fundamenta su "sociologismo" en la lectura de Kropotkin, Bakunin, Hamon y, de los españoles, Pí y Margall. Su estilo de entonces, "deslavazado en la forma, agresivo e irrespetuoso, pero amigo de mostrarse entre lecturas y saberes"[45], tiene como modelo a Clarín.

De sus colaboraciones en la prensa madrileña deducimos cómo cree que debe ser el teatro del futuro. Ya he citado su defensa de *Juan José* en su lugar. También para Benavente tiene siempre elogios[46] y, muy especialmente, para los dramaturgos catalanes que trataban de llevar el anarquismo al teatro: Ignacio Iglesias y Felipe Cortiella. Conocía bien las tentativas de la juventud catalana, distinguiendo entre estetas decadentes[47] y quienes intentaban que su arte tuviera una dimensión social:

> ¡Los estetas! Ni siquiera saben esos pobres locos lo que piden. ¿Cuáles son sus ideales? ¿Qué quieren? ¿Cuáles son sus procedimientos? ¿Qué concepto tienen formado de la humanidad? ¿Qué remedio oponen al *dolor universal*?
> Yo he visto ya a muchos jóvenes catalanes, a la mayoría de la juventud entusiasta y laboriosa de Barcelona, perdida en una admiración ciega hacia ilustres nulidades y desequilibrados de allende el Pirineo. La literatura, el arte fecundo y hermoso, no es el conceptismo de los Góngora y Marini del día; no es el refinamiento obsceno de un D'Annunzio o de un Baudelaire; el arte es claridad, transparencia, sencillez, lógica. Francia es grande intelectualmente, no por Verlaine o Bourget; es grande por Zola, por Víctor Hugo, por Reclus, por Ernesto Renán.
> Y en la misma Cataluña más vale y hará Ignacio Iglesias, el autor de *Fructidor*, de quien he dicho dos frases en un libro mío, que todos los enamorados y fieles copistas *parnasianos*, delicuescentes, pseudo-místicos, estetas, etc. etc.[48].

(44) J. Martínez Ruiz, *Moratín. Esbozos*, O. C., I, p. 55. Para Blanco Aguinaga, *ob. cit.*, p. 123: "la crítica es todavía muy ingenua y elemental, y está casi exclusivamente al nivel de la ideología anticlerical de ciertos republicanos exaltados [...] Podría ser éste, sin embargo, el inicio de una trayectoria que lleve a posiciones críticas más radicales y fundamentadas."
Para Valverde, *ob. cit.*, p. 32: "es, sencillamente, un anarquista literario, incluso doctrinal y teórico, pero sin contacto ninguno con los anarquistas obreros". En pp. 37-38, sitúa este folleto adecuadamente. Para su visión en conjunto del siglo XVIII, véase E. Inmann Fox, *Azorín as a literary critic*, ob. cit., pp. 107-113.

(45) Valverde, *ob. cit.*, p. 33.

(46) Véase, "Avisos de Este", *PR* (30-XI-1897) y (1-XII-1897); Charivari, "En casa de Benavente", *La Campaña* (12-II-1898); los comento más adelante al referirme a *La Farándula* y al *Teatro Artístico*.

(47) "Avisos de Este", *PR* (31-IX-1898) y (2-II-1898); para sus ataques al "modernismo", sinónimo de *decadentismo*, véase, Valverde, *ob. cit.*, pp. 99-100.

(48) "Avisos de Este", *PR* (2-II-1898); vuelve a la carga pocos días más tarde con motivo de una conferencia de Verdes Montenegro en el Ateneo sobre "El nuevo espíritu en la literatura contemporá-

Martínez Ruiz cae en este artículo en una generalización excesiva con lo que resulta equívoco, pero tiene el valor de mostrársenos, aparte de lector ávido y variado, como un crítico que pugna por orientarse en la selva de libros y tendencias de aquel momento. Su propensión a desmitificar le lleva ya a poner en entredicho a Ibsen o Sudermann como escritores revolucionarios:

> No conozco absurdo mayor que admirar sin reservas a Ibsen, a Sudermann y demás caballeros revolucionarios... a ratos. Ibsen tiene dramas perfectamente reaccionarios, y Sudermann es autor de novelas y comedias en que se hace la más desenfrenada apología del honor burgués. Y así son muchos de los que por aquí admiramos; muchos literatos, dramaturgos, por ejemplo, elogiados unánimemente como artistas demoledores y que , sin embargo, no han llegado en su radicalismo donde llegó Moratín, el autor de *El sí de las niñas*... sin contar con que tampoco le igualan en naturalidad, en sencillez, en arte claro y transparente.

Envidia las actividades de algunos grupos catalanes, gracias a los cuales en Cataluña "se siente la belleza y se trabaja por la justicia"; comenta con agrado la aparición de la revista *Catalonia*:

> Se titula *Catalonia*, y es una revista que honra a su director y a los escritores que en ella colaboran. Todo lo mejor de Cataluña, que es como decir de España, figura en la lista de colaboración: Iglesias, Maragall, Pompeyo Gener, Guanyabeus, Morera...
> En Castilla no hay juventud literaria, no hay literatura joven; en Cataluña la hay vigorosa, enérgica, decidida. Aquí hay viejos engreídos, soberbios viejos que miran con desdén al que principia, y hay jóvenes vanidosos, enfáticos, relleno el cerebro de la última revista, prontos a batir palmas ante el más flamante ídolo de la moda. En Cataluña se estudia en silencio, se investigan pacientemente las literaturas extranjeras, se publican revistas como *L'Avenc*, como *Ciencia Social*, como *Catalonia*[49].

En Madrid, Martínez Ruiz mira en torno y dice no encontrar más que *snobs* o tradicionales escritores quijotescos. Se hace necesario superar de una vez por todas los planteamientos de la "gente nueva", a medio camino entre la bohemia desastrosa y el compromiso social; es posible conjuntar creación artística elaborada y acción social sin caer en el "señoritismo tabernario".

La admiración de Martínez Ruiz por esta literatura se traduce en un esfuerzo por difundirla en Madrid: aconseja a Larra que para su beneficio elija el monólogo de Rusiñol *El hombre del órgano*[50]; comenta obras teatrales de estos autores, como es el caso de

nea"; escribe: "Verdes Montenegro habló de Ibsern (sic), de Bjorson (sic), de Tolstoi; citó el *Sendero de los gatos* —novela reaccionaria si las hay de Sudermann—; *El guante*, drama, *arriereé* también, del dramaturgo noruego; citó un cuento, cuyo título no recuerdo, del autor de Ana Karenina... y de todo sacamos en limpio, y Verdes lo dijo al final, que el misticismo literario... ni es misticismo ni literatura; es sencillamente una excentricidad, unas veces, y otras voluptuosidad refinada de gente mundana." Este, "Lo nuevo viejo", *PR* (10-II-1898).

(49) "Avisos de Este", *PR* (24-II-1898); para todo este movimiento es imprescindible el muy citado estudio de Valentí; para el teatro, nuestro apartado dedicado a Ibsen en España. Sobre la superioridad del ambiente cultural barcelonés, también: "Avisos de Este", *PR* (3-III-1898). Véase, Valverde, *ob. cit.*, pp. 104 y ss.

(50) "Avisos de Este", *PR* (16-II-1898).

Els artistes de la vida, de Cortiella[51], *Silenci*, de Adrià Gual y su labor en el *Teatre Intim*; y entrevista a Ignacio Iglesias para conocer sus experiencias teatrales renovadoras.

La entrevista a Iglesias, aparecida en *La Campaña*, tiene gran interés para conocer, sin triunfalismo, la pugna de este escritor para implantar su teatro. Para Martínez Ruiz es un "artista robusto", o un "artista libre", "uno de los pocos constructores dramáticos de que puede enorgullecerse España. Yo le prefiero a Echegaray, trasnochado alfarero de metáforas; le prefiero a Sellés, revolucionario con funda y le prefiero a Galdós, tímido equilibrista de la idea nueva, con ser el más avanzado de todos. Iglesias tiene genio; es un observador profundo, un literato-filósofo. No hay nada en la dramaturgia española que supere a *Fructidor*, como cuadro real, penetrante de costumbres obreras; nada que aventaje en emoción trágica a *Los primeros fríos*"[52].

A Iglesias le sorprende que su nombre sea conocido en Madrid, pues no es un escritor *de cartel*. Confiesa su cansancio de llevar años trabajando sin ser reconocido y sin hallar más que dificultades.

Preguntado por Martínez Ruiz sobre el *teatro libre*, en vista de que en Madrid se va a fundar uno, manifiesta su pesimismo, basado en la experiencia:

En Madrid no saben lo que se hacen: aquí hay mucha pobreza intelectual, pero comparados con ustedes somos millonarios...
En Barcelona sin gritar, sin promover polémicas en la prensa, sin armar ruido, fundamos dos teatros libres: uno *Lo teatre independent*, otro *La Compañía Libre de Declamación*. Entre otras obras representamos *Los aparecidos* de Ibsen; yo hice de Oswald y Brossa, Jaime Brosa (sic) de pastor Branders... Todo esto en Castilla no lo harán. No hay allí iniciativas ni energías intelectuales. Viven ustedes de noche, en los teatros, en los cafés, en los colmados; duermen de día. ¿Cuándo estudian ustedes? ¿Cuándo se enteran del movimiento intelectual? ¿Cuándo trabajan?

Las últimas frases parecen más de Martínez Ruiz que de Iglesias. Más arriba he citado otro artículo con similares interrogaciones y afirmaciones. Iglesias estaba anticipando el fracaso del *Teatro Artístico*, que era el *teatro libre* que empezaba a fraguar por entonces.

En su deseo de promover un teatro que una a su calidad artística un mensaje social, Martínez Ruiz critica favorablemente las pocas obras que se estrenan en Madrid que contienen elementos de este tipo. De *El rento* de Vicente Medina escribe:

El rento es una obra hermosa, un cuadro exacto, sentido, conmovedor, de costumbres campesinas.
[...] Usted ha hecho un drama pasional, una pintura fiel del medio, y usted, *sin embargo*, es un provinciano desconocido, un Juan Vulgar de nuestras letras. Eso es irritante; quien ha escrito *El Rento* tiene más derecho que muchos *eminentes, ilustres, insignes* dramaturgos que aquí coreamos, a figurar en primera línea entre los autores de teatro[53].

(51) "Avisos de Este", *PR* (19-III-1898). "Gaceta de Madrid", *Madrid Cómico* (26-III-1898).

(52) Charivari, "En casa de Iglesias", *La Campaña* (5-III-1898).

(53) "Avisos de Este", *PR* (22-II-1898).

Equipara a Medina con Iglesias; analizando luego el conflicto del drama, su intencionalidad social:

> (es) el drama del labriego, de la ruda gente del campo, embrutecida por el trabajo feroz de todo el día, explotada por el *amo*. Ese es el señor feudal de ahora: el amo, ese es el señor feudal con quien hay que acabar.
> Yo he sido campesino también; yo he vivido en el campo y he visto la miseria horrible de esa gente; la he visto extenuada de fatiga, pálida, cubierta de harapos, pidiendo un pedazo de pan de puerta en puerta; la he visto emigrar a tierras apartadas, abandonando el pedazo de suelo en que naciera. ¿Cómo vivir así? ¿Cómo vivir con el exiguo jornal que de sol a sol ganan esos obreros desdichados de los campos? Reclaman ellos al amo, tienden los puños crispados hacia el que les paga miserablemente su trabajo...

La crítica teatral pasa fácilmente a segundo plano y Martínez Ruiz aprovecha para exponer sus ideas, para adoctrinar. El tono de este artículo es similar al de los reportajes que hará de la Andalucía trágica años más tarde, y, como en ellos, hace una crítica de la situación social española[54]; pone *El rento* a la misma altura que *Los malos pastores* de Octavio Mirbeau y *Juan José*; es necesario, concluye, que deje de haber "hombres que trabajan para otros hombres, que haya explotadores y explotados".

Unos días más tarde, vuelve a hablar favorablemente de Vicente Medina, refiriéndose a sus poemas "Murria" y "Cansera", de orientación socializante y, el segundo, además, una de las más curiosas expresiones del desánimo existente por la situación española, aunque en un primer nivel no es más que la queja de un campesino por su miseria[55].

Está dispuesto a acoger con benevolencia toda pieza teatral que se represente sin pretensiones, con sencillez como hace Luis Ansorena con *Liliput*[56]. Rechaza, por el contrario, las pretenciosas, como *La chismosa* de Enrique Gaspar, que considera un arcaísmo[57].

Después de estas fechas sobrevendría su crisis personal. Cuando vuelva a hacer crítica teatral, será desde otros supuestos, como al comentar *Electra* o *Mariucha*, de Pérez Galdós. Su crisis se iba incubando poco a poco; aún en su obra más combativa, *Charivari*, se espigan fragmentos como éste:

> Cada vez voy sintiendo más hastío, repugnancia más profunda, hacia este am- ambiente de rencores, envidias, falsedad... Me canso de esta lucha estéril... Y aunque venciera ¿qué? ¡Vanidad de vanidades![58].

---

(54) J. M.ª Valverde, *ob. cit.*, pp. 100-103; para otros ataques a la propiedad y la riqueza, pp. 267-271.

(55) "Un poeta", *PR* (5-III-1898); su relación con el desánimo del momento, Valverde, *ob. cit.*, p. 105.

(56) J. Martínez Ruiz, "Gaceta de Madrid", *Madrid Cómico* (23-IV-1898).

(57) "Avisos de Este", *PR* (1-III-1898).

(58) J. Martínez Ruiz, *Charivari*, página final, fechada el 2 de abril de 1897.

Benavente, coincidiendo con su acercamiento a los "germinalistas" y continuando la línea de *Gente conocida*, estrenó, además de *El marido de la Téllez* (1897), *La Farándula* (1897), *La comida de las fieras* (1898), y aparte de algunas piezas menores, *La gata de Angora* (1900).

Entre las dos primeras y la tercera existen notables diferencias: en aquéllas somete a crítica más directa el mundo político y las costumbres de la aristocracia; en *La gata de Angora* se centra más en el conflicto interior de los personajes.

Nota común a las tres es, sin embargo, la presencia de personajes *artistas*: Aurelio, en *La Farándula*; Teófilo Evérit, en *La comida de las fieras*; y Aurelio y Pepe, en *La Gata de Angora*. Recoge Benavente en estos tres personajes la situación de los artistas españoles en aquellos años.

Están construídas de la misma manera que *Gente conocida*, como verdaderas sumas de escenas unidas por una sutil trama. En *La gata de Angora*, el estudio de los personajes centrales comienza a adquirir relieve, preludiando lo que será el posterior teatro benaventino.

"LA FARANDULA", SATIRA DE LA VIDA POLITICA

Fue estrenada en el teatro Lara el 30 de noviembre de 1897, y Benavente somete a crítica en ella el caciquismo político y su funcionamiento.
Por primera vez en su teatro, aparece la acción situada en Moraleda, ciudad provinciana cuyo clima de intransigencia moral recuerda la Vetusta de *La Regenta* y, mucho más, la Orbajosa de *Doña Perfecta*, cuya versión dramática se había estrenado no hacía mucho. Las similitudes con la obra galdosiana son incluso de detalle. Como en ella, por ejamplo, existen personajes capaces de tomarse la justicia por su mano, mediante bandoleros pagados (I, 5).

En Moraleda, ciudad de muy significativo nombre, se vela obsesivamente por la moral de apariencias que rige su funcionamiento social. La mínima sospecha de "inmoralidad" suscita reacciones y chismorreos imprevistos.
La intriga de la comedia gira precisamente en torno a los provocados por las relaciones entre Guadalupe y Aurelio, cuyo matrimonio es desconocido por el resto de los personajes casi hasta el final. Controlada por sacerdotes "neos" y una congregación de mujeres pías, en Moraleda, como dice uno de los personajes, "no hay libertad para nada" (I, 4). Cada ventana es un ojo indiscreto que espía; refiriéndose a cómo son observados Guadalupe y Aurelio, dirá Ansúrez que las ventanas del hotel son "cuarenta y dos ojos de Moraleda atisbadores y devoradores de vidas ajenas" (II, 5).

La acción transcurre en casa del rico terrateniente Don Manuel. El primer acto, en el comedor, finalizada una espléndida comida y, el segundo, en la huerta que rodea la casa. El banquete ha sido realizado para festejar la llegada a Moraleda de Don Gonzalo

Hinestrosa, político de prestigio en alza, acompañado por sus secretarios Aurelio y Ansúrez, para dar un mitin y conseguir la afiliación de Don Manuel a su partido.

Benavente, presentando la actuación de estos políticos de profesión, descubre a los espectadores cómo la política de aquellos años es una farsa, representada por los políticos, que viven de la estupidez de la aristocracia provinciana a la que convencen con vanas promesas, adobadas en vacua retórica. La forma elegida por el dramaturgo es seguir su actuación en Moraleda, no sólo públicamente, sino también en privado.

Don Gonzalo tipifica en sí mismo a los políticos reformistas liberales de aquellos años; presume, como ellos, de que su lema es la moralidad (I, 8) y el respeto a cada hombre (I, 7). Todo su programa se reduce a pegajosa palabrería cargada de sentimentalismo que la prensa infla hasta lo indecible (I, 11-12).

La crítica más severa es realizada a través de Aurelio, secretario de Don Gonzalo por necesidad de subsistir. Benavente se mete en este personaje, moraliza desde él. Aurelio tiene rasgos del *"raisonneur"* del teatro anterior, pero sobre todo aglutina los de los escritores de la "gente nueva". A partir de la escena doceava del primer acto, demuestra su cansancio de la política y explica cómo llegó a ella:

> Estoy con ustedes y pertenezco a su partido, como pudiera pertenecer a otro... ¿Por qué?
> Porque Don Gonzalo me admitió en su periódico cuando yo, con ilusiones de artista y literato, no tenía en dónde escribir ni en donde darme a conocer. Puse mi inteligencia al servicio del partido, como el obrero pone sus manos al servicio del maestro que le paga (I, 12).

Ansúrez aplica a su compañero algunos de los adjetivos que con más frecuencia se utilizaban para referirse a Benavente: "mefistofélico", falto de corazón. El estreno de *La Farándula* coincide con el alejamiento de Benavente de estos escritores. Aurelio experimenta el mismo cansancio que se fue apoderando de ellos:

> Aurelio.— ... ya me canso de hacer la misma comedia. Esta temporada de provincia me ha desengañado por completo. ¡Siempre la misma farsa! ¡El eterno discurso! [...] ¡Qué farsa! Y así andamos de lugar en lugar, como la antigua farándula.
>
> Ansúrez.— Como el carro de las Cortes de la Muerte.
>
> Aurelio.— No, el nuestro es más bien la muerte de las Cortes; en cuanto al torcer del camino topemos con un hidalgo Don Quijote que en nombre del ideal dé al traste con lienzos pintarrajados, oropeles, farsa y farsantes (I, 12).

En el segundo acto, Aurelio pone al descubierto la política de falso socialismo defendida por Don Gonzalo, llamándola "política pastoril... la zampoña del socialismo" (II, 1). Como en otras ocasiones, sin embargo, Benavente, ni siquiera aventura otras posibilidades. La misma vacuidad de los aristócratas provincianos da a los criados que trabajan en la casa, presentándolos degradados y expresándose con el mismo lenguaje que los personajes populares del "género chico" (I, 2-3). Aurelio, en lugar de esforzarse por transformar ese mundo de cuya falsedad es consciente, opta por la evasiva solución de quedarse a vivir con Guadalupe con la que se había casado cuando "no tenía más patrimonio que dos o tres dramas, errantes de continuo por todos los teatros de Madrid, y una porción de versos y de leyendas donde ponía yo (Aurelio) toda mi vida de entonces, mis ilusiones, mis esperanzas" (II, 8).

De aquella vida bohemia dependiente de los artículos que lograba colocar en periódicos de segunda fila, pasa ahora a la pacífica vida provinciana de Moraleda, donde además, Guadalupe no tardará en herecar a una vieja tía. La·sátira benaventina termina así de nuevo por ser inocua y, como la mayoría de sus obras, el amor, aquí más que dudoso, es propuesto como solución. *La Farándula* tiene, pues, el valor de ser una reflexión sobre el proceso de asimilación que sufrieron los escritores de la "gente nueva".

"LA COMIDA DE LAS FIERAS", SATIRA DE LA BURGUESIA MADRILEÑA

El estreno de esta comedia se verificó el 7 de noviembre de 1897, en el teatro de la Comedia, que había dejado hacía poco Emilio Mario y ocupaba ahora la compañía de Emilio Thuillier y Carmen Cobeña.

Durante este año, Benavente se distancia más de los "germinalistas" y prácticamente desaparecen sus colaboraciones de tono socializante en la prensa. Aumentan, por el contrario, sus cuentecillos y artículos estrictamente literarios. De este año son sus "Cartas a Colombina", que firma como "Arlequín", en las que cotillea, más que critica, aspectos de la actualidad artística[59]; algunas reseñas y semblanzas de escritores como Mallarmé o Rubén Darío[60]. Su *filosofía de la historia* se reduce cada vez más a que "el Arte es la primera manifestación de la vida en los pueblos y que por lo tanto del Arte depende la vida social"[61].

El público relacionó el tema de *La comida de las fieras* con la reciente ruina de la casa ducal de Osuna, cuyos bienes fueron sacados a subasta. Su sátira, sin embargo, apunta más a la burguesía madrileña, de la que quiere presentar la inconsistencia de su fortuna, basada en la especulación y en las apariencias, tomando como paradigma al matrimonio formado por Hipólito y Victoria, a cuya ruina asistimos.

Benavente no se polariza sólo en ellos, sino que construye la comedia hilvanando escenas distintas, protagonizadas por diversos personajes. Rompe sistemáticamente el tiempo dramático. El espectador ata cabos al reaparecer personajes y temas en escenas sucesivas.

Las veleidades de la fortuna, que se llama aquí especulación, alzan o precipitan en poco tiempo a los personajes. Desde que el telón se levanta, se suceden ininterrumpidamente las alusiones a personajes caídos en desgracia: todo el acto primero transcurre durante la subasta de los bienes de la casa de Cerinola; se habla también de la ruina de la Marquesa de San Severino (I, 1); de la del Marqués de Castrojeriz (II, 1).

No hay gran diferencia entre sus propuestas y las tesis niveladoras galdosianas. El

(59) Es una serie de artículos que publica en *Juan Rana*.

(60) Firmados "Arlequín", *Madrid Cómico* (24-IX-1898) y (19-XI-1898).

(61) Jacinto Benavente, "Filosofía de la Historia", *Madrid Cómico* (10-IX-1898). Colabora, además, en *Diario Ilustrado, Blanco y Negro* y *Madrid Cómico*.

alegorismo de la intriga sigue siendo muy elemental y cuenta más que muestra. Los personajes no se enfrentan apenas sino que la información nos llega de manera indirecta. Es la técnica que los críticos benaventinos llaman el escamoteo.

Mientras un personaje se halla en la cumbre de su fortuna, el resto acecha su caída para aprovecharse de sus despojos:

> La sociedad humana es democrática por naturaleza; tiende a la igualdad de continuo, y sólo a duras penas tolera que nadie sobresalga de la común medianía; para conseguirlo es preciso una fuerza: poder, talento, hermosura, riqueza; alrededor de ella, atemorizados más que respetuosos, se revuelven los hombres como fieras mal domadas, pero al fin, el domador cuida de alimentarlas bien, y el poder ofrece destinos, la riqueza convites, el talento sus obras, y las fieras parecen amansadas; hasta que un día falta la fuerza, decae el talento, envejece la hermosura, se derrumba el poder, desaparece el dinero..., y aquel día, ¡Oh!, ¡ya se sabe, la comida más sabrosa de las fieraas es el domador! (II, 1).

Toda la comedia es una paráfrasis de este párrafo. Tomillares es el ojo curioso y la lengua hiriente de Benavente, metido dentro de la comedia. De nuevo actúa como personaje *raisonneur*, aunque con un distanciamiento mayor de sus personajes que en el teatro anterior. Cronista de una publicación de actualidad, Tomillares conoce "todo Madrid", es un demiurgo malévolo e "implacable" (II, 9), "un diablo" (II, 10), que siembra continuamente premoniciones de ruina. Vaticina la de Hipólito y Victoria en la subasta inicial; augura la de los que se enriquecen de sus despojos con sus comentarios irónicos y su insinuación de que le ofrezcan su nueva casa. Recuerdos de ruinas pasadas y premoniciones de otras futuras se suceden. Tomillares es a la vez autor, espectador y personaje. Los tres planos se engarzan (II, 2-3).

En la comedia no hay enfrentamiento de grupos, sino de todos contra uno, de las fieras contra el domador. Cuando Hipólito y Victoria se arruinan se convierten en festín de los mismos que vivían de su esplendidez. Su solidez económica no es mayor que la del teatro de guiñol, cuyo incendio se hace coincidir con la noticia de su ruina.

Todo el acto tercero no es sino una machacona redundancia en lo mismo. Transcurre en su casa, desmontada ya y dispuesta para una próxima subasta. Los criados comentan que los acreedores se arrojan sobre ellos "como fieras" (III, 1); sus antiguos amigos acuden a ver la casa; uno de ellos intentará conseguirla en la subasta (III, 3). El acto culmina con unas escenas en las que los criados discuten *como fieras*, repartiéndose unas propinas.

Como en *La Farándula*, Benavente opta por una solución evasiva, no pone en entredicho las estructuras de esa sociedad, sino que se limita a salvar de la ruina la conciencia de Hipólito y Victoria por el amor, que ya se apunta en el acto segundo (II, 8) y desarrolla más en el último cuadro de la obra. Es atinada la observación de Vila Selma, cuando escribe que para Benavente "la intimidad es el último baluarte que se salva de toda zozobra de la vida"[62].

---

(62) J. Vila Selma, *Benavente fin de siglo*, Madrid, Rialp, 1952, p. 97.

197

Ahora bien, es un baluarte insuficiente. En su humilde apartamento de París, los protagonistas se consuelan leyendo los periódicos madrileños, que dan cuenta de la mil veces repetida lucha entre domadores y leones. Tratan de convencerse de que su vida ahora es "verdadera vida", pero les queda siempre la nostalgia de lo que fueron. En Benavente, los males de la sociedad no tienen solución y la persona o personas que se oponen al gregarismo de las "ovejas bobas", expresión muy grata y utilizada frecuentemente por él, están destinadas al fracaso y tienen que optar por la huida de esa sociedad.

Uno de los aspectos por los que más recordada ha sido *La comida de las fieras* es por la aparición de Valle-Inclán en el papel de Teófilo Evérit, poeta decadente que Teles y Hortensia se han traído de París, donde lo conocieron en Montmartre. Se ha exagerado identificando a Valle con el personaje que interpretó. Cierto que algunos detalles de su comportamiento coinciden con el Valle-Inclán de aquellos años, sobre todo su actitud iconoclasta, pero son más importantes las diferencias. Evérit es un "hombre chic" (I, 3), rico y chiflado coleccionista de arte, que sólo por capricho vive la vida bohemia. En él, Benavente aglutina los rasgos de los poetas y literatos *snobs* de aquel momento. La inclusión de este personaje en la comedia no responde sólo al deseo de proporcionar a Valle un papel para su *debut* como actor, sino que supone el traslado a la escena de un tipo social característico de entonces.

Es una mala tentación identificarlo con Valle. Tan sólo considerado fragmentariamente, como hace Fernández Almagro[63], es sostenible tal hipótesis. Este crítico se limita a citar unas frases de Teófilo Evérit, que recuerdan lejanamente el mundo superliteraturizado de las *Sonatas*, referidas a un cuadro que ya se ha subastado y que querría haber comprado:

> ¡Oh, qué retrato! Una dama italiana del renacimiento; una patricia tristemente altiva, con la altivez desolada de las cumbres solitarias; sugestiva como la Gioconda del Leonardo o la Nelly de Reynolds; con los ojos glaucos, felinos, y las manos... ¡Oh, las manos!..., dignas de un soneto de Rossetti...; manos liliales... (I, 3).

Aparte de que Fernández Almagro indica erróneamente que el supuesto cuadro se va a subastar, creo que de un parlamento tan lleno de tópicos de época no se puede concluir la identificación que hace con Valle. Es dudoso que éste tuviera afición al "guignol artístico" para representar piececillas "simbolistas" (I, 4).

El inesperado final de una representación en casa de Hipólito y Victoria quemándose el teatrillo, da pie además, para ironizar a estos modernistas *snobs* decadentes:

Tomillares.— Ha sido una nota modernista.
 ¡Otro símbolo!

Teófilo.— ¡Oh sí! ¡En medio de todo era delicioso!
 El teatrillo entre llamas y dos jóvenes lindísimas volcando un tibor de rosas sobre el fuego... y el agua y las flores cayendo sobre las llamas...
 ¡Un verdadero cuadro prerrafaélico! (II, 4).

(63) M. Fernández Almagro, *Vida y literatura de Valle-Inclán*, Madrid, Taurus, 1966, pp. 54-55. En II, 7, se alude a un amigo de Benavente que va a escribir un libro sobre las repúblicas americanas. ¿Podría ser Valle?.

A Benavente no le agradaba el proceso de trivialidad a que eran sometidos todos los intentos de renovación estética que se estaban llevando a cabo.

La crítica puso a esta comedia los mismos reparos que antes a *Gente conocida* y a *La Farándula*; se repiten opiniones como ésta de José Laserna en *El Imparcial*:

> En lo que tiene de sátira social es tan vigorosa y acabada como endeble e insignificante en lo que tiene de comedia, si es que de comedia propiamente dicha llega a tener algo...[64].

Benavente, que gustaba ironizar a los detractores de su teatro, publicó unos días más tarde su autocrítica, como había hecho con *Gente conocida*. Recoge opiniones:

> — ¡Hombre! ¡Una comedia sin comedia!
>
> — Sí, señor; cuando se estrena algo de Benavente en el teatro de la Comedia, deja de llamarse teatro de la Comedia y se llama de las Escenas sueltas. En la última obra, como en todas las suyas, no sucede nada, no hay asunto, ni acción, ni pasión, ni interés, ni...[65].

Le divierten estas opiniones y manifiesa estar convencido de continuar sin ceder a los gustos del público; por el contrario, cree más conveniente "hacer público para las comedias". No le interesa el teatro de Ayala o Tamayo, sino el de Galdós, a quien una vez más reconoce como maestro:

> Pérez Galdós, tan discutido como autor dramático, otro de los que no saben componer ni graduar el interés *folletinescamente*, en una sola escena de sus obras pone más arte verdadero, más humanidad, más alma que hay ni habrá nunca en esos modelos retóricos propuestos por los críticos rutinarios.

Con *La comida de las fieras* Benavente afianzó aún más su prestigio entre los literatos del momento. Un grupo de éstos, muy heterógeneno, le dio un banquete de homenaje en *Fornos*. Presidió Benavente con Emilio Thuillier y asistieron entre otros Cavia, Dicenta, Fernández Villegas, Francos Rodríguez, los Quintero, Valle-Inclán... Tal vez lo más significativo es la ausencia entre los comensales de los después llamados "noventayochistas"[66].

---

(64) José Laserna, "La comida de las fieras", *I* (8-XI-1898). Otras reseñas: Salvador Canals en *Nuevo Mundo*; *EM*, CXXIII (1898); para Martínez Espada, *Teatro contemporáneo*, ob. cit., pp. 101 y ss., estos rasgos serían precisamente los que definen el "modernismo" teatral: observación atenta, sátira fina, forma sin efectismos.

(65) J. Benavente, "La comida de las fieras", *Madrid Cómico* (12-XI-1898).

(66) Una nómina más completa de asistentes es recogida en la reseña del banquete publicada en *El Globo* (14-XI-1898).

"EL ABUELO", NOVELA EN CINCO JORNADAS, DE PEREZ GALDOS, Y LOS JOVENES ESCRITORES

En 1896, *El Globo* publicó la noticia de que Galdós estaba arreglando *El rey Lear*, de Shakespeare, para estrenarlo en el teatro de la *Comedia*[67]. Sin embargo, el tiempo fue pasando sin que la versión galdosiana se estrenara. El dos de septiembre de 1897, *El Imparcial* incluye la noticia de que Galdós no prepara ninguna obra teatral para la temporada, pero que persevera en su vocación teatral y publicará en breve *El Abuelo*, obra escrita en forma dialogada[68]. Para entonces, *El Abuelo*, "novela en cinco jornadas", debía estar prácticamente terminada, pues aparece ese mismo año como folletín en *El Imparcial*, entre el 13 de noviembre y el 31 de diciembre, y también como libro.

El conocimiento que se tenía de que había estado arreglando *El rey Lear*, hizo que de inmediato los críticos se dedicaran a intentar ver hasta qué punto existía relación entre las dos obras[69]. Aunque la idea inicial de la novela arranca posiblemente de la tragedia de Shakespeare, lo esencial de la obra galdosiana es nuevo[70].

El conde de Albrit se debate en un conflicto entre el amor y el honor. Sabe que una de sus dos nietas es bastarda. Se esfuerza por averiguar cuál es, pero, cuando lo logra, resulta que de las dos muchachas es la que más le ama, aquélla que él pensaba que llevaba la sangre de los Albrit.

Al final, vencen en él los afectos humanos y no los prejuicios nobiliarios. Galdós opta una vez más por negar el honor calderoniano[71].

En *El rey Lear* existen también dos hijos de los cuales uno es bastardo, pero desde el comienzo se sabe quién es, con lo que uno de los elementos fundamentales de la creación galdosiana, la duda del Conde de Albrit, ni siquiera está apuntada. De otro lado, en la

(67) Juan Palomo, "Gacetillas teatrales: Introito", *El Globo* (20-VIII-1896).

(68) En carta fechada el 17-IX-1897, Ortega Munilla le anima a escribir en diálogo pues "el diálogo es la forma mejor para que la literatura llegue al vulgo" (recogida en *Cartas del archivo de Galdós*, ob. cit., p. 217); posiblemente había ya leído parte de *El abuelo*. En otras ocasiones intentará, aunque sin culminarlo, adaptar obras de Shakesperare. En 1901, según carta de Federico Oliver (inédita), fechada e Orense (4-VII-1901), éste le anima para que termine pronto su trabajo sobre *Otelo*, para que pueda ser estrenado por su esposa Carmen Cobeña, haciendo el papel de Desdémona.

(69) Señalan esta relación sin extremarla: Clarín, "Palique", *Heraldo de Madrid* (28-XII-1897), y "Revista literaria: *El Abuelo*", *I* (14-III-1898); Gómez de Baquero, "Crónica literaria: *El Abuelo*, de Benito Pérez Galdós", *EM*, CX (1898), luego recogida en *Letras e ideas*, Barcelona, 1905, pp. 226-233, sin cambios sustanciales. Es ésta una ponderada comparación. Galdós definitivamene le había cogido el gusto al procedimiento. Aparte de las obras conocidas hubo otros proyectos. Así, en 1901, manifestaba en carta a Ricardo Palma que intentaría sacar un drama de su libro *Tradiciones peruanas*: "Antes que llevarlo al teatro me decidiría a escribirlo en forma de *drama extenso*, para la lectura, como *El Abuelo*, que publiqué hace años". En J. Schraibmann, "An Unpublished letter from Galdós to Ricardo Palma", *HR*, 32 (1964), p. 67.

(70) Ch. Berkowitz, *Galdós, Spanish Liberal Crusader*, ob. cit., p. 330, sugiere una lectura casi autobiográfica, exagerando sin duda lo personal galdosiano en relación a la obra. Sí es más acertado su juicio de que supone el preludio de su retorno al teatro. Una valoración adecuada es la de Joaquín Casalduero, *Vida y obra de Galdós*, Madrid, Gredos, 1962, "Sobre *El Abuelo*", pp. 222-234.

(71) Gustavo Correa, "Pérez Galdós y la tradición calderoniana", *CHA*, 250-252 (octubre 1970-enero 1971), pp. 221-241; sobre *El Abuelo*, pp. 238 y ss.

tragedia de Shakespeare, el bastardo actúa "bastardamente", a diferencia de *El Abuelo*, donde es la nieta espúrea quien actúa más rectamente.

El rey Lear tiene unas dimensiones de intemporalidad que no tiene la obra galdosiana. La obra de Shakespeare es un símbolo de la vejez y del decaimiento del poder, mientras que *El Abuelo* es el decaimiento de un poder concreto, el de la aristocracia, y la vejez está vista monetariamente. En Galdós predomina lo histórico, en Shakespeare lo mítico.

No cabe, pues, la confusión entre las dos obras. En lo que si hay similitudes es en el trazado de los dos protagonistas, que son presentados con rasgos comunes; ambos tuvieron un pasado grandioso y ahora se ven reducidos a una situación miserable. Los dos tienen un carácter altanero y tienden a lo visionario. Como bien escribe Casalduero. "El quijotismo a lo sigo XIX es el fondo que Galdós ha querido para *el abuelo*"[72]. La presencia de los shakespereano hay que buscarla tal vez más en la división en "jornadas", en la elasticidad con que es construída la obra, y en el esfuerzo de Galdós por crear un entorno, que refuerce simbólicamente la presentación de las vivencias del personaje.

No trato, sin embargo, de analizar la obra, sino de explicar la significación que tuvo para los jóvenes escritores. Al referirme a la teoría dramática galdosiana y después a sus primeros estrenos, he ido atestiguando con numerosos testimonios cuán de cerca seguían los escritores jóvenes la evolución de su obra. Estuvieron después junto a él en el *estallido* de *Electra* en 1901. No se ha considerado suficientemente, sin embargo, su estrecha relación entre 1896 y 1901. La aparición de *El Abuelo* es un buen catalizador para saber, por los comentarios que suscitó, cómo eran estas relaciones[73].

José Martínez Ruiz, en *El Progreso*, dedica pronto una de sus crónicas a la novela. aconsejando su lectura y reconociendo la primacía de Galdós entre los novelistas españoles:

> Para mí Galdós es el primero entre los novelistas españoles. Ninguno como él de talento tan amplio, tan flexible, tan universal.
> Pinta interiores burgueses, escenas campesinas, vida de taller, vetustas ciudades, oficinas, mesones castellanos... y todo con una naturalidad, con una llaneza de frase, con tal carencia de afectación y de lirismo que subyuga al lector, lo magnetiza, lo sugestiona, le hace perder, en fin, toda noción de tiempo[74].

(72) Concreta más: "El tema de *El Abuelo* nada tiene que ver con Don Quijote; la lucha del Conde, sin embargo, la ve Galdós como algo quijotesco. Quizás el mismo novelista contemplaba su propia vida de incesante combate con los males de la Historia y los vicios de la sociedad y del hombre como una forma de quijotismo. Sin hacer diferencia entre cervantismo --vida puesta al servicio del ideal, de la justicia, del bien, de la hermosura–, y del quijotismo, forma grotescamente conmovedora de este servicio: vivir el presente con los ojos y el corazón puestos en el pasado." (*Ibíd.*, p. 226).

(73) Para las relaciones de Galdós con los jóvenes del 98, todavía muy insuficientemente estudiadas, son útiles: Ch. Berkowitz, "Galdós and the generation of 1898", *Philological Quaterly*, XXI-1 (january-1942), pp. 107-120; inaceptable es el artículo de José Angeles, "¿Galdós precursor del noventa y ocho?", *Hispania*, XLVI, pp. 265-273. J. Rodríguez Puértolas, *Galdós, burguesía y revolución*, Madrid, Turner, 1975, el artículo dedicado a *El caballero encantado*, en especial, pp. 144-176.

(74) "Avisos de Este", *PR* (4-XII-1897); un tiempo después, comentando los rumores existentes sobre la creación de un "teatro libre", escribe: "se dijo que Galdós, renunciando a tratar con los actores de los teatros *oficiales*, pensaba fundar una escena para poner en idem. sus obras", *PR* (17-III-1898).

Unamuno lo conoce personalmente entonces y comienza a cartearse con él. En una de sus cartas, le comenta que desea hablar con él de su drama *La Esfinge*. Le pide consejo:

> En lo que sí he venido a dar es en lo que no creí nunca, en lo mismo que fue usted a dar: en el teatro. Cuando hace tres o cuatro años me excitaban Villegas y Colorado a que hiciese algo para el teatro me resistí alegando que ni mis gustos, ni mi complexión espiritual, ni mi estilo me llevaban a él. Y a él he ido a dar casi sin sentirlo; intentando hacer una novelita. Con usted que tiene experiencia del teatro y que de la novela ha ido a él; con usted quisiera hablar de ello[75].

Unamuno envió efectivamente el manuscrito del drama a Galdós como lo prueba una carta que escribe a Clarín en la que le indica que, si quiere leerlo, se lo dirá a Galdós para que se lo remita[76].

También Baroja, que tendría años después palabras duras para Galdós[77], se refiere a él por entonces con entusiasmo:

> Pérez Galdós es el único verdaderamente grande y abierto de nuestros escritores: ha podido dar un impulso a la literatura española, dirigiéndola hacia nuevos principios tal y como lo han comprobado las obras de su última evolución hacia un nuevo misticismo realista.
> [...] Pérez Galdós, espíritu español meditativo, tan poco conocido fuera de España, es uno de los escritores españoles mejor dotados de una facultad creadora y de una admirable agudeza de observación. Sus personajes están tomados de la realidad: hablan como nosotros y son, sobre todo, reales al mismo tiempo que ficticios. Galdós es la encarnación del espíritu de Dickens en España[78].

Martínez Ruiz y Baroja, interesados ya en problemas de estilo literario encuentran un maestro en Galdós. Unamuno, en plena crisis de valores, halla en sus obras alimento y sugerencias en personajes como Orozco de *Realidad*. Interesados en una reflexión sobre lo español, ven en Galdós un modelo a seguir. *El Abuelo* es una alegoría de la situación

(75) *Cartas del archivo de Galdós*, ed. cit., pp. 53-54; sobre las relaciones entre Unamuno y Galdós, véanse: Ch. Berkowitz, "Unamuno relations with Galdós", *HR*, 3 (1940), y S. de la Nuez, "Unamuno y Galdós en unas cartas", *Ins*, 216-217 (nov. dic. 1964); su amistad no excluye la crítica; así, había escrito en su ensayo sobre la regeneración del teatro español: "Galdós ha intentado llevar a la escena el coro futuro en su *Gerona*, drama nacionalista. ¡Ah! si en un marco como el de Gerona hubiera puesto, dándole la vida que tiene *Realidad*, el pensamiento inicial de *La de San Quintín*, drama de endeble alegorismo y de un simbolismo ultra-esquemático y candidísimo en que se ven los hilos todos del reverso del tapiz, ¡Qué drama popular si hubiera hecho eso! o si hubiera llevado a las tablas su *Leon Roch*, su *Doña Perfecta*, su *Gloria*, lo mejor de su ingenio acaso, lo más fresco sin duda, lo que le brotaba de la conciencia espontánea antes de que diera en el zumbido de las correas sin fin novelescas." Véase, del propio Unamuno, "Galdós en 1901", *La Lectura*, I (1920), pp. 75-76.

(76) Carta recogida en *Epistolario a Clarín*, prólogo y notas de Adolfo Alas, Madrid, Ediciones Escorial, 1941.

(77) Véanse, por ejemplo, "Divagaciones de autocrítica", *O. C.*, V, p. 498; o sus declaraciones, "Pío Baroja habla para Insula", *Ins.*, 2 (febrero 1946), pp. 1 y 5.

(78) Son palabras escritas en *L'Humanité Nouvelle* (2-III-1899), revista anarquista de A. Hamon. Véase al respecto, R. Pérez de la Dehesa, "Baroja, crítico de la literatura española en 1899; textos olvidados", *PSA*, 152 (noviembre 1968), pp. 217-228.

española, una conmovedora reflexión sobre su decadencia a causa de su prodigalidad[79].

Los escritores interesados en una renovación más estrictamente estética y, aun esteticista, reconocen también su magisterio. Es el caso de Benavente, Valle-Inclán o Martínez Sierra. En *El Abuelo*, sobre todo las descripciones que encabezan las escenas, han sido sometidas a una cuidadosa elaboración. Su lenguaje es potenciado con imágenes poéticas, anticipo evidente de lo que será la descripción-acotación en Valle-Inclán o en algunas piezas menores de Benavente. La descripción que Galdós hace de los personajes y de los lugares es precisa, morosa. Citaré unos ejemplos:

Casa pobre de campo, de un solo piso, de una sola puerta, con dos ventanuchos tuertos. Sale el humo a bocanadas por entre las tejas musgosas, que en sus junturas y en las jorobas del caballete ostentan un jardín botánico en miniatura, colección lindísima de criptógamas y plantas parásitas. Junto a la casa, un huerto mal cercado de pedruscos, con un albérchigo desgarbado, un madroño copudo, varios girasoles con sus caras amarillas, atónitos ante la lumbre del sol, y unas cuantas coles agujereadas por los gusanos. La fauna consiste en un cerdo libre, que hociquea en el charco formado por la lluvia; dos patos, gallinas y todos los caracoles y babosas que se quieran poner. Las moscas, huyendo de la lluvia, han querido refugiarse en el interior de la casa, y como el humo las expulsa, voltejean en la puerta sin saber si entrar o salir. Agréganse a la fauna niño y niña, descalzos y con la menos ropa posible, y una vieja corpulentísima, mujer de excepcional naturaleza, nacida para poblar el mundo de gastadores y que por su musculatura, en cierto modo grandiosa, parece prima hermana de la "Sibila de Cumas", obra de Miguel Angel[80].

Galdós personifica, utiliza una alusión culturalista a Miguel Angel, tan gratas a los "modernistas". No faltan sus irónicos toques al modo cervantino: "y todos los caracoles y babosas que se quieran poner..."[81]. Bellísimo es este otro fragmento:

Dormitorio del Conde. Es de noche. Una lamparilla de aceite, puesta en una rinconera, alumbra la estancia; la luz es chiquita, temida (¿tímida?), llorona; un punto de claridad que vagamente dibuja y pinta de tristeza los muebles viejos, las luengas y lúgubres cortinas del lecho y del balcón. Profundo silencio, que permite oir el mugido lejano del mar como los fabordones de un órgano. El viento, a ratos, gime, rascándose en los ángulos robustos de la casa[82].

---

(79) J. Casalduero, *ob. cit.*, pp. 229-231.

(80) Pérez Galdós, *El Abuelo (novela en cinco jornadas)*, O. C., VI; jornada III, esc. 9. María Rosa Lida de Malkiel, vio acertadamente la importancia de la acotación galdosiana en relación con el teatro posterior: "... el proceso de la acotación escénica en Valle-Inclán culmina un incremento de valor de este recurso en la preceptiva dramática, que aparece, dentro de la estética finisecular, en obras de Galdós como *El Abuelo, La razón de la sinrazón, etc.*"; en *La originalidad artística de la Celestina*, Buenos Aires, 1962, p. 81.

(81) Otro ejemplo de esta ironía, mucho más refinado, en la jornada II, escena 4: "Jardín que no necesita descripción, pues ya se comprende que es un afectado y ridículo plagio en pequeño del estilo inglés en grande; trazado en curvas, con praderas, macizos, bosquecillos y plantaciones ornamentales de variada coloración."

(82) *Ibíd.*, jornada III, 12; véanse, además, IV, 8 y III, 1.

De Valle-Inclán nos queda el testimonio de su admiración por Galdós en aquellas fechas en una carta en donde, aparte de llamarle "amigo y maestro", solicita su recomendación para ser admitido en la compañía de Carmen Cobeña y Emilio Thuillier[83]. Si fuera una carta aislada, estaríamos tentados a considerar que Valle buscaba sólo la recomendación del literato de prestigio que era Galdós.

Sin embargo, las cartas que le envía en años sucesivos, su trabajo en una inacabada versión teatral de Marianela y el montaje en 1906 en su compañía de *Alma y Vida*, ratifican esta admiración. Su interés por Galdós a pesar de los altibajos que sufirirán sus relaciones, no impidieron que en muy diversas ocasiones, hiciera declaraciones importantes sobre su significación como escritor renovador.

Ya viejo y enfermo, enterado de un homenaje que se le va a tributar, contesta complacido a un periodista de *Heraldo de Madrid* el 25 de enero de 1933:

> Galdós es en algunos momentos un escritor nuevo, un creador de idioma. Señalo esa condición porque se la suelen negar. En sus comienzos hay más estructura de autor dramático que de novelista. Tenía, como todos los españoles, una mentalidad de dramaturgo. En "Doña Perfecta" se puede observar concretamente esta diferencia. Cuando más tarde lleva esa novela al teatro la pieza gana mucho más en fondo y en forma.

A la vista de estas declaraciones no nos queda duda de su estima por Galdós, "creador de idioma", enriquecedor del castellano.

Galdós, que sabía corresponder a sus admiradores, al publicar su episodio *Aitta Tettauen*, se lo había dedicado así: "A Valle-Inclán su invariable amigo B. Pérez Galdós". Años más tarde, al enviarle *El Caballero Encantado*, lo haría con otra dedicatoria aún más significativa: "Al querido amigo y maestro Valle-Inclán su afectísimo B. Pérez Galdós". Era, sin duda, el reconocimiento de su ya rica obra como escritor.

Benavente sigue muy de cerca todas sus publicaciones. Lector de "exquisiteces", encuentra siempre cosas que elogiar en los libros de Galdós en su fugaz sección "Notas de un lector", de la *Revista Contemporánea*. Refiriéndose a su discurso de ingreso en la Real Academia de la Lengua, escribe:

> Pérez Galdós, más atento en el primero de los suyos (discursos) a la brevedad que al lucimiento (temeroso de sus condiciones como lector), mostró, sin embargo, meditado estudio del tema propuesto; que sólo cuando se domina el asunto en todos sus aspectos puede sintetizarse con tal perspicaz ojeada.
>
> Muéstrase Galdós últimamente muy preocupado por la dirección de los gustos y aficiones del público, preocupación que, en mi sentir, le perjudica no poco, sobre todo en sus obras teatrales. En sus últimas novelas, consideradas por Menéndez Pelayo y por la crítica en general como evolución hacia el misticismo, creo yo ver más evolución hacia las tendencias de *fuera* por decirlo así, que evolución íntima y sincera del autor[84].

(83) *Cartas del archivo de Galdós*, ed. cit., pp. 27-28; para las relaciones entre Valle y Galdós, véase, Pedro Ortíz Armengol, "Galdós y Valle-Inclán", *ROcc* (agosto-septiembre 1976), pp. 22-28. Señala la importancia de *El Abuelo*. Sobre la versión teatral de *Marianela*, véase, además, R. Cardona: "*Marianela*: de la novela al teatro", en *Homenaje a J. Casalduero*, Madrid, 1962, pp. 109-115.

(84) Jacinto Benavente, "Notas de un lector", *RC*, CV (enero-marzo 1897), p. 647. La relación

Benavente analiza luego el discurso de Pereda, refutándolo y poniéndolo como contraste al de Galdós, a la vez provinciano y universal. En su comentario hay una invitación a Galdós a no dejarse llevar por las influencias exteriores, sino por sus inclinaciones íntimas, escribiendo un teatro más *libre*.

La lectura del texto del discurso de Galdós nos revela que el juicio de Benavente es exacto. A pesar de su brevedad, da cuenta en él, en efecto, de la situación de la sociedad y del arte en aquel momento.

Hay diferencias sustanciales entre su ya lejana reflexión sobre la novela –"Observaciones sobre la novela contemporánea en España" (1870)– y este texto, que titula "La sociedad presente como materia novelable".

El dinamismo, la movilidad social es mucho mayor en 1897 que en 1870; las formas literarias, dice Galdós, tienen que intentar captar y expresar esta movilidad:

> Examinando las condiciones del medio social en que vivimos como generador de la obra literaria, lo primero que se advierte en la muchedumbre a que pertenecemos es la relajación de todo principio de unidad. Las grandes y potentes energías de cohesión social no son ya lo que fueron; ni es fácil prever qué fuerzas sustituirán a las perdidas en la dirección y gobierno de la familia humana[85].

Todo ello conduce socialmente a una mutación de las costumbres:

> Pueblo y aristocracia pierden sus caracteres tradicionales, de una parte por la desmembración de la riqueza, de otra por los progresos de la enseñanza; y el camino que aún hemos de recorrer para que las clases fundamentales pierdan su fisonomía, se andará rápidamente.
>
> La llamada clase media, que no tiene aún existencia positiva es tan sólo informe aglomeración de individuos procedentes de las categorías superior e inferior, el producto, digámoslo así, de la descomposición de ambas familias: de la plebeya, que sube; de la aristocracia que baja, estableciéndose los desertores de ambas en esa zona media de la ilustración, de las carreras oficiales, de los negocios, que vienen a ser la codicia ilustrada, de la vida política y municipal (p. 325).

---

de Benavente con Galdós era muy directa y amistosa, como puede verse en una carta un poco posterior –1900–, inédita, donde recomienda a Cornuty, el estrafalario bohemio francés que vivió un tiempo en Madrid, que deseaba traducir una de sus obras al francés:

Sr. Dn. Benito Pérez Galdós
Mi distinguido amigo:
el portador, M. Henri Cornuty, joven literato francés, gran admirador de la obra de V, desearía obtener permiso para traducir alguna de ellas, al francés, de las que V no tuviera ya cedidas. Perdone V. la molestia, gracias anticipadas y sabe V. que es suyo afmo. amigo
Jacinto Benavente
18-junio-1900

Se conserva en la Casa Museo de Galdós. Véanse también: Eduardo Gómez de Baquero, "Pérez Galdós y Pereda en la Real Academia Española", *EM* (marzo 1897), pp. 163-175. Clarividente es la visión de la desorientación existente y la pluralidad de tendencias, de Llanas Aguilaniedo, *Alma contemporánea*, ob. cit.

(85) B. Pérez Galdós, "La sociedad presente como materia novelable", en *Discursos leídos en las recepciones públicas de la RAE, IV (serie segunda)*, Madrid, Gráficas Ultra, 1948, p. 324.

Es como si Galdós estuviera comentando la tesis que presentaba en *La loca de la casa, La de San Quintín* o *Voluntad*, en su teatro, o en novelas como *Misericordia*: la nivelación social como solución a los males nacionales.

El arte en general y la literatura de manera muy evidente, son presas de la misma agitación y "disolución":

> Mientras la nivelación se realiza, el Arte nos ofrece un fenómeno extraño que demuestra la inconsistencia de las ideas en el mundo presente. En otras épocas, los cambios de opinión se verificaban en lapsos de tiempo de larga duración, con la lentitud majestuosa de todo crecimiento histórico.

Ahora, sin embargo, no ocurre así, sino que

> Hemos llegado a unos tiempos en que la opinión estética, ese ritmo social, harto parecido al flujo y reflujo de los mares, determina sus mudanzas con tan caprichosa prontitud, que si un autor deja transcurrir dos o tres años entre el imaginar y el imprimir su obra, podría resultarle envejecida el día en que viera la luz.
> [...] Y así, en brevísimo tiempo, saltamos del idealismo nebuloso a los extremos de la naturalidad: hoy amamos el detalle menudo, mañana las líneas amplias y vigorosas; tan pronto vemos fuente de belleza en la sequedad filosófica mal aprendida como en las ardientes creencias heredadas (pp. 325-326).

La contemplación de esta situación no debe convertirse en fuente de desánimo y pesimismo, muy al contrario, la considera enriquecedora:

> ... a medida que se borra la caracterización general de las cosas y personas, quedan más descarnados los modelos humanos, y en ellos debe el novelista estudiar la vida, para obtener frutos de un Arte supremo y durable.
> [...] al derrumbarse las categorías, caen de golpe los antifaces, apareciendo las caras en su castiza verdad. Perdemos los tipos, pero el hombre se nos revela mejor, y el Arte se avalora sólo con dar a los seres imaginarios vida más humana que social (p. 326).

El Abuelo trata de presentar algunos de estos personajes; sobre todo el Conde de Albrit es movido siempre por el deseo de encontrar la verdad esencial por debajo de un mundo de cambiantes apariencias.
No sólo en los personajes, también en las descripciones trata de captar Galdós la movilidad, la inconsistencia del medio, similar a la de aquéllos y los conceptos que manejan.

Novelas como *Nazarín, Halma* o *Misericordia* deben ser leídas también bajo este prisma. Reseñando la última, Benavente vuelve a hacer una defensa de la independencia del escritor y su derecho a no ser encasillado. En su opinión, sus últimas novelas le han privado a Galdós de lectores al no responder éstas obras a la "casilla" en que había sido colocado y haberse embarcado en "una comprensión más verdadera, más elevada (en el sentido artístico) del alma humana, de la psicología social"[86]. Benavente hace una muy personal lectura de *Misericordia*, acorde con su evolución. En ella

(86) J. Benavente, "Notas de un lector", *RC*, CVI (abril-junio 1897), p. 429.

... resplandece como en ninguna otra, este profundo sentimiento de humanidad. Cuadro de miserias, iluminado con tan poderosa luz, que la miseria parece en él consoladora, como en divino evangelio. Pérez Galdós, a quien muchos tachan de frialdad en el sentimiento, no es vocinglero a la española, porque su sentimiento no es el observador vulgar que siente la miseria de los pobres como la siente el burgués acomodado, apreciándola por lo que sienten los pobres, y el cuadro de miserias no es terrorífico ni justifica arranques de oratoria socialista. Los pobres viven, como vivimos todos, con la misma cantidad de penas y de alegrías, con horas de lucha y con horas de esperanza. La imaginación abre a sus almas angustiadas escapes luminosos. Los personajes de *Misericordia* sueñan, como soñamos todos. El hebreo harapiento, de ojos sin luz roídos por la lepra, ama y canta, y en la desoladora campiña madrileña, evocadora de orientales desiertos, bajo el sol que le abrasa, entona el cantar sublime de los cantares; como pudiera el rey Salomón en su palacio; el triste rey que lloró, miserable, el cansancio de las riquezas, de los amores, de la sabiduría[87].

El texto transcrito es largo, pero necesario para comprender la distinta recepción que puede tener una misma obra. Nunca se insistirá suficiente en el grado de distorsión a que todo lector somete los textos leídos según su cultura y sus intereses[88]. Benavente escribía desde su holgada situación burguesa, fiel a su peculiar concepción del arte como liberador. Una postura muy similar a la de algunos prerrafaelistas ingleses que lee y traduce por entonces.

Galdós estaba interesado tanto en la renovación estética como en el análisis y reforma de la sociedad española. Publica por entonces dos importantes artículos, "Cervantes I y II", en la revista *Vida Nueva*[89]. La lectura que hace de Cervantes y de la literatura tradicional española en ellos es muy significativa y sugestiva:

Don Quijote queriendo arreglar todos los entuertos del mundo con su nunca vencida espada; Cervantes, muriéndose de hambre mientras atesoraba las más ricas facultades intelectuales que caben en nuestra naturaleza, nos dan la medida fiel del estado social de la España de entonces, demasiado emprendedora, más por afán de gloria que por bien de propios y extraños; demasiado espiritualista, de más imaginación que cálculo; más inclinada a los bellos éxtasis de la gloria que a las ocupaciones prácticas de su vida interior; sublime soñadora; más amante de ser respetada y temida fuera, que de ser rica y feliz en casa; grande por la creación y el valor; loca con esa hermosísima y disculpable demencia de la juventud y del genio; embellecida y afeada a la par con todos los extravíos y virtudes que son atributo de los héroes y de los poetas.

Es una lectura dolorida de la obra de Cervantes desde la situación nacional de desastre. Galdós empieza a ser influído tal vez por los jóvenes escritores. Es, como indica

(87) Ibíd., pp. 430-431; vuelve a defenderlo contra las críticas adversas en "Notas de un lector", *RC*, CVI (abril-junio 1897), pp. 641-642.

(88) Compárese, por ejemplo, con la acogida que dispensa a la novela la revista socialista *La Ilustración del pueblo*, 8 (20-VI-1897), el artículo de Luis Aguirre, "Misericordia".

(89) Pérez Galdós, "Cervantes", *VN*, 21 y 22 (30-X y 6-XI-1898). Esta misma revista inserta: "La patria", *VN*, 5 (10-VII-1898), fragmento de *Trafalgar*, muy significativo, donde Galdós defiende al pueblo.

Casalduero, una influencia mutua. Los autores de *Paz en la guerra* y *Los trabajos del infatigable creador Pío Cid* aprenden a novelar en Galdós, pero éste a su vez se impregna de sus ideas.

En estos artículos se halla uno de los puntos de arranque de su novela *El Caballero Encantado* (1909), en la que culminará su reflexión sobre la decadencia española y las vías de regeneración que se le ofrecen. Apuntará, además, allí, el gran lazo que une y unirá siempre España e Hispanoamérica: la lengua de Cervantes y su inagotable capacidad creadora[90].

Los amigos de Galdós y Emilio Mario vieron como una esperanza de retorno al teatro la aparición de *El Abuelo*. El doctor Tolosa Latour le escribe indicándole que es preciso y oportuno que adapte ya a la escena su novela en cinco jornadas y la presente al teatro de la *Comedia* que cuenta con un buen plantel de actores[91]. También lo hace Emilio Mario, dándole ánimos y aconsejándole que se la envíe a Novelli[92].

Todo ello contribuyó a que Galdós volviera a ocuparse más del teatro, pero sin perder de vista su idea de escribir un "teatro libre", sin trabas. En una entrevista declaraba por entonces:

> ... El drama español moderno tiene gran espectáculo y brillante "atrezzo", que penetra por la vista, pero nada más. Cuando esta tendencia desaparezca escribiré para el teatro; mientras, veré y observaré nuestro desorientado público...[93].

Cuando en 1904 se estrenó por fin la versión dramática de *El Abuelo*, fue acogida con gran entusiasmo por los literatos españoles. Los artículos que le dedicaron siguen demostrando que interesaba tanto a quienes procuraban una renovación estrictamente estética como a quienes estaban empeñados en una renovación ideológica[94].

El artículo de Martínez Sierra, reseñando el estreno, resume bien la opinión de los primeros:

> Este nuevo éxito de Galdós ha sido un triunfo doble. Algunas de sus obras anteriores han podido apoyarse para vencer en su valentía, en la exposición y defensa de las ideas.
> En *El Abuelo* el triunfo principal ha sido del arte.

(90) Sobre la visión que tenía Galdós de América, véase el excelente artículo de Angel del Río, "Notas sobre el tema de América en Galdós", *NRFH*, XV (enero-junio 1961), pp. 279-296; señala muy bien su evolución. Parece desconocer el artículo que cito. Igualmente, "Fumándose las colonias", *VN*, 4 (19-VI-1898), y "Españolerías cargantes", *VN*, 37 (19-II-1899); se le elogia en la publicación como "emblema vivo de nuestra raza. Más ha hecho por España, que cuanto hicieron y deshicieron nuestros héroes a grito callejero y pelado, o nuestros retóricos de percalina barata", en Rodrigo Soriano, "Galdós y Mendizábal", *VN*, 31 (8-I-1899); también elogios en Angel Guerra, "Galdós", *VN*, 88 (2-II-1900).

(91) *Cartas del archivo de Galdós*, ed. cit. p. 330 (fechada 20-XII-1898). En otra carta le dice que ya va habiendo público que se interesa por Ibsen y dramaturgos similares (p. 332).

(92) *Ibíd.*, p. 398.

(93) "Notas teatrales. De Benito Pérez Galdós", *España* (22-IX-1899). Se trata de una publicación de Las Palmas de Gran Canaria. Tomo la referencia de la bibliografía de Hernández Suárez.

(94) Otras referencias, además de las que cito, en Ch. Berkowitz, "Galdós and the generation of 1898", *art. cit.*

La bondad es el honor y el amor la verdad. Tal es la tesis de la obra, tesis valiente, honrada y absoluta, merecedora por sí sola de sanción inmediata y universal; pero de tal modo en pugna con los convencionalismos de la mundana moralidad hipócrita, que sólo merced a trama y vestidura de tan aquilatado valor estético como las de este maravilloso drama podría anunciarse y hacerse triunfar. Y por eso podemos decir con verdad: por ser obra de arte perfecta y subyugadora se ha impuesto, y las nobles ideas han sido esta vez llevadas como en carro de triunfo, serenamente, majestuosamente, por la Santa Belleza[95].

Galdós, dice, se ha situado en esta obra por encima de lo real, "se ha atrevido en esta obra a ser poeta y gran poeta: de ahí el sabor shakesperiano que unánimemente le señala la crítica"; "en *El Abuelo* por todas partes se encuentra la soberanía de lo humilde", "es *El Abuelo*, no ya la mejor obra de Galdós, sino la más grande de todo el teatro español contemporáneo".

Al año siguiente al publicar su libro *Teatro de ensueño*, sin duda una de las obras más curiosas del teatro poético de aquellos años, pues llega incluso a introducir en la tercera pieza recogida a Juan Ramón Jiménez como personaje, y de quién, por otra parte, incluye poemas —"Ilustraciones líricas"—, glosando las diversas obras que constituyen *Teatro de ensueño*, Martínez Sierra no pierde la oportunidad de mostrar su afecto por Galdós y le dedica la primera pieza: *Por el sendero florido*[95b]. La segunda la dedica a Jacinto Benavente —*Pastoral*—, la tercera a Santiago Rusiñol —*Saltimbanquis*—, y la última —*Cuento de labios en flor*—, a los Quintero. En todas estas obras la acotación desborda lo puramente teatral y, como en *El Abuelo*, tiene su propia autonomía. El magisterio galdosiano no necesita comentario.

El artículo de Maeztu, "Las dos nietas", es, por otro lado, un buen ejemplo de cómo fue acogida por los "noventayochistas": para él, la lección de Galdós es el dilema entre europeísmo y casticismo. Una de las nietas se aferra a las viejas tradiciones, la otra busca renovación y riqueza[96].

(95) G. Martínez Sierra, "Los teatros: El Abuelo", *Alma Española* (21-II-1904).

(95b) G. Martínez Sierra, *Teatro de ensueño*, Madrid, 1905. Las relaciones entre Juan Ramón Jiménez y los Martínez Sierra fueron bien estudiadas por Ricardo Gullón, *Relaciones amistosas y literarias entre Juan Ramón Jiménez y los Martínez Sierra*, Puerto Rico, Ediciones de La Torre, 1961; para la obra que comento, pp. 14 y ss. En p. 19 indica que la publicación de *Teatro de ensueño* marca efectivamente el punto culmen de esta relación. Poesías y escenas están estrechamente ligadas y de manera muy sugestiva. Los nueve poemas de Juan Ramón corresponden al libro *Pastorales*, escrito en 1905, pero no publicado hasta 1911 en la Biblioteca Renacimiento, dirigida por Martínez Sierra, a quien por otra parte dedica el libro... Martínez Sierra que, no lo olvidemos, fue uno de los autores que más hicieron por el teatro poético en España, necesitaría una adecuada revisión. Fue él quien motivó a Lorca para que escribiera *El maleficio de la mariposa* y el autor del texto de *El amor brujo* y *El sombrero de tres picos*, de Manuel de Falla. Son insuficientes el libro de Tomás Borrás, *El teatro de arte*, 1926, y algunos de los trabajos del propio Martínez Sierra sobre el tema, contando su trayectoria, así como las memorias de su mujer: *Gregorio y yo*.

(96) R. de Maeztu, "Las dos nietas", *España* (17-II-1904); también, Antonio Palomero, "El Abuelo", *La Lectura*, (1904), pp. 340-342; la obra fue montada con singular esplendor escenográfico; todavía, sin embargo, excesivamente ilusionista. Fotografías de estas decoraciones, hechas por los pintores Luis Muriel y Manuel Marín, pueden verse en *El teatro*, 42 (1904), donde se da cuenta, además, de una reposición de *Realidad*.
Véanse también los artículos de Manuel Bueno en *El Heraldo*: "El triunfo de Galdós: El Abuelo" (15-II-1904), "Beneficio de Galdós" (11-III-1904) y "Homenaje a Galdós" (17-III-1904).

Galdós ocupaba, pues, todavía un lugar de privilegio en la literatura de estos años. Los jóvenes acudían a él en busca de consejo y le invitaban a refrendar con sus colaboraciones las empresas literarias en las que se embarcaban. Además, Galdós se hacía merecedor de esta veneración, demostrando una capacidad de renovación poco común.

EL "TEATRO ARTISTICO"

Rubén Darío, refiriéndose a "la joven literatura española" en una carta destinada a *La Nación* de Buenos Aires (3-III-1898) y luego recogida en su libro *España Contemporánea*, escribía de Benavente:

> Tiene lo que vale para todo hombre más que un reino: la independencia. Con esto se es el dueño de la verdad y el patrón de la mentira. La cultura cosmopolita, su cerebración extraña en lo nacional, es curiosa en la tierra de la tradición indomable.
> [...] Ahora trabaja Benavente por realizar en Madrid la labor de Antoine en París o la que defiende George Moore en Londres: la fundación de un teatro libre. Dudo del éxito, aunque él me halagaría habiéndoseme hecho la honra de encargarme una pieza para ese teatro.
> Pero el público madrileño, Madrid, cuenta con muy reducido número de gentes que miren el arte como un fin, o que comprendan la obra artística fuera de las usuales convenciones. Cuando no existe ni el libro de arte, el teatro de arte es un ensueño, o un probable fracaso. No hay *élite*. No se puede contar ni con el elemento elegantemente carneril de los snobs que ha creado Gómez Carrillo con sus graciosas y sinuosas ocurrencias. Conque ¿para quiénes el teatro?[97].

El interés por crear un *teatro libre* era una idea que Benavente venía acariciando desde hacía algunos años. Su "teatro fantástico", o "teatro en libertad", como lo llamaba el mismo Rubén, era ya un intento en este sentido. Fue, con todo, hacia 1897 cuando la idea tomó más cuerpo e intentó llevarla a la práctica.

En la revista teatral *El Proscenio* publica entonces "Maestro de párvulos", artículo en el que defiende la posibilidad de un teatro en el que entre *espectáculo* y *literatura* no haya una disociación, que obras con calidad "artística" y "literaria" triunfen. El mayor problema a resolver, y en esto coincide con Rubén y con algunas de las respuestas a la encuesta de *El Imparcial* sobre el *teatro libre*, ya estudiada, es la falta de un público preparado para entender este teatro:

> La mayoría del público que acude al teatro no está educado literariamente; puede ser muy ilustrada, eso sí, pero en otras materias. Por puro sentimiento o inteligencia del arte no ha leído jamás un libro literario, novela o poesía. En el

---

(97) Rubén Darío, *España Contemporánea*, O. C., XXI, p. 95. Este sentido de independencia es señalado también por otros críticos: M. P., "Benavente", *VL*, 13 (2-IV-1899), escribe: "El primero de nuestros modernistas, acaso el único modernista de verdad entre cuantos viviendo en España escriben en castellano y desde luego el único *consagrado* por el público, no siente el rabioso exclusivismo de escuela que domina a los demás". (p. 225)

teatro lleva a su entendimiento algo de arte a través del espectáculo y de la diversión; y los autores dramáticos, cometiendo un verdadero delito de *corrupción de menores* en inteligencia artística, abusan de la ignorancia del público y procuran mantenerle en minoría perpetua.

[...] ¿Qué sin arte y sin literatura se puede ser autor dramático? Exacto. ¿Qué el *don teatral* es un don aparte de el don artístico? Mentira. Ya se convencerán de ello muchos autores el día en que el público, que ya *se anda en libros*, caiga en la cuenta de que hay todavía estudios y *maestros superiores*[98].

Es el mismo artículo que, con ligerísimas variantes de estilo, publica en *Revista Nueva* con el título de "Teatro Artístico" a comienzos de 1899 y que es manifiesto del grupo[99]. Coincide con el intento de esta revista de resucitar el debate de *El Imparcial*, como puede verse en el número siguiente de la revista, que publica una entrevista con el ya célebre André Antoine, creador del *Teatro Libre* parisiense. Dos puntos intentan que queden claros desde el principio al recomenzar el debate sobre el *Teatro libre*:

Al mismo M. Antoine, debemos el programa del *Teatro Libre*, que comenzamos a publicar hoy, y ha de probar al público dos cosas:

1ª.— Que es gran vulgaridad suponer al *Teatro Libre* sinónimo de inmoralidad o pornografía, a no ser que lo más sublime del arte, desde Shakespeare a Víctor Hugo, se considere obsceno por encerrar atrevimientos sublimes. Hay quienes aplauden las pantorrillas de la Pino o de la Campos, y censuran por inmoral *El castigo sin venganza*, de Lope.

2ª.— Que la obra del *Teatro Libre* no supone estrechez de miras, exclusivismo de escuela del Norte o del Sur, sino defensa contra ñoñerías y necedades elevadas a la categoría de obras por cómicos de la legua disfrazados de grandes actores[100].

Más adelante, aún resaltan otro punto de interés: que el *Teatro Libre* no había surgido como teatro del grupo naturalista, sino que seguían unos criterios mucho más amplios: "lejos de ser, como se cree, el Teatro Libre refugio del arte naturalista, es uno de los pocos refugios de la poesía francesa".

Meses antes, José Martínez Ruiz había entrevistado a Benavente para *La Campaña*. Resulta curioso comprobar que, mientras para los "estetas" había tenido duras palabras, como ya hemos visto, con Benavente, al que paradójicamente considera "jefe de los *estetas* españoles", no tiene sino palabras elogiosas. Su voraz capacidad de lectura en

(98) J. Benavente, "Maestro de párvulos", *El Proscenio*, 1 (26-IX-1897), segunda época, p. 6; en el n.º 7 (4-XI-1897), p. 3, aparece "Crítica ligera", donde insiste en cómo debe ser el *teatro artístico*: "El espíritu artístico persigue lo ideal y maravilloso; renace el misticismo y la magia, y la cábala inquiere los secretos de lo ignorado. No es extraño, que, alarmada la ciencia, proclame la degeneración del arte moderno, considerándole antisocial. ¡Cómo si el fin del arte fuera contribuir al aumento de la población y de las cosechas, a la vacuna obligatoria o a la mejora de la raza lanar!"
En realidad, este artículo había aparecido ya en *El Globo* (14-IX-1896), en su sección "Arañazos y bufidos: crítica ligera", firmado como Micifuf. No hay variantes de interés y en aquella ocasión se publica como primera parte de un artículo más extenso; no he visto tal continuación.

(99) Jacinto Benavente, "Teatro Artístico", *VN*, 31 (8-I-1899).

(100) "Teatro Libre", *VN*, 32 (15-I-1899); siguen las declaraciones de Antoine; acaba con "continuará", pero una vez más, no hubo continuidad en la encuesta.

varios idiomas y su defensa casi religiosa del arte como solución a los males sociales llaman la la atención a Martínez Ruiz. A sus preguntas responde Benavente:

> El porvenir está en la estética, en la estética... *desinteresada*, en la belleza sin fin alguno. La redención del pueblo, de la masa obrera, está ahí, en el arte. D'Annunzio tiene razón. Hay que redimir creando obras hermosas. Nosotros compartimos esas ideas del ilustre italiano, y haremos todo lo posible porque en España se inicie el gran renacimiento ideal que en Francia y en Inglaterra cuenta con tan vigorosos partidarios[101].

Benavente no defiende el decadentismo, sino su teoría de que el arte contribuye a mejorar al hombre. La creación de un *Teatro Libre* la ve desde esta misma perspectiva:

> Precisamente tratamos de fundar un Teatro Libre... Sí; es un proyecto antiguo. Lo estableceremos en el teatro Cómico, de la calle de Capellanes; allí daremos nuestras representaciones. Ya hemos principiado nuestros trabajos. Haremos obras de Ibsen, de Villiers, de L'Isle d'Adam... la célebre *Revolte*, que usted conocerá... De Sudermann, de Haupmann (sic): y daremos conferencias preliminares. Hay mucho entusiasmo por la idea y creo que saldremos victoriosos de la empresa... lo de las conferencias es completamente nuevo; en España no se han intentado nunca. María Guerrero, que se perece por innovar, por hacer algo elegante, original, no se ha atrevido a iniciar en su teatro tal costumbre... costumbre seguida en Francia, desde Larcoumet, Gaston Deschamps, Sarcey, Jules Bois, Lamaitre y tantos otros disertan, antes de la representación del autor y de la obra.

La idea de dar una conferencia previa no era tan nueva en España como pretendía Benavente; en Barcelona se habían hecho ya algunas experiencias, que seguramente él conocía, lo mismo que los intentos de Adrià Gual en su *Teatre Intim*, cuyas pautas en cierto modo van a seguir. El intento de Benavente no es pretencioso:

> Nuestro teatro libre no será un alarde de vanidad, no será una especie de proclama.
> No representaremos para el gran público; representaremos para nosotros. No daremos gusto al público; nos daremos gusto a nosotros mismos. Será una cosa de compañeros, de amigos, de hermanos...

Se trataba, pues, de un teatro pensado para una reducida minoría, lo cual contradice las ideas benaventinas, muy poco convincentes por otra parte, de la función social del arte. Como minoritarios fueron vistos estos intentos por Clarín o Verdes Montenegro. Este, en su artículo "Literatura di camera", parte de la distinción de un público masa y otro minoritario, "di camera". En éste ve la única vía posible de regeneración del teatro. En aquel momento el predominio del género chico y los melodramas hacen que

> cuanto la dramática produce de más intelectual, elevado y sugestivo, tiende a refugiarse en el libro para esperar en él la inteligencia superior que se deleite en su lectura. Ese camino han seguido *La vida es sueño* de Calderón; *Hamlet* de Shakespeare; *Brandt* y *El Pato silvestre* de Ibsen; *Cittá morta* de Annunzio

(101) Charivari, "En casa de Benavente", *La Campaña* (12-II-1898).

(sic); no tardará en unirse a estas obras *La loca de la casa*, de Galdós. El teatro *teatrable* lo formará una serie de obras en que lo bufo y lo melodramático alternen en el poder y establezcan el turno pacífico de los partidos; escuela de mal gusto, cátedra de embrutecimiento donde para deleite de la plebe se excite los resortes más inferiores del espíritu, los más cercanos a la animalidad[102].

A Verdes Montenegro no se le oculta que la reforma del teatro basada en obras de ensayo para un público "di camera" conlleva un excesivo elitismo, pero no ve otra salida:

> Se dirá que aristocratizando el teatro de esta suerte, se priva a la multitud de un gran elemento de cultura. Es un error: el teatro actual, sometido a la muchedumbre no la educa; antes bien, permite que ésta embrutezca a los autores y los rebaje a su nivel. Para educar a la multitud es necesario fragmentarla. Se puede domesticar cien leones *tomándolos* uno a uno; reunidos en manada, el domador no llegaría al fin de la primera lección. Donde quiera que la multitud se siente masa, se impone, y el autor dramático, si quiere triunfar ha de entregarse esclavo a la multitud.
>
> [...] Para regenerar el teatro hay que prescindir del *gran público* en vez de ponerse a su nivel, y crear un teatro de altura. Si hoy no le alcanza la masa, mañana le alcanzará, y habrán ganado a un tiempo el público y la literatura.

Clarín, por su parte, tras recordar sus respuestas a *El Imparcial*, insiste en el aspecto económico de la empresa, que permita un trabajo de calidad:

> El Sr. Benavente iniciador, creo, del *Teatro artístico* tiene, por lo pronto, el mérito grandísimo de empezar a probar el movimiento por el sistema de Diógenes, andando. Pero Benavente, que tiene en casa fábrica de comedias, no la tiene de moneda, no se lo permitirían.
> Y trabajan aficionados en mezcla graciosa con actrices de oficio. Y por ahí, por el camino del actor-autor, se va a... Lope de Rueda, al carro de Tespis, a cualquier parte menos al porvenir. Y hasta se puede ir al *teatro casero*.
> ¡Horror!
> [...] El teatro artístico tampoco debe entregarse a los aficionados... de autor.
> [...] El teatro artístico no debe ser el *teatro asilo*.
> No falta quien piense que en cuanto hace una cosa sosísima, pero dialogada, ya está en plena dramaturgia reformista y rompiendo moldes.
> Hay que evitar las tonterías trascendentales[103].

Clarín, que había sido entusiasta como nadie de un *teatro de ensayo*, elige en esta ocasión el camino de la ironía, aunque al final de su artículo le anima a Benavente a seguir con su intento, previniéndole de los múltiples obstáculos.

En los artículos de Benavente reaparece con todo, de vez en cuando, el deseo de llegar a un público más amplio. El dramaturgo, dirá, tiene una misión que cumplir: proporcionar Arte, y arte sublime, también al pueblo. Comentando el estreno del melodrama *Los dos pilletes* en el teatro de la *Zarzuela*, que tuvo un enorme éxito, escribe "El teatro popular", jugoso artículo que anticipa en varios años sus libros *Teatro del*

---

(102) José Verdes Montenegro, "Literatura di camera", *VN*, 9 (7-VIII-1899).

(103) Clarín, "Palique", *Madrid Cómico* (23-XII-1899), p. 92.

pueblo y *Pan y letras*, punto máximo de la generosidad benaventina en lo que se refiere al teatro "popular"[104]. En él, insiste de nuevo en que no se puede tratar al pueblo como un eterno menor de edad e incapacitado para entender el arte:

> No sé si la obra ha dado o no dinero (argumento irrefutable para los defensores del melodrama). Un buen melodrama siempre tiene público, afirman; es el género teatral preferido del pueblo... ¡Pobre pueblo!.
> Su gusto supuesto por el melodrama es una de las peores calumnias que le han acumulado los explotadores de su ignorancia.
> El pueblo, niño, mujer, sentimiento sencillo, es capaz de percibir y hallar satisfacción a su instinto artístico en las obras de arte más elevado.
> ¡Oh! Diéranme un público popular para presentarle a Calderón, a Shakespeare, a Schiller y a los trágicos griegos; viérais cómo donde no llegaba la comprensión suplía el respeto; cómo lo sublime y lo grotesco podían ostentar toda su grandeza; Otello y Jorge Daudin, Segismundo y Sganarello.
> Arte, arte sublime, verdadero y grande para el pueblo. No le insultéis más con melodramas estúpidos, si no queréis cometer el delito de corrupción de menores[105].

El razonamiento de Benavente nos parece hoy, amén de idealista, ingenuo y desligado de la realidad. La fundación de un teatro popular "a precio tan ínfimo, que pudiera hacerse limosna de arte como de pan", como añade más adelante, no dejaba de ser un ensueño, lo mismo que representar en él "las obras inmortales de la eterna humanidad", "las obras que llevan virtud en su eterna belleza, sin moral utilitaria, sin frenos ni castigos dignos de nuestras virtudes o de nuestras culpas, de lección falsa, engañosa, porque hace esperar una recompensa inmediata para cada buena obra y desear castigo inmediato para cada crimen. No; sobre la obra de arte como sobre la vida, irradie la justicia ideal de nuestra propia conciencia, y al llevar sobre el sacrificio de nuestra dicha y al maldecir ante el malvado triunfador, la idea eterna de justicia permanezca inmutable entre nosotros, sin que pensemos, víctimas en el mayor tormento, trocarnos por verdugos en la mayor victoria..."

En *Figulinas* y *Vilanos* recoge Benavente sus tanteos de estos años. La mayor parte de los bocetos que recopila en estos dos libros los publica primero en revistas. *Figulinas* reune los escritos publicados en 1897 en *Blanco y Negro*, *El Imparcial* y *El Progreso*. Predominan las escenas dialogadas sobre los cuentos; alguno de ellos lo incorporará en obras posteriores como *Entre Artistas*, que pasó a ser una escena de *La gata de Angora*. Con frecuencia cae en el charloteo intrascendente y tienen el valor de ejercicios de estilo. La nota que pone Benavente como prólogo al libro aclara sus propósitos:

> ¡Figulinas! Muñequillos de barro. Ni otro material ni otro escultor merecen los modelos: figurines a la moda, los cuerpos; figurines también, las almas. [...] sin amor, también sin odio, copié en pequeño lo que pequeño se mostraba...[106].

(104) Véase el comentario que hace de ellos, José Monleón, *El teatro del 98...*, ob. cit., pp. 173-175.

(105) Jacinto Benavente, "El teatro popular", *RN*, 18 (5-VIII-1899), pp. 825-826.

(106) Jacinto Benavente, *O. C., VI*, p. 429.

En *Vilanos* predominan más los cuentecillos, aunque el diálogo abunda en ellos. Fueron publicados en *Germinal, Don Quijote, El Imparcial, Madrid Cómico* y *La Vida Literaria*[107]. Los diferencia de los anteriores el ligero barniz socializante de algunos como *La toma de la Bastilla, El cantor de la miseria, El Paraíso prometido*..., muy a tenor con la orientación de las publicaciones a que iban dirigidos y en claro contraste con el resto, frívolos como los de *Figulinas*.

REALIZACIONES DRAMATICAS Y SU REPERCUSION CRITICA

En enero de 1899, *La Vida Literaria* publicó un cartel de Santiago Rusiñol diseñado para anunciar el primer estreno del *Teatro Artístico*. Se trata de un paisaje modernista con una fuente en primer plano en la que se ha posado un pavo real. La obra anunciada es *Interior*, de Mauricio Maeterlinck. Acompaña al cartel este pie de página:

> Muy pronto podremos anunciar la primera representación del *Teatro Artístico*; hay mucho que hablar de ello aquí mismo, y entonces con más detalles, explicaremos los propósitos de nuestra tentativa. Por ahora nos limitamos a reproducir el cartel que como anuncio de una de las obras preparadas ha pintado Santiago Rusiñol, quien, apenas tuvo noticias de nuestros propósitos, nos envió con generosidad de artista entusiasta, tan grata adhesión a sus amigos y compañeros de Madrid[108].

La representación no llegó a efectuarse, pero es un significativo testimonio de la estrecha relación mantenida por Benavente y su grupo con los modernistas catalanes. Se siguen sus pasos, considerando que son "la vanguardia" cultural de la península[109].

Benavente dejó muy pronto la dirección de esta revista, hacia el número 10, aunque a veces se ha escrito que fue director de la misma en toda su duración. Con su alejamiento de la dirección, desaparecen sus colaboraciones, que firmaba con su nombre o como "Arlequín". Tras un repaso minucioso por los restantes números, no hallo más referen-

(107) Para más detalles de dónde fueron publicados por primera vez, véase mi artículo, ya citado sobre "Colaboraciones de Benavente en la prensa madrileña".

(108) *VL*, 4 (28-I-1899); se suele considerar esta revista como "típicamente modernista"; contiene, sin embargo, colaboraciones de Unamuno, Maeztu, Baroja. Como vengo sosteniendo, Modernismo-98 no son fácilmente discernibles en estas fechas. Camilo Bargiela, por ejemplo, en su libro *Luciérnagas*, Madrid, J. Poveda, 1900, incluye un ensayo, "Modernistas y anticuados", que habla de Benavente, Valle y Baroja como lo más avanzado.

(109) Llanas Aguilaniedo, *Alma contemporánea*, ob. cit., pp. 68-69 y 93. Se interesa también por el Wagnerismo —tema, por cierto, que necesitaría ser más estudiado—; véase en el mismo número 4 de la *VL*, el artículo de Benavente, firmado "Arlequín", "Notas de Arte", donde defiende las óperas de Wagner que se representan ya en el teatro Real y el reciente estreno de *Los Reyes en el destierro*, de Daudet, arreglado por Alejandro Sawa para el teatro y que "ha conseguido que el teatro de Arte, obtenga un triunfo más en la escena contemporánea". Defiende el teatro de Daudet y el de Galdós. Sobre el arreglo de Sawa, A. Phillips, *ob. cit.*, pp. 101-106; se estrenó en el teatro de la *Comedia*, ocupado por Emilio Thuillier y Carmen Cobeña; Valle-Inclán tuvo en esta ocasión una desaforada intervención como actor en uno de los papeles secundarios y fue ironizado por la prensa. Phillips no cita el testimonio de Benavente, ni pone en relación este estreno con los intentos del *Teatro Artístico*.

cia al *Teatro Artístico* que una alusión de Emilio Gómez Carrillo en una de sus habituales crónicas parisienses aconsejándoles que, en lugar de *Interior*, representasen *Peleas y Melisanda*, más taquillera por tener una anécdota argumental un poco más clara para el público y resumir mejor los caracteres de la obra de Maeterlinck[110].

Las realizaciones del *Teatro Artístico* fueron pocas y las noticias que de ellas nos han llegado son escasas y no del todo claras. Ricardo Baroja, en *Gente de la generación del 98*, recuerda una de estas representaciones en un teatro de Carabanchel[111]. La obra elegida fue *La fierecilla domada*, de Shakespeare, traducción de otra versión italiana. Según él, su montaje fue dirigido por Valle-Inclán. J. Rubia Barcia, por su parte, precisa que la traducción fue efectuada por el propio Valle-Inclán y fue el *Teatro Artístico*, ya constituído, el grupo que la estrenó en el teatro de las *Delicias* en Carabanchel Alto, siendo el empresario un hijo del actor Antonio Vico[112]. Contrastan estas opiniones con las de Fernández Almagro que en su biografía de Valle escribe:

> El "teatro artístico" aparece como un teatro de diletantes en el que colaboran escritores, actores de profesión, iniciados, etc. Dio algunas representaciones en el teatro de las Delicias de Carabanchel Alto, representando entre otras obras *Juan José*, de Dicenta[113].

¿Confunde los datos Fernández Almagro? ¿Se dieron más sesiones?. Precisarlo tendría el interés de mostrarnos, caso de ser cierta la representación de *Juan José* junto a obras más estrictamente esteticistas, que, al igual que los modernistas catalanes, para el grupo benaventino interesaba tanto el teatro como producto artístico en sí, como el teatro de propaganda social.

Ricardo Baroja, cuyo relato está hecho en tono humorístico, detalla el reparto de *La fierecilla domada*:

> Benavente se encarga del papel de protagonista. Concha Catalá, ¡hermosa muchacha vive Dios!, hará de Tarasca. Barinaga, el viejo. González Blanco, el cocinero. Alonso y Orera, otro papel. Martínez Sierra y algunos más que no recuerdo completan la lista de actores. Los demás contertulios iremos para ayudar en lo que se tercie y a cumplir con la importantísima misión de la *claque*. No sea que los pardillos de Carabanchel no entren por las gracias shakesperianas y den un meneo a los actores[114].

La representación transcurrió sin incidentes hasta casi el final cuando un fotógrafo quiso hacer una instantánea a lo que el empresario se opuso, temeroso de que el barracón pudiera arder. El público se alborotó y comenzó a salir atropellándose entre gritos.

Cabe suponer que quién eligió esta obra fue Benavente, muy interesado siempre

(110) E. Gómez Carrillo, "Día por día", *VL*, 12.

(111) Ricardo Baroja, *Gente de la generación del 98*, Barcelona, Juventud, 1969, cap. XXV, "La fierecilla domada, en Carabanchel", pp. 175-181.

(112) J. Rubia Barcia, *A Bibliography and a Iconography of Valle-Inclán (1886-1936)*, University of California Press (Publications in Modern Philology, 59), 1960.

(113) M. Fernández Almagro, *Vida y literatura de Valle-Inclán*, ob. cit., p. 61.

(114) R. Baroja, *ob. cit.*, p. 177.

por el teatro de fantasía de Shakespeare. Ese mismo año se representó su arreglo de la comedia *Twelft Nigth*, del mismo dramaturgo, en el teatro de la *Comedia* con poco éxito[115]. Maeztu la reseñó extensamente en *Vida Nueva*, lamentando que los actores principales, Thuillier y la Cobeña, no hubieran estado a la altura de sus papeles[116]. La crítica en general no prestó demasiada atención a esta obra[117].

La función del grupo en el teatro *Lara*, el 7 de diciembre de 1899, a beneficio de Valle-Inclán con el fin de recaudar fondos para comprarle un brazo ortopédico, pues el suyo lo había perdido a consecuencia de una reyerta con Manuel Bueno, es mejor conocida.

Se representaron en esta ocasión *Cenizas*, de Valle-Inclán, y *Despedida cruel*, de Benavente.

Cenizas tiene el valor de ser el primer estreno de Valle, tras sus intentos de dedicarse al teatro como actor. Los papeles del drama fueron representados por Rosario Pino (Octavia), Benavente (Pedro Pondal), Martínez Sierra (Padre Rojas) y Moreno (Don Juan Manuel). Se trata de una escenificación ampliada del cuento "Octavia Santino" de su libro *Femeninas*. Más tarde, volvería a refundirlo en *El yermo de las almas*[118].

Quienes se han ocupado de este drama lo hacen de paso y valorándolo condicionados por la gran diferencia que existe entre él y la producción dramática posterior del autor. Los artículos que se la han dedicado están plagados de indecisiones[119].

Cenizas es un drama en que Valle aparece solicitado por diversas tendencias e indeciso hacia dónde dirigirse: trata de crear un espacio que sugestione al espectador, una estancia "plácida y perfumada", un "nido de seda y encaje" en el que coloca a Octavia, la protagonista, dama aristocrática, enferma y atormentada, que vive amancebada con Pedro Pondal. Encerrada en este cuarto, llegan hasta ella noticias del mundo exterior por la criada y por el P. Rojas, jesuita que trata de convencerla para que deje a Pedro, infundiéndole temores.

(115) En 1911, publicará su traducción de *El rey Lear*, en *La Lectura*, y, en 1927, estrenará *La noche iluminada*, que debe no poco a *Sueño de una noche de verano*.

(116) Ramiro de Maeztu, "The Twelft night, en la Comedia", *VN* (19-III-1899).

(117) Luis de Lara, "Teatros", *VL*, 11 (18-III-1899), se queja de este olvido, acusando a los gacetilleros de incompetentes, También Martínez Espada en su repaso de lo que ha sido la temporada en la Comedia, escribe: "Lo que no se ha dicho", *VL*, 13 (2-IV-1899), donde, si hacemos caso a sus afirmaciones en ese año no han sido aceptadas por la Comedia entre otras obras: *La enamorada*, de Praga, *Los deshonestos*, de Rovetta, *El guante*, de Bjornson, y *Pato salvaje*, de Ibsen.

(118) Véase, Ramón del Valle-Inclán, *Femeninas. Epitalamio*, Madrid, Austral, 1978, pp. 95-108. También, *El yermo de las almas*, Madrid, Alianza, 1980.
De *Cenizas*, utilizo la primera edición, Madrid, Administración Bernardo Rodríguez, 1899. En la última página se lee: "A. Jacinto Benavente en prenda de amistad".
Sobre el primer Valle-Inclán pueden verse: Valentín Paz Andrade, *La anunciación de Valle-Inclán*, Buenos Aires, Losada, 1967; Obdulia Guerrero, *Valle-Inclán y el novecientos*, Madrid, Novelas y cuentos, 1977; María Esther Pérez, *Valle-Inclán: su ambigüedad modernista*, Madrid, Playor, 1977. Más concreto y sobre el tema que nos ocupa, Leonardo Romero Tobar, "La actividad teatral valleinclaniana anterior a 1900", *Revista de Bachillerato*, 2 (abril-junio 1977), pp. 25-32. Resume bien la génesis de *Cenizas*.

(119) Un resumen en Romero Tobar, *art. cit.*, p. 28.

Como a los poetas decadentes, a Valle le guía el deseo de explorar sensaciones morbosas, hay inequívocos ecos de Maeterlinck.

Por otro lado, sin embargo, al apoyarse en la anécdota argumental con fuerza, analizando las reacciones de los personajes, sobre todo mediante la confrontación del librepensador Pedro y el ultramontano P. Rojas, parece inclinarse al teatro de tesis. Como en otras obras que he comentado más arriba, es relevante la presencia de un personaje artista, Pedro, que intenta imponer a la sociedad su moral de excepción.

En el P. Rojas carga Valle en extremo las tintas oscuras, haciéndolo portador de un dogmatismo inflexible. Es una forma de caracterización nada lejana a la de los melodramas. El drama concluye con la muerte de Octavia, tras haberse confesado y mientras el P. Rojas quema sus cartas.

La dependencia de Valle en este momento respecto a Benavente es importante; le dedica el drama al ser editado por el *Teatro Artístico*. Valle todavía no ha hecho ningún intento de formulación seria de su credo estético. Teje y desteje un mismo tema varias veces, tanteando caminos.

Despedida cruel, la comedia en un acto de Benavente que completó el programa, fue representada por Josefina Blanco (Casilda), Benavente (Pepe) y Martínez Sierra (criado de los primeros).

En esta breve pieza, todos sus elementos están supeditados al efecto final, consistente en la lectura de dos cartas, una de Pepe y otra de Casilda, quienes, antes de separarse, reconocen el fracaso de su amor-pasión, por cansancio. Un final poco frecuente en Benavente, que se repite al año siguiente en *La gata de Angora*, donde las relaciones de Aurelio, pintor de extracción humilde, con Silvia, encopetada marquesa, resultan al final imposibles por la superficialidad de ésta.

El tema de la identidad del artista empezaba a ser ya un tema manido, pero no será abandonado en los años siguientes. Benavente, desde su característico individualismo, lo volverá a tratar insistiendo en que "En un alma de artista, al golpear el dolor no debe ser martillo que golpea, sino cincel que esculpe"[120].

Coinciden curiosamente estas palabras con algunas de las ideas básicas que maneja Ganivet en *El escultor de su alma*, como veremos.

A raíz de esta sesión del *Teatro Artístico* aparecieron varios artículos reseñándola y animando a sus promotores a continuar. En la *Revista Nueva*, B. Delbrouck escribe:

> ... hay que saludar con los más viriles acentos del entusiasmo, su aparición, que ójala sea el comienzo de una era de prosperidad para nuestra decadente literatura dramática. Yo me complazco en unir mi aplauso modestísimo a los pocos que han recibido Jacinto Benavente y Valle Inclán, iniciadores, creo, del *Teatro Artístico*[121].

"Juan Palomo", crítico teatral de *El Globo*, pide ayuda para el grupo y comenta su actuación:

(120) Jacinto Benavente, *La gata de Angora*, III, 3.

(121) B. Delbrouck, "Plumada", *RN*, 82 (31-XII-1899).

218

Aplaudo, pues, sin rodeos los propósitos de Benavente, Palomero, Valle Inclán, Martínez Sierra, cuantos con ánimo decidido, ingenio despierto y voluntad bien templada consagran su modestísimo templo al arte y en él oficia, sin que se les dé una higa de muchos que frecuentan el culto faltos de fe que nace del alma y no tiene relaciones con el interés[122].

Martínez Espada aprovechó también la ocasión para denunciar las dificultades de los jóvenes dramaturgos que

Para poder representar éstas, o sea, *Cenizas* y *Despedida cruel*, y cuantas lo merezcan de autores anónimos, principiantes, han tenido que agruparse varios jóvenes literatos bajo la dirección de Benavente y fundar lo que ellos llaman *Teatro Artístico*, libre, por cuanto en él tendrán cabida todas las producciones que no deban permanecer inéditas, sólo por el capricho o conveniencia de una empresa impidiendo a determinado público saborear sus bellezas[123].

Martínez Espada acaba su comentario indicando que es necesario apoyarlos para que no se repita una pérdida como la de *La Vida Literaria*, "vilmente asesinada".

El *Teatro Artístico*, sin embargo, tras estas representaciones se disolvió. La falta de continuidad es común a casi todas las empresas culturales de aquellos años. Después, se produjo el distanciamiento entre Benavente y Valle que, en adelante, seguirán caminos dispares.

TEATRO "PARA LECTURA"
"LA ESFINGE" Y "LA VENDA", DE MIGUEL DE UNAMUNO

Unamuno escribió *La Esfinge*, pasada su euforia socialista y tras su crisis religiosa de 1897, que no superó ya nunca.
En su ensayo "La regeneración del teatro español", ya comentado, una de las ideas más importantes es la de que el teatro debe tener carácter simbólico-conceptual, síntesis de

(122) "Juan Palomo", "Gacetillas teatrales: Teatro Artístico", *El Globo* (13-XII-1899). "Juan Sin Tierra" publicó también un pesimista comentario en *Nuevo Mundo*.
José de Lace, *Balance teatral de 1899-1900*, Madrid, 1900, pp. 100-101, se refiere también al intento de Benavente creando un "teatro artístico" y la expectación creada ante la función a beneficio de Valle, cuyo drama *Cenizas* fue "escuchado benévolamente por el auditorio". Elogia más *Despedida cruel*, "monísima comedia en un acto".
También Pío Baroja en su artículo, ya citado, sobre la literatura española, publicado en *L'Humanité Nouvelle* (10-VIII-1899), se refiere al intento benaventino.
(123) Martínez Espada, *Teatro contemporáneo*, ob. cit., p. 262; Urbano González Serrano, "Gente Vieja y gente joven", incluido en *La literatura del día*, ob. cit., cap. VI, defiende también esta juventud "menos idealista que la revolucionaria y menos empírica que la hija de la Restauración; aspira a un sincretismo, que no riña con la vigorosa aspiración a un ideal social y práctico, que por igual emancipe el pensamiento y el estómago" (p. 77).
El intento de Benavente no debió ser único en aquellos años. Francisco Villaespesa, en carta fechada el 25 de diciembre de 1899, escribe a su amigo José Sánchez Rodríguez: "Una buena noticia. En el *Teatro Libre* (que no es el Artístico de Benavente) se estrenarán tus "copos de nieve". Envía ejemplar manuscrito".
Tomo la referencia de Antonio Sánchez Trigueros, *Francisco Villaespesa y su primera obra poética (1897-1900)*, Universidad de Granada, 1974, p. 225.

lo calderoniano y lo ibseniano. En sus dramas trata de llevar este principio a la práctica, dando como resultado un peculiar "descarnamiento"[124].

De otro lado, como señala Lázaro Carreter, "Unamuno carga el acento de la acción sobre uno de los personajes, al que suele animar con un pedazo de su propio espíritu"[125]. Tal llega a ser la preponderancia de este personaje, que anula el resto. Encandilado en la construcción de este personaje, su desconocimiento del mundo del teatro le hace caer en errores técnicos elementales que van desde la pervivencia en su teatro de convencionalismos, como el aparte o la utilización de un lenguaje no teatral, lleno de paradojas y distorsionadas frases, a una concepción decimonónica del espacio escénico[126].

Corta el teatro a su medida y, como la novela o la poesía, lo utiliza para desahogarse, para verterse a los otros. Es una manifestación más de su *autobiografismo* ya desde *La Esfinge*, drama que había titulado antes *Yo, yo y yo*[127].
Se han hecho buenos análisis de esta obra y de su génesis. Al darle cabida en este trabajo, trato de ejemplificar el desplazamiento que se produce, en aquellos años, en los escritores españoles hacia el personalismo y las paradojas que esto conlleva cuando se cultiva un arte como es el del teatro, que tanto necesita de la confrontación con el receptor.

Unamuno escribió *La Esfinge* como una "confesión", según manifiesta a Clarín en una de sus cartas, como "gritos del alma, gemidos de dolor realmente sentidos", según otra, dirigida a Ganivet apenas unos días antes del suicidio de éste[128]. En esta última resume él mismo el argumento:

> Ahora estoy metido de hoz y de coz en un drama, que se llamará *Gloria o paz* o algo parecido. Es la lucha de una conciencia entre la atracción de la gloria, de vivir en la historia, de transmitir el nombre a la posteridad, y el encanto de la paz, del sosiego, de vivir en la eternidad. Es un hombre que quiere creer y no puede; obsesionado por la nada de ultratumba, a quien persigue de contínuo el espectro de la muerte.

(124) Andrés Franco, *ob. cit.*, p. 287, utiliza este término que toma a su vez de Lázaro Carreter a quien cita por extenso; reproduzco la cita: "Compone Unamuno dramas esqueléticos, puras líneas que definen y desarrollan el problema, sin que jamás se preocupe de vestirlos de carne para hacerlos familiares al espectador, para captar su confianza, para darles, en suma, verosimilitud existencial. Dan la impresión siempre de que su arquitecto ha hecho el primero y sustancial esfuerzo para crear la armazón, la estructura, pero se ha quedado en ello. No se ha cuidado de dar al edificio el revestimiento exterior, que nos hace admitirlo por concluso y normal."

(125) F. Lázaro Carreter, *art. cit.*, p. 11.

(126) *Ibíd.*, pp. 14-15.

(127) Otros títulos que pensó para el drama: *Gloria o paz; La paz de la muerte; Paz de la muerte; Paz en la muerte; Muerte de paz; La muerte y la paz; Lucha o muerte; O vida o paz; Ante la nada; ¡Vanidad de vanidades!*... El título definitivo se lo dio Francisco Oliver al representar el drama ya en 1909, según carta conservada en el Archivo de Salamanca de Unamuno. Véase Blanco García, *ed. cit.*, pp. 48-50.
Pilar Palomo, "El proceso comunicativo de la Esfinge", en *Semiología del teatro*, Barcelona, Planeta, 1975, pp. 53 y ss., estudia poemas de Unamuno de aquellos años donde utiliza la imagen de la esfinge, para mostrar estados de conciencia complejos.

(128) Citadas ambas por Andrés Franco, *ob. cit.*, pp. 63-64; lo relaciona además con el *Diario íntimo* que Unamuno escribió durante su crisis.

Está casado y sin hijos. Su mujer, descreída y ambiciosa, le impulsa a la acción; a que le dé nombre, ya que no hijos.

Es un tribuno popular, jefe presunto de una revolución. Después de un gran triunfo y cuando más esperan de él, quema las naves, renuncia a su puesto escribiendo una carta que no admite arrepentimiento; a consecuencia de esto, su mujer, después de tratarle como a un loco, le abandona; le abandonan los amigos, y se refugia en casa de uno, el único fiel, a buscar paz y fe. El día de la revolución, las turbas descubren su retiro, le motejan de traidor, quiere contenerlas y cae mortalmente herido. Entonces reaparece la mujer, a la que pide que le cante el canto de cuna para el sueño que no acaba.

Unamuno se proyecta en Angel, el líder político, que apetece la paz y la recuperación de la inocencia de la infancia y la fe.

Sus amigos Jiménez Ilundáin y Juan Barco, a quienes dio a leer el drama, apuntaron ya el parentesco entre este personaje y Brand de *Un enemigo del pueblo*, de Ibsen, al que también la multitud apedreaba y que elegía el camino de la soledad y de la búsqueda desesperada de Dios. Las similitudes son evidentes. Ya no se ve en Ibsen un dramaturgo "social", sino un defensor a ultranza de las personalidades excepcionales, capaces de enfrentarse a su entorno.

Angel-Unamuno, defraudado por el mundo mezquino en el que vive, emprende la búsqueda de una salida de éste. Ha logrado sobresalir en él, pero no le basta: "Yo he pasado por lo más horrible: por creerme loco. Por lo menos lo fingía. Y todo... ¿por qué? ¿Por qué crees que lo hacía...? Por intrigar al prójimo; por hacerme el interesante; por aquello de que la locura y el genio... ¡qué sé yo porqué!; he vivido lleno de mí mismo ... en satánica soberbia..." (III, 4).

Es el "intelectualismo" lo que le ha llevado a esta situación, su creencia excesiva en los libros. En la escena sexta del primer acto, su amigo Felipe le da un libro diciéndole que su lectura le calmará las penas; Angel contesta que sus penas "las han causado los libros; no son ellos quienes pueden curármelas"[129]. La Tía Ramona volverá a insistir, en el segundo acto, en que los libros son los causantes de sus males (II, 1). Hasta tal punto se ha impregnado de libros que cuanto toca lo convierte en "literatura", llega a tener la sensación de representar un papel más que ser él mismo: "No hago más que representar un papel, Felipe; me paso la vida contemplándome, he hecho teatro de mí mismo..." (I, 6). El "intelectualismo" llega a parecerle "la tisis del alma" (II, 9; también escenas finales). En Angel-Unamuno la idea de ser un ente sólo de ficción, de ser sólo literatura, es atormentadora. A ella se asocia la imagen del espejo en el que Angel-Unamuno se contempla desdoblado, escindido, sin saber qué imagen es más real, la del espejo o el que se mira (final del primer acto).

A Angel-Unamuno se le presenta la doble opción de elegir entre la gloria terrena, que lograría mediante el triunfo de los revolucionarios que lo consideran su líder, y la gloria eterna, que apetece más. En Unamuno parece pesar más en aquel momento la segunda posibilidad. En una de sus cartas a Ilundáin escribe: "Me pasa lo que al Angel de mi drama: la popularidad no me atrae". Sólo la fe posibilita esta gloria eterna y para tener fe es necesaria la sencillez. En el drama, la fe aparece representada por la Tía Ramo-

---

(129) Al *intelectualismo* como enfermedad alude en escritos de estos años: *Nicodemo, El Abejorro, Una visita al viejo poeta...*

na y Martina, la criada. El protagonista envidia su tranquilidad de espíritu y añora su sen-
cilllez: "Quiero humillarme, ser como los sencillos, rezar como un niño, maquinalmente,
por rutina..." (I, 9).

Unamuno, que se ha esforzado en racionalizar su fe, reconoce al cabo la imposibilidad de hacerlo. Trata de recuperarla retornando a la infancia (I, 9-10).
Angel-Unamuno se extasia oyendo a su amigo Felipe contarles a sus hijos la historia del
paraíso terrenal en que se asocian infancia e inocencia, paz (III, 1); reflexiona y parafra-
sea la frase evangélica de "hay que hacerse niño para entrar en el reino de los cielos"
(III, 3). Es su deseo de paz lo que le lleva a abandonar la carrera política: "Mira, Eusebio,
lo que yo quiero es paz" (II, 3), "... necesito calma, reposo, sosiego, largas horas silen-
ciosas conmigo mismo; escarbar sin descanso en el fondo del alma hasta descubrir el
manantial de frescura que la riegue, el arroyo de mi niñez..." (II, 9).

El íntimo deseo de retornar a la niñez se asocia en Unamuno a la imagen de la espo-
sa-madre, que aparece ya en este drama.
En una carta a Pedro Corominas, en la que le cuenta su crisis personal como punto de
arranque del drama, comenta el origen de esta imagen tan recurrente en toda su obra
posterior; refiriéndose a Concha Lizárraga, su mujer, su "santa costumbre", escribe:

> Si hay algo que me ha servido de contrapeso a las tendencias hipocondríacas y
> algo tristes de mi espíritu, es mi mujer. Ha sido para mí la alegría, la vida y la
> salud. [...] Tal vez sea mi sentido de la realidad. Jamás olvidaré el tono con que
> en cierta ocasión, en una crisis de que casi me avergüenzo, crisis de que salió
> mi drama, al verme llorar exclamó: " ¡hijo mío!". Me llamó hijo y será verdad,
> debo ser hijo suyo, hijo espiritual, en no poco de lo bueno que tengo hoy[130].

En la escena final del drama, Unamuno pone en boca de la esposa de Angel una
expresión similar: " ¡Hijo de mi alma!" (III, 6). No es un dato aislado. En la misma escena, Angel, que ha llamado a su esposa madre, le pide: "Cántame el canto de cuna para
el sueño que no acaba...; arrulla mi agonía, que viene cerca...". Desarrollará con el tiempo
"la canción de cuna" en sus brizadoras. Como resume Pilar Palomo:

> ... esa solicitada canción de cuna que deberá (la esposa) arrullar a la muerte
> (sinónimo de paz) se condensa en la identificación con el paraíso perdido de
> la existencia de la fe (=infancia), donde la esposa (=madre) es camino hacia la
> raíz primera del hombre, la tierra[131].

En resumen, Unamuno en La Esfinge busca una forma de comunicar el estado de su
conciencia, objetivándolo en una pieza teatral. La presencia constante de elementos
autobiográficos dificultan esta objetivación.

El argumento de La venda es sencillo: María, ciega de nacimiento, ha comenzado a
ver hace muy poco tiempo, gracias a una operación; sabedora de que su padre está moribundo, quiere ir a verlo, pero, acostumbrada a caminar sin ver, no se orienta.

---

(130) Carta a Pedro Corominas, fechada en Salamanca el 11 de enero de 1901.
(131) Pilar Palomo, art. cit., p. 155.

Se encuentra con dos hombres —Don Pedro y Don Juan— que están discutiendo sobre la razón y la fe. Les pide un bastón y se tapa los ojos con una venda. A su cuidado están su hermana Marta y el esposo de ésta. Su padre le pide a María que se quite la venda para verla, pero ella se niega; es su hermana Marta quien se la arranca, muriendo el padre por la impresión. María concluye gritando: "La venda, la venda otra vez! ¡No quiero volver a ver!".

Unamuno rellena esta sencilla trama argumental con sus habituales interrogantes, planteando en esta ocasión el problema de la razón frente a la fe. Primero, lo hace me-mediante los dos personajes con los que María se encuentra en la calle, que encarnan la fe y la razón. Es un típico monodiálogo unamuniano:

> Don Pedro.— Se vive por la razón, amigo Juan; la razón nos revela el secreto del mundo, la razón nos hace luchar...
>
> Don Juan.— ¡La fe, la fe es la que nos da vida; por la fe vivimos, la fe nos da el sentido de la vida, nos da a Dios![132]

Marta y María remiten a los correspondientes personajes evangélicos: Marta, más preocupada por lo material, incita a María a que se quite la venda; ésta no acepta, en su ceguera ha visto siempre con seguridad a su padre. No necesita de las apariencias materiales para verlo, le basta creer que lo ve. Al ser despojada de la venda, es despojada de la fe. Unamuno, al ser despojado de la venda de la fe, deja de *ver* y sentir la divinidad, desea después recuperar esa fe que es la de su infancia. El padre es el símbolo de Dios. Muere cuando cae de los ojos la venda de la fe. Unamuno vuelve a insistir en la imposibilidad de racionalizar la divinidad.

El simbolismo de la pieza es, pues, mucho más elemental que el de *La Esfinge*, sin ramificaciones. Como si fuera más bien un relato, todos los elementos de la trama están orientados a conseguir el efecto final del despojo de la venda de María y su deseo de recu-perarla.

La solución final unamuniana, en esta ocasión, es ambivalente, entre razón y fe hay una dependencia mutua:

> Marta.— Vaya, hermana, conformémonos con lo inevitable (*Abrázanse*) Pero quítate eso, por Dios (*Intenta quitárselo*).
>
> María.— No, no, déjamela... Conformémonos, hermana.
>
> Marta.— (*A José*) Así acaban siempre estas trifulcas entre nosotras.
>
> José.— Para volver a empezar.
>
> Marta.— ¡Es claro! Es nuestra manera de querernos...

Galdós utilizaba en sus obras "personajes-concepto", para hacer tangibles unas ideas abstractas. Unamuno en sus dramas también presenta "personajes-concepto", pero la diferencia es grande: en Galdós personifican su concepción de la sociedad, son exteriores;

---

(132) Iris Zavala, *ob. cit.*, p. 29, ve en ellos a los apóstoles Pedro y Juan. Andrés Franco, *ob. cit.*, pp. 89-90, profundiza más en esta relación con los personajes evangélicos: la fe en Pedro es, a veces, vacilante; en Juan siempre firme. Para Unamuno, Juan representaba la fe viva, la esperanza en Cristo; Pedro el dogmatismo religioso, la fe subordinada a la razón.

en Unamuno, personifican su problemática interior, son manifestaciones de su personalidad. Unamuno necesita desdoblarse en personajes para intentar poner orden entre sus contradicciones.

"EL ESCULTOR DE SU ALMA", DE ANGEL GANIVET

Ganivet terminó de escribir esta hermética pieza teatral apenas unos días antes de su suicidio. En sus personajes proyecta su compleja personalidad y su lucha para escapar al propio escepticismo, buscando unos ideales que pusieran norte a su vida. Su desencanto personal es acentuado por la contemplación de la postración nacional, causada por la *abulia* de los españoles, faltos de "ideas madres" —o "ideas céntricas", como también gustaba llamarlas—, capaces de deshacer esta apatía general, moviendo las voluntades a la acción[133].

Ganivet mezcla sátira política y reflexión personalista desde sus primeras obras, ya ficciones —*La conquista del reino Maya por el último conquistador español Pío Cid* o *Los trabajos del infatigable creador Pío Cid*— ya ensayos: *Idearium español* o *Cartas finlandesas*.
Los elementos "autobiográficos" son siempre el *cemento* que amalgama. Ganivet desarrolla su obra orgánicamente, siendo los distintos libros pasos hacia una obra total. El *medio social* actúa, para él, de manera determinante sobre el individuo[134]. En su caso, le lleva a una mística nacionalista, a defender la existencia de un "alma de la raza", configurada por fuerzas étnicas, geográficas, culturales y religiosas. Esta alma es fuente perenne de ideales. Sería el equivalente al concepto de *intrahistoria* de Unamuno[135]. El confusionismo ideológico reinante hizo que cada vez le fuera más difícil concretar sus ideas, progresivamente más ambiguas y contradictorias, por la imposibilidad de coordinar determinismo y voluntarismo.

Pío Cid o Pedro Mártir, éste en *El escultor de su alma*, remiten a la personalidad en crisis de Ganivet, buscando sentido a su existencia. Si el personaje de Pío Cid es difícil de interpretar, aún lo es mucho más Pedro Mártir, en el que Ganivet deja de lado el análisis de la realidad externa y "explora su dilema personal a la luz de lo que él llama *la tragedia invariable de la vida*"[136]. La relevancia de este drama en su trayectoria resulta así tan grande que uno de sus críticos más sagaces, Javier Herrero, la considera "la clave

(133) En esta apartado tengo en cuenta: M. Fernández Almagro, *Vida y obra de Angel Ganivet*, Madrid, Revista de Occidente, 1952 (2.ª edición); Francisco García Lorca, *Angel Ganivet, su idea del hombre*, Buenos Aires, Losada, 1952; Javier Herrero, *Angel Ganivet, un iluminado*, Madrid, Gredos, 1966; N. J. Hutman, "El escultor de su alma", *PSA*, CXX (1966), pp. 265-284; H. Ramsden, *Idearium español: A Critical Study*, Manchester University Press, 1967; Donald Shaw, *La generación del 98*, ob. cit., pp. 45-70.

(134) Ramsden, *ob. cit.*, pp. 93 y ss., estudia con detalle la influencia de Taine sobre él. Su libro sobre *Idearium español* es un serio intento de estudio desapasionado.

(135) El propio Ramsden ha comparado a ambos en su libro *The 1898 Movement in Spain*, Manchester, 1967.

(136) D. Shaw, *ob. cit.*, p. 67.

de la obra ganivetiana, [...] remata y revela el sentido último de sus trabajos más importantes"[137], es "su testamento ideológico"[138].

En *Los trabajos del infatigable creador Pío Cid*, anticipa ya Ganivet-Pío Cid, la escritura del drama de manera imprecisa y no exenta de ironía:

— Yo he tenido o creo haber tenido (que para el caso es igual) la audacia de concebir una ley nueva, que, más que la ley, es aspiración permanente del Universo; y como sé que todos los inventores lo pasan muy mal y yo no estoy porque nadie me fastidie, quiero demostrar mi mesura reservándome el secreto...
— Entonces —dijo Moro—, ¿Hará usted esa revelación en su testamento?
— Pienso morir intestado —contestó Pío Cid—. La dejaré en una tragedia que tengo ya escrita y cuya acción se desarrolla precisamente aquí, en La Alhambra.
— ¿Y cómo se titula esa tragedia? —preguntó Ceres, que no concebía nada sin título—.
— No se titula de ningún modo —contestó Pío Cid—. Interinamente la pueden llamar ustedes *Tragedia*, pues en realidad, no es una tragedia particular, sino la tragedia invariable de la vida[139].

En el respaldo de la primera edición de esta novela, Ganivet anuncia la próxima publicación de *La tragedia. Testamento místico de Pío Cid*.
Se trata de *El escultor de su alma*, único drama místico que escribió Ganivet, y que fue concebido primero como uno de los capítulos de la segunda parte de los trabajos de Pío Cid, que no llegó a escribir y que debía titularse *Pío Cid acomete al renovación del teatro español*.

Todo ello demuestra que Ganivet no era ajeno a los deseos de renovación teatral finiseculares, pero que —de nuevo como Unamuno— utilizó en la práctica el teatro como pretexto, como vehículo de comunicación más con unos potenciales lectores que con unos espectadores[140].

El drama tiene tres actos titulados "Auto de la fe", "Auto del Amor" y "Auto de la Muerte". En cada uno de ellos examina una etapa del proceso espiritual de Pedro Mártir[141]. Durante su desarrollo asistimos al proceso de la evolución de Pedro-Ganivet desde el ateísmo a una iluminación mística final de difícil interpretación. Además de Pedro Mártir, que representa al hombre natural, aparecen en la obra otros personajes simbólicos:

(137) J. Herrero, *ob. cit.*, p. 133.

(138) *Ibíd.*, p. 270.

(139) Tomo la cita de J. Herrero, pp. 133-134; el carácter autobiográfico de esta novela ha sido estudiado con detalle por este mismo crítico: "El elemento autobiográfico en los trabajos de Pío Cid", *HR*, 34 (1966), pp. 95-116.

(140) Sobre el manuscrito y sus diversos títulos, J. Herrero, *ob. cit.*, p. 135. La obra fue estrenada, sin embargo, como homenaje al desaparecido escritor en 1899.

(141) De forma más o menos velada los elementos autobiográficos aparecen en esta obra como en el resto: la acción transcurre en Granada; S. Pedro Mártir, es el nombre de la calle en la que nació Ganivet... etc. Utilizo la edición de sus *Obras Completas*, Madrid, Aguilar, 1951.

su amante Cecilia (la mujer creyente ortodoxa), Alma (la creación humana) y Aurelio (la vanidad del mundo)[142].

La acción del primer acto transcurre en una estancia subterránea de la torre de la Alhambra; el escultor Pedro Mártir reflexiona sobre la consistencia de su personalidad, el sentido de la vida y la necesidad de afirmarse a sí mismo, de *tallarse* más que esculpir estatuas, que no son sino "Visibles caricaturas":

> Yo también tuve ideales
> de artista: ¡sueños banales!
> Yo también imaginaba
> que las cosas que creaba
> eran obras inmortales...
> Ya sólo quiero crear
> la estatua que estoy creando
> y ahora la estoy comenzando
> y no la podré acabar
> hasta que pueda expirar...
> ¡Porque la estatua soy yo!
> ¡Mi obra está dentro de mi!

De sus obras, sólo Alma, un montón de barro informe, le cautiva; con las lágrimas de su dolor espera esculpirla. Expone así Ganivet-Pedro su idea de que una de las formas que tiene el hombre de afirmarse es el dolor. Mientras se halla en estas reflexiones se queda dormido junto a ella, entrando poco después Cecilia en escena. Cuando despierta Pedro, dialogan.
Cecilia le acusa de que su fe es vana, pero admite la grandeza de su obcecada búsqueda de la verdad; Pedro no acepta la fe ortodoxa de Cecilia, quien, además, le ofrece su amor humano; Pedro defiende su fe basada en la propia autoafirmación:

> ¿Qué es mi alma? Es un metal
> sin forma, de poco brillo...
> ¡con fuego, yunque y martillo
> forjaré mi alma ideal!
>
> ....
>
> Un ser solo aquí se agita
> ¡Soy yo solo!
>
> ....
>
> ¡Libertad! ¡Qué cara cuestas!

Al final del acto, Pedro Mártir abandona su mundo oscuro y ficticio y marcha a la búsqueda de una auténtica libertad.

El segundo acto, "Auto del Amor", transcurre en el jardín de un carmen de la Alhambra. Contrasta su claridad con la oscuridad del subterráneo del acto primero. Es, con todo, la hora de amanecer. Recuerda la tradicional imagen del jardín como lugar de

(142) Así los vio con acierto en su día Gómez de Baquero en "Un drama místico moderno", *Letras e ideas*, Barcelona, 1905, p. 129.

226

encuentro amoroso. El Escultor, en hábito de mendigo, vuelve al lugar que abandonó años atrás y se encuentra allí con su hija Alma que ama al joven Aurelio. Pedro intenta apartarla de éste, pues la quiere para sí solo. Fácilmente identificamos a Ganivet en Pedro:

> Aquí, en Granada, empezó
> mi vida de peregrino...
> De aquí la voz del Destino
> imperiosa me apartó
> y a otras tierras me llevó...
> ¡Cuántas gentes conocí!

El Escultor quiere hacer de su hija Alma un Dios (p. 789), orientarla hacia los ideales más luminosos, separándola del amor carnal.

El acto tercero, "Auto de la Muerte", de nuevo transcurre en la estancia subterránea. Pedro Mártir dialoga con Alma, a quien intenta poseer y, a la vez, liberarla de la materia. Ya al final del acto segundo se debatía entre el amor carnal y el espiritual, terminando por reconocer la imposibilidad de separarlos. Al llegar a este punto, la acción del drama, de por sí ambiguo, se llena de alegorías no explicadas.

Pedro se da a conocer a su hija y cómo su madre intentó convencerlo para que se convirtiera al cristianismo sin conseguirlo. Ahora, al retornar de su peregrinación y verla, se siente enamorado de Alma, porque

> Un sueño agitó mi vida,
> y este sueño fue mi Dios,
> y tras este sueño en pos
> se lanzó el alma atrevida...
> y al volver a mi guarida,
> con mi sueño ya olvidaddo,
> hallo en ti el sueño soñado...
> Sí, mi ensueño está en tu rostro,
> y ante mi sueño me postro
> y adoro al Dios que me he creado.

> *(se arrodilla)*

> Ser de mi alma creador,
> crear un alma inmortal
> en mi alma terrenal,
> ser yo mi propio escultor
> con el cincel del dolor.

> ....

> ¡Tú eres mi alma creada!
> ¡Tú eres la estatua soñada!

Al besar a Alma, ésta se petrifica. El escenario se llena de tinieblas. Pedro grita:

> ¡Alma! ¡Hija! ¿Dónde estás?
> ¡Dadme luz, que quiero verla!

227

Por la puerta de la izquierda aparece entonces Cecilia, que le insinúa que para volver a ver a Alma tiene que humillarse, a lo que Pedro se niega. Así las cosas, en un inesperado final, "se abre el telón de fondo y aparece Alma, como estatua de una virgen, en una gloria", según la acotación.

Ninguna de las interpretaciones dadas al drama resulta completamente convincente. Para Javier Herrero es la evolución de la vida de Ganivet-Pedro hacia un retorno a la fe católica, si bien reconoce "que sólo en un sentido heterodoxo es posible llamar a Ganivet cristiano"[143]. Donald Shaw es más partidario de considerar la obra como un deseo de autoafirmación personal hasta el final[144]. Gómez de Baquero vio, ya al ser publicada la obra por primera vez, la doble posibilidad de interpretación de su final, señalando que lo que impulsa a Pedro es el deseo de libertad y que

> Esa libertad parece ser el desasimiento de las cosas del mundo, de lo pasajero, de lo temporal, del fenómeno, de la ilusión de Maya, para llegar a la contemplación, y aun a la identificación con la ausencia y realidad del ser o con el superior principio divino de las cosas, desde el punto de vista panteísta; con Dios, desde el punto de vista cristiano.
> [...] Está pues, en su papel de personaje místico el escultor cuando en el primer acto le vemos huir de Cecilia y deja su hogar para emprender la conquista de la libertad que ansía.
> Lo que le caracteriza es la pretensión de recrearse a sí mismo, de ser él la estatua que su voluntad ha de labrar; pero aunque eso tome en sus labios formas de arrogancia nietzscheana, en el fondo, con uno u otro matiz sentimental, con el predominio de ésta o la otra facultad del alma, tal es la aspiración de todo misticismo: la emancipación del espíritu, para llegar a identificarse con la suma realidad, apartando los velos sensibles que la ocultan y nos apartan de ella[145].

Posiciones tan dispares no hacen sino confirmar la ambigüedad del drama, el profundo personalismo de que es manifestación. Ganivet está tan obcecado en su autoanálisis, que ello le incapacita para la acción; su ensimismamiento, en *El escultor de su alma*, se convierte en perplejidad.

(143) J. Herrero, *ob. cit.*, p. 235; intenta, según él, racionalizar su fe inutilmente, pp. 240-241.

(144) D. Shaw, *ob. cit.*, p. 69.

(145) Gómez de Baquero, *ob. cit.*, pp. 130-131.

RECAPITULACION

En este estudio he reconstruido con detalle lo que pensaron que debía ser el teatro escritores de los diversos grupos sociales y los esfuerzos que hicieron para levantarlo de su precaria situación en los últimos años del siglo pasado, analizando primero las tres corrientes literarias extranjeras más importantes que influyeron en el teatro español, cada una con sus peculiaridades ideológicas y formales, y cómo fueron acogidas y reformuladas en España.

El naturalismo en el teatro se aplicó a la búsqueda de lo verdadero mediante la observación y el análisis de la realidad. Trató de llevar a las tablas hombres de carne y hueso, rehuyendo los personajes abstractos, que no tenían valor como documentos humanos. En la puesta en escena se buscó también la verdad. El decorado tenía que envolver e impregnar a los personajes.

La práctica teatral de Zola, sin embargo, demostró la enorme distancia existente entre la teoría y la práctica de estos supuestos. Zola, en los mejores casos, logró escribir algunos melodramas de éxito regular, cuya repercusión en Francia fue escasa.

En España se difundieron más sus ideas dramáticas que sus piezas teatrales. Su ensayo fundamental –*El naturalismo en el teatro*– no se editó completo en castellano, con todo, hasta 1892 en *La España Moderna*. Sus obras fueron poco representadas por las compañías extranjeras en sus giras por la península e igual ocurrió con las nacionales. Cuando se tradujeron, como hicieron Pina Domínguez en 1883 en Madrid, y Eduard Vidal y Rossend Arús en Barcelona al año siguiente con *La Taberna*, atenuaron sus elementos naturalistas y de denuncia social, y añadieron elementos moralizantes. Los autores españoles de melodramas sociales tuvieron en cuenta algunos de sus elementos más externos en los años noventa, pero poco más.

El naturalismo no caló profundamente en España donde la filosofía moderna se había difundido mezclada de elmentos idealistas y metafísicos. El naturalismo español tuvo por ello unos límites muy restringidos, bien visibles en el teatro.

La burguesía española en general, ya conservadora ideológicamente, identificó naturalismo con inmoralidad y con materialismo. Los teatros españoles más importantes eran frecuentados, sobre todo, por esta burguesía, que se mostró poco dispuesta a admitir dramas que tuvieran ribetes naturalistas como *Las esculturas de carne* o *Las Vengadoras*, de Sellés. La valoración moral fue siempre decisiva y el teatro se convirtió en una manifestación más de la pugna entablada entre una minoría liberal y el gran público conservador.

A los naturalistas se deben, con todo, algunas aportaciones significativas: la defensa de la prosa como lenguaje dramático; una tendencia a la simplificación de la intriga; la evolución temática hacia las costumbres contemporáneas, marcadamente orientada a la sátira social y, por fin, una cuidada elaboración del diálogo como soporte estructural de las piezas.

En los años de la década de 1890 a 1900, se produjo un enriquecimiento progresivo y variado del teatro al difundirse las teorías de los simbolistas y ser incorporadas a los repertorios teatrales de los países mediterráneos obras de los dramaturgos nórdicos. No supusieron una sustitución del naturalismo, sino que este mismo amplió sus perspectivas al perder su carácter de escuela cerrada.

Maeterlinck fue el dramaturgo simbolista más conocido desde que los modernistas catalanes tradujeron y representaron *La Intrusa* en 1893. Los escritores madrileños, que mantenían contacto con Cataluña, difundieron sus obras en Madrid. Su huella en estos escritores se hizo más evidente en los primeros años de nuestro siglo, cuando remitió su furor combativo y se centraron más en el propio autoanálisis. Contribuyó a acrecentar su capacidad de análisis de las sensaciones, pero la falta de una infraestructura teatral de aficionados similar a la de Barcelona hizo que su difusión fuera ante todo libresca. Benavente fue quien antes conoció su teatro y siguió sus pautas en algunas de las piececillas recogidas en su libro *Teatro fantástico*. Cuando en 1899 creó el *Teatro Artístico*, una de las obras que pensó representar fue *Interior* de Maeterlinck, cuyo estreno fue anunciado, aunque luego no se llevó a cabo.

Ibsen fue con todo el dramaturgo extranjero más influyente en aquellos años. Junto a él se difundieron, pero mucho menos, otros dramaturgos nórdicos: Bjornson, Strindberg y los alemanes Hauptmann y Sudermann.

La complejidad del mundo ibseniano hizo que fuera interpretado de formas muy dispares. Sus ideas fueron distorsionadas en sentidos diversos, que se fueron modificando a lo largo de los años. Al principio, se vio en Ibsen un dramaturgo revolucionario por su corrosiva crítica de las convenciones sociales y por sus propuestas de una moral rígida. Interesó por ello especialmente a los grupos pequeñoburgueses y a los anarquistas. De sus dramas los más mencionados fueron *Espectros*, *Casa de muñecas* y *Un enemigo del pueblo*. Hacia 1900 los defensores del teatro como medio de propaganda y adoctrinamiento sociales consideraron ya su dramaturgica insuficiente. Es el caso de los dramaturgos anarquistas como Cortiella e Iglesias, y de críticos como Martínez Ruiz. Siguió interesando, sin embargo, a quienes pretendían un teatro que aunase mensaje social y cuidada elaboración artística como Adrià Gual. Pero, en general, fue también más leído que representado, ya que eran insignificantes los teatros independientes que había.

Los novelistas españoles de la llamada generación realista se interesaron por el teatro, siguiendo el ejemplo de los novelistas franceses y continuando la tradición de convertir novelas en piezas teatrales. Su mayor aportación fue la de enfrentarse con algunos de los convencionalismos dramáticos y la creación de personajes de mayor humanidad. Sus mayores insuficiencias se derivaron de su poco conocimiento del mundo teatral que, a veces, les llevó a considerar el teatro como inferior a la novela.

Pérez Galdós es el máximo exponente de las posibilidades de los novelistas españoles en el teatro, con sus pros y sus contras. El estudio de su labor como crítico teatral nos ha demostrado su temprana vocación de dramaturgo y su preocupación por la deteriorada situación del teatro español, que achacó al olvido de las costumbres contemporáneas en sus temas y al cultivo, por el contrario, de un *teatro de teatro*, falso y alejado de la realidad social. Conocía bien el teatro de su época, la tradición clásica española y algunos de los grandes dramaturgos extranjeros, sobre todo Shakespeare, a quien admiró y trató de emular.

En sus novelas de costumbres contemporáneas abundan los elementos dramáticos, que van desde la *confrontación* de personajes a una creciente importancia de lo dialogal como forma de presentar a sus personajes novelescos a un virtual lector de manera directa. Galdós abusó, sin embargo, de la identificación de obra dialogada con obra teatral, lo cual como es sabido, no es sino un convencionalismo más. El estudio del tratamiento de un mismo tema en tres obras, *La Incógnita*, novela epistolar, *Realidad*, novela dialogada, y *Realidad*, drama, permite seguir paso a paso el proceso desde la novela al drama.

La dramaturgia galdosiana no se quedó anclada, sino que Galdós enriqueció continuamente sus obras con nuevos elementos, fiel a su idea de que el escritor debe observar siempre la sociedad en la que vive y trasladarla a sus libros con toda su complejidad. De aquí que entre *Realidad* o *La de San Quintín* haya notables diferencias respecto a *El Abuelo* o *Alma y Vida*, donde intenta dar cabida a elementos simbolistas. Los límites de este trabajo dejan sin estudiar sus últimas producciones en las que reinterpretó temas clásicos –*Alceste*– o, al insistir en el ilusionismo –*Amor y Ciencia* y *Pedro Minio*–, anticipa la comedia de fantasía de autores como Alejandro Casona. Todo este teatro y el teatro poético de las dos primeras décadas de nuestro siglo necesitaría ser revisado.

La imposibilidad de imponer sus criterios llevó a Galdós en ocasiones a una defensa del teatro leído y a mostrar cada vez mayor simpatía por los teatros independientes y artísticos.

La importancia que tuvo para él la utilización de la literatura como forma de adoctrinamiento, sin embargo, condicionó en exceso su práctica teatral, llevándole a supeditar el desarrollo de los dramas y comedias a las ideas que pretendía difundir. Es el caso de *La de San Quintín* cuyos personajes, que he llamado "personajes-concepto", son esencialmente vehículos de ideas y abundan en su trazado elementos melodramáticos.

El teatro de Galdós atrajo la atención de los sectores sociales más dispares, en general favorablemente. Su relación con los jóvenes escritores todavía someramente estudiada, tuvo gran importancia en lo que al teatro se refiere. La simbiosis entre novela y drama que defendió, potenciando el estudio de los personajes y de la acotación escénica, son pilares fundamentales del teatro español posterior. La acogida dispensada a *El Abuelo* lo demuestra. Galdós luchó contra los convencionalismos teatrales y pidió más libertad y una mayor comprensión a la crítica para con las obras experimentales. Dramaturgos como Benavente, Valle-Inclán, Unamuno o Martínez Sierra reconocieron repetidas veces su deuda con él.

La aportación de los grupos anarquistas y socialistas militantes a la cultura española de fin se siglo tuvo una importancia que no siempre se ha reconocido de manera suficiente. Su insistencia en la función social docente del arte se tradujo en una defensa del teatro entendido como documento sociológico. El teatro debía denunciar las lacras de la sociedad y proponer ideales para la sociedad del futuro. Coinciden en este aspecto con las propuestas de la "gente nueva" y el "naturalismo social" en un primer momento, para después pasar a considerar insuficientes las propuestas teóricas y los dramas de éstos.

La producción teatral anarquista y socialista, bastante escasa estos años, no superó el maniqueísmo melodramático. Tan solo algunos dramaturgos anarquistas catalanes —Iglesias, Cortiella y Brossa— conocieron con cierta amplitud la renovación teatral europea y, en sus dramas, procuraron seguir sus pautas.

La "gente nueva" y luego los "jóvenes del 98", tanto modernistas como noventayochistas, caso de admitirse tan controvertida y poco clara distinción, se ocuparon mucho del teatro. Su consideración de su función social fue poco clara y defendieron un teatro sociológico, pero también un teatro en el que lo puramente estético tuviera un valor en sí.

Durante los primeros años de la década de 1890 a 1900, predominó la primera tendencia, pero en los últimos, al acentuarse el personalismo de los escritores, lo sociológico perdió terreno. Las ideas de Zola fueron al principio su *catecismo*, pero progresivamente se enriquecieron con las de los autores nórdicos, las de los simbolistas y, ya hacia 1900, con las de algunos nuevos dramaturgos franceses e italianos. Su zolaísmo inicial, con todo, se hallaba lastrado de elementos procedentes de la dramaturgia neorromántica de Echegaray y su crítica social debe no poco a la literatura satírica y periodística.

Las comedias de Benavente, formadas con "escenas de la vida contemporánea", son en este sentido el mejor ejemplo como he demostrado contrastándolas con sus artículos satíricos. Simultáneamente, sin embargo, trataba de imponer un teatro experimental más ambicioso.

Los personajes librepensadores del teatro naturalista fueron sustituidos por personajes artistas que trataban de imponer su moral de excepción a la sociedad. A través de ellos hicieron una crítica de la sociedad contemporánea, de su moral de apariencias, basada en la familia, que se apoyaba en el matrimonio por conveniencia económica, en la sumisión de la mujer y en la pervivencia del concepto calderoniano del honor.
Frente a todo esto proponían una moral racional, fundada en la unión libre de hombres y mujeres, una reivindicación de la mujer "fuerte" y, negando el positivismo burgués, defendieron los valores de la imaginación.

Hacia la mitad de la década, se puso de moda la *cuestión social* en el teatro. Escritores de diversas tendencias mostraron su visión del problema desde los escenarios. Las soluciones propuestas van desde el reformismo nivelador galdosiano —*La loca de la casa, La de San Quintín*—, y el espiritualismo de Clarín —*Teresa*—, a las de Dicenta, en las que perviven elementos neorrománticos y el protagonismo es todavía individualista —*Juan José*—, y a la desafortunada versión de González Llana y Francos Rodríguez de *Los Tejedores* de Hauptmann con el título de *El pan del pobre*, convirtiendo el notable drama social alemán, no ya en un melodrama más, sino incluso, de ideología explícitamente reaccionaria. Otro tanto cabe decir del teatro social de Sellés.

Prácticamente no aportaban nada estos escritores al tratamiento del tema en los memelodramas sociales anteriores. Sólo la rutina con que la crítica ha estudiado este teatro justifica afirmaciones como la de que *Juan José* inició en España el "drama social". Fue la preocupación por la cuestión social la que dio gran resonancia a estos *dramas* tan endebles y no su calidad. Los desmedidos elogios que tributaron a algunos de los dramas los jóvenes escritores son un signo de las deficiencias de su formación intelectual. Su populismo, sin embargo, lo es de su deseo de ir hacia el pueblo.

Los escritores *modernistas* y *noventayochistas* adoptaron una posición más radical que sus antecesores ante la situación del teatro español. Empresas, actores y repertorios fueron los blancos de sus críticas, percatándose de cómo se condicionaban mutuamente, generando múltiples convencionalismos. Cualquier intento de renovación debía, por ello, enfrentarse desde todos los niveles de la producción teatral.

Pero salvo Benavente y años más tarde Valle-Inclán, estos escritores no fueron hombres de teatro. Sus críticas adolecen de un conocimiento poco directo de los problemas teatrales y pecan con frecuencia de estar motivadas por situaciones de despecho ante la imposibilidad de estrenar los propios dramas.

Las propuestas renovadoras de Unamuno y Martínez Ruiz se hallan muy condicionadas por su propio proceso evolutivo.

En *La regeneración del teatro español*, el ensayo unamuniano abunda en contradicciones, pues, a la vez que sostiene la necesidad de que el teatro deje de nutrirse de sí mismo y busque de nuevo sus temas en la vida del pueblo "chapuzándose" en él, defiende un teatro apoyado básicamente en la palabra, un "drama de conceptos", que rechaza el verismo —la "hecheología"—, pues, para él, "los conceptos tienen, como los hombres, vida interior y dramática y alma; un concepto es una persona ideal llena de historia y de intrahistoria". La base de su teoría dramática es idealista y su concepto de pueblo una abstracción.

Martínez Ruiz, coincidiendo con su momento de simpatía por el anarquismo, abogó por un teatro en el que la claridad del mensaje y la calidad artística no se hallaran reñidos con su función docente. Propuso como modelos a los dramaturgos anarquistas catalanes Iglesias y Cortiella y, de otro lado, a Adrià Gual. Hacia 1900, sus críticas perdieron vigor y se orientó más hacia una defensa de la estética maeterlinckiana.

El *Teatro Artístico*, promovido por Benavente en 1899, quiso ser una alternativa a la producción teatral exsitente. Emuló en cierto modo los intentos de los modernistas catalanes pretendiendo como ellos no disociar la calidad artística y el mensaje social. Su fracaso demuestra cómo, dada la complejidad del hecho teatral, no era suficiente la buena voluntad para llevar a cabo una reforma teatral.

Tampoco tuvieron mayor fortuna las primeras producciones dramáticas de Unamuno —*La Esfinge* y *La venda*—, y de Ganivet, *El escultor de su alma*. Su excesivo personalismo las hacía difícilmente aceptables en los teatros al uso y que quedasen sobre todo en "teatro para lectura".

Esta disociación entre teaatro de espectáculo o comercial y teatro literario o de ensayo, no fue un fenómeno pasajero. De aquí que, cuando volvemos la vista atrás y contemplamos cuál ha sido la trayectoria del teatro español, nos encontramos con demasiada frecuencia con la paradoja de que el teatro español de más calidad no ha sido el que ha tenido acceso a los escenarios y sólo *a posteriori* es mejor valorado.

El teatro español de los años estudiados no sólo tiene un interés sociológico indudable, sino que, además, difícilmente se podrá entender el de nuestro siglo sin tener en cuenta que sus raíces ideológicas, temáticas y formales están en él, como creo haber demostrado.

INDICE DE SIGLAS

Arch.: Archivum
BHi: Bulletin Hispanique
BHS: Bulletin of Hispanic Studies
CCU: Cuadernos de la Cátedra Unamuno
EM: La España Moderna
G: Germinal
HM: El Heraldo de Madrid
HR: Hispanic Review
IL: La Idea Libre
Ins.: Insula
IEA: La Ilustración Española y Americana
I: El Imparcial
MLN: Modern Language Notes
NRFH: Nueva Revista de Filología Hispánica
P: El País
PMLA: Publications of the Modern Language Association of America
PR: El Progreso
Proh.: Prohemio
PSA: Papeles de Son Armadans
RB: Revista Blanca
RC: Revista Contemporánea
RHi: Revue Hispanique
RLC: Revue de Littérature Comparée
RN: Revista Nueva
ROcc.: Revista de Occidente
S: El Socialista
Seg.: Segismundo
VL: La Vida Literaria
VN: Vida Nueva

RELACION DE PUBLICACIONES PERIODICAS REVISADAS[1]

Acracia, Barcelona, 1886-1888.
Album de Madrid, El, 1889.
Anales del teatro y de la música, 1883-1884.
Anarquía, La, 1890-1893.
Anarquía literaria, La, 1905.
Anuario artístico y literario, 1889 y 1891.
Arte del teatro, El, 1902-1903.
Arte del teatro, El, 1906.
Arte y letras, Barcelona, 1882-1883.
Avenç, L', Barcelona, 1882-1893.
Bandera social, 1885-1886.
Blanco y Negro, 1891-1900.
Boletín de espectáculos, 1885.
Ciencia Social, Barcelona, 1895-1896.
Cómicos, Los, 1903-1904.
Crítica, La, 1890-1891.
Crítica, La, 1903.
Democracia Social, La, 1895.
Desheredados, Los, Sabadell, 1884.
Diario del teatro, El, 1894-1895.
Diario ilustrado, El, 1897.
Dominicales del Librepensamiento, Las, 1890-1893.
Don Quijote, 1892-1903.
Electra, 1901.
Epoca, La, 1894-1900.
España artística, La (Agencia teatral: "El teatro"), 1888-1889.
España artística, 1897-1899.
España Moderna, La, 1889-1910.
Gaceta teatral española, 1892.
Gente conocida, 1900-1902.
Gente vieja, 1900-1902.
Germinal, 1897 (1ª época), 1899 (2ª época).
Globo, El, 1896-1900.
Gran Vía, La, 1894.
Helios, 1903-1905.
Heraldo de Madrid, El, 1898-1900.

(1) Cuando no se indica otra población, son revistas y periódicos madrileños.

Hispania, 1899-1903.
Idea Libre, La, 1894-1899.
Ilustración artística, La, 1882-1896.
Ilustración Ibérica, La, Barcelona, 1883-1896.
Ilustración Nacional, La, 1890-1896.
Ilustración del pueblo, La, 1897. Desde abril llamada *La Ilustración popular*.
Ilustración Española y Americana, La, 1883-1885, 1880-1902.
Imparcial, El, 1896-1902.
Juan Rana, 1897 (1ª época), 1897-1898 (2ª época), 1899 (3ª época).
Juventud, 1901-1902.
Lectura, La, 1901-1905.
Luz, Barcelona, 1897-1898.
Madrid Cómico, 1897-1900.
Natura, Barcelona, 1903-1905.
Nuestro Tiempo, 1901-1903.
Nueva Era, La, 1901-1902.
Nuevo Heraldo, El, 1893.
Nuevo Mundo, 1894-1895.
Nuevo Teatro Crítico (Emilia Pardo Bazán), 1891-1893.
País, El, 1895-1901.
Productor Literario, El, 1907.
Progreso, El, 1897-1898.
Proscenio, El, 1894 (1ª época), 1897 (2ª época).
Rebelde, El, Barcelona, 1904.
Revista de Arte Dramático y de Literatura, 1902.
Revista Blanca, La, 1898-1903.
Revista Contemporánea, La, 1882-1901.
Revista Crítica de Historia y de Literatura, 1895-1896.
Revista de España, 1882-1891.
Revista Europea, 1877-1878.
Revista Ibérica, 1883.
Revista Moderna, La, 1897-1899.
Revista Nueva, 1899.
Revista Social, eco del proletariado, 1881-1885.
Revista Socialista, La, 1903-1906.
Socialista, El, 1887-1902.
Suplemento a la Revista Blanca (Tierra y Libertad), 1899-1902.
Teatro, El (director: Julio Nombela), 1880.
Teatro, El, (director: José Perojo), 1900-1905.
Teatro Catalá, Lo, Barcelona, 1890-1897.
Teatro Español, El, Barcelona, 1898.
Teatro Moderno, 1891.
Teatro Moderno, El, Barcelona, 1894-1895.
Teatro Social (Boletín de la Compañía Libre de Declamación), Barcelona, 1895.
Teatro Universal, El, Barcelona, 1896.
Vida Literaria, La, 1899.
Vida Nueva, 1898-1900.

INDICE DE OBRAS TEATRALES CITADAS

241

INDICE

los jóvenes escritores.- El Teatro Artístico.- Realizaciones dramáticas y su repercusión crítica.- Teatro "para lectura": *La Esfinge* y *La venda*, de Miguel de Unamuno.- *El escultor de su alma*, de Angel Ganivet.

ık

LawExpress
HUMAN RIGHTS